KB195879

"
기후위기, 환경재앙, 코로나19는 그저 위기가 아니야.
다른 세상으로 들어가는 문이야.
"

포스트 코로나 시대의
한국농업

포스트 코로나 시대의 한국농업

초판 1쇄 인쇄 2021년 2월 15일
초판 1쇄 발행 2021년 2월 19일

지은이 김영하
펴낸이 이재욱
펴낸곳 (주)새로운사람들
디자인 김명선
마케팅관리 김종림

ⓒ김영하, 2021

등록일 1994년 10월 27일
등록번호 제2-1825호
주소 서울 도봉구 덕릉로 54가길 25(창동 557-85, 우 01473)
전화 02)2237-3301 **팩스** 02)2237-3389
이메일 ssbooks@chol.com
홈페이지 http://www.ssbooks.biz

ISBN 978-89-8120-614-7(03520)

*책값은 뒤표지에 씌어 있습니다.

"
기후위기, 환경재앙, 코로나19는 그저 위기가 아니야.
다른 세상으로 들어가는 문이야.
"

포스트 코로나 시대의
한국농업

김영하 지음

새로운사람들

농민이 잘 살아야 식량주권 지킬 수 있다

왜 농정 패러다임의 전환이 필요한가?

경제성장 지상주의는 국민을 불행에 빠뜨리고 있다. 1960년대 이후의 개발독재와 맞물린 한국사회의 지배이데올로기는 경제성장 지상주의다. 그럼에도 국민은 행복하지 않다. 삶의 질과 관련해서 세계 최저의 출산율, 청소년 행복지수 꼴찌, 저임금노동자비율 1위, 노동시간 1위, 산재 사망률 1위, 대학교육 부담률 1위 등 가장 낮은 사회복지수준에다 자살률 1위, 가계부채 1위, 노인 빈곤율 1위 등 OECD가 발표하는 각종지수에서 50관왕을 차지하는 것이 그런 현실을 여실히 보여준다.

이런 상황을 벗어나려면 국정철학을 경제성장 지상주의에서 국민총행복(GNH) 증대로 전환해야 한다는 것이 박진도 전 농특위원장의 지론이다. 경제성장에서 국민행복으로 국정철학을 전환하기 위해서는 다원적 기능을 극대화하는 농민이 살 만한 사회가 되어야 한다는 말이다.

농정개혁의 로드맵을 살펴보면 공익적 농업 패러다임에 기초하여 기존 생산주의 농정을 개혁해야 한다는 것이다. 직불제 예산을 확충하여 농가소득을 지지할 뿐만 아니라 환경과 생태보전에 대한 대응 의무를 강화하고 농업의 다원적 기능이 발휘되도록 해야 한다. 이러한 다원적 기능의 강화는 유럽연합의 경험에서 보듯이 소득 보상 차원의 직불보다 농업이 사회에 기여하는 서비스에 대한 대가로 전환해야 한다.

여기에 대해 정부는 맞춤형 농정 등의 방식을 내세워 인위적으로 구조조정에 개입할 것이 아니라 아무도 뛰어들지 않고 외면하는 농업에 대해 식량을 제공하고 환경을 보존하는 농민들의 사회적 기여를 지원하는 역할로 입장을 전환돼야 할 것이다.

농정(農政)의 길을 어떻게 바꿀까?

1994년 1월 관악구 봉천동의 허름한 빌딩 3층으로 갔다. 당시 농정연구포럼(현 농정연구센터)이 있던 곳이다.

당시 한국농촌경제연구원 정영일 원장의 진행으로 농정의 전환이란 이정환 박사의 주제발표가 있었다. 당시 나는 38살 나이로 농업 전문지 기자생활을 하고 있었다.

그날 나는 이정환 박사의 발표에 엄청난 충격을 받았다. 당시는 농촌인구가 전체 인구의 10%가 되던 시절인데, 농산물 시장개방으로 10년 후 7%가 무너지고, 20년이 지나면 5% 선마저 무너져 농촌은 노인과 여성만의 집단이 될 것이라는 이 박사의 예측이었다.

그리고 농가의 소득은 도시인의 절반 이하로 떨어질 것이기 때문에 농정의 대전환이 필요하다고 했다. 따라서 농어촌 구조개선 사업이 필요하고 자연적이 아닌 인위적인 농업·농민 퇴출이 있어야 한다는 주장까지 펼쳤다.

개방시대를 극복하고 외국의 농업을 이기려면 규모를 키우고, 기술력을 높이고, 모든 작업의 기계화를 단행하는 것은 물론 이를 통해 성장해야만 한다고 주장했다. 요즈음 표현으로 하면 성장 지상주의다. 그러면서 개방을 받아들이는 것을 넘어 당연시하고 이를 위해 농업구조개선을 해야 한다는 논리를 폈으나 당시 나는 그런 주장 자체가 싫었다.

농업을 보호하고 어려운 환경을 이겨내는 강한 농민을 유인하려고 하지는 못할망정 어떻게 있는 농민마저 쫓아내려고 한단 말인가? 더욱이 발표내용에는 어려워지는 농업·농촌의 환경에 적응하지 못하는 농민들의 전업을 위한 교육이든, 지원이든, 대체 수익의 개발이든 뭔가 농민의 생존권을 위한 대책 논의는 전혀 없는 상태에서 경쟁의 강화 대책을 말하고, 농업 생산 규모의 확대를 말하고, 대외협상이 어느 수준으로 될지 예측하고 있었다.

이후 사반세기가 지난 요즈음 또 다시 농정의 전환이란 이야기가 나오고 있다. 이젠 농민을 쫓아내기 위해서가 아니라 대접받는 농민의 사회를 제도화하기 위해, 경제적 가치가 아닌 농업-농촌-농민의 가치를 부여하기 위해, 생산력 중심이 아닌 다기능으로의 변신을 위해, 쌀 농업에서 밭 농업으로의 전환을 위해, 중앙집권적 농정에서 지역혁신 농정으로 나아가기 위해 각각 농정의 전환을 요구하고 있는 것이다.

더 이상 방치하다가는 우리의 식량 자체가 위협받을 수 있기 때문이고, 우리 환경이 더욱 망가지는 것을 방치할 수 없었기 때문이라는 생각을 갖는다. 농업을 방기한 나라는 선진국이 되지 못했다는 점뿐만 아니라 소득도 너무 낮고 노동도 너무 힘들어 농사를 지으러 오는 사람이 아무도 없다. 그렇지만 이제는 생활비를 줘서라도 지역의 환경을 지키고 식량을 자급하려면 어쩔 수 없다는 것이 선진국들의 농민에 대한 다기능 지불이 아닐까 생각된다.

더구나 농업·농촌·농민은 식량을 생산하는 역할 외에도 우리 사회에 너무나 많은 것을 베풀었지만 그것을 아무도 몰랐고, 또 이를 인정하지 않았다. 우리는 이제야 이를 이야기하고 있다.

그런데 농정(農政)의 전환에 대해 고민을 하는 사이, 코로나19가 창궐했다. 코로나 팬데믹이 닥쳐온 것이다. 그동안 경험하지 못했던 비대면(非對面) 사회, 모든 일상이 마스크와 함께하는 거리두기의 사회가 됐다.

여러 사람이 모이는 행사는 모두 취소되고 대중이용시설조차 규제를 받는다. 학생들의 등교를 차단해 학교 급식에 들어가는 농산물을 생산하는 농민들은 수확물을 그냥 버려야 했다. 그것만이 아니다. 공연장은 물론 TV방송도 공연을 하지 못하고, 농산물 주문도 인터넷으로 하는 시대가 됐다.

이런 코로나 팬데믹은 인간이 저지른 환경오염 때문이다. 이젠 우리 모두 환경을 생각하고 살아야 한다. 변화해야 하는 것은 자연이 아니다. 인간이 팬데믹을 극복하기 위해 문화와 생활패턴을 바꿔야 한다.

그러면 이제 농업은 어떻게 변화해야 할까?

농정의 틀을 바꾸는 방향도 포스트 코로나 시대에 대비하는 것을 염두에 두어야 한다. 당연히 농업계도 환경을 고려해야 한다는 뜻이다. 그러면 어떻게 하는 것이 농정의 틀도 바꾸고, 전염병 시대에도 대응하는 것인지 머리를 맞대고 고민해야 한다. 여러 모로 능력이 부족한 사람이지만 자료가 허용하는 모든 내용을 모아 의견을 취합하고, 나름대로 대안을 찾아본다.

거을래(ㅌ乙來) 김영하

〈차 례〉

<책머리에>농민이 잘 살아야 식량주권 지킬 수 있다•••4

제1장
한국인이 알아야 할 농업과 자연

지구의 역습과 먹거리주권•••16
폭우•••16
산불•••17
태평양의 엘니뇨-라니뇨와 남방진동(ENSO)•••18
2020년에도 역대 최고 기온•••21
인도양의 쌍극자 현상•••22
말벌의 습격•••22
스발바르 국제종자저장고의 위기•••23
자연의 또 다른 다양한 공격•••24
북미의 '일산화탄소 구름'- 지구가 보내는 적색등•••25
산불이 만들고 제트기류가 배송•••26
어린 학생들의 환경운동•••28
그레타 툰베리의 유엔 연설•••29

농업에 숨겨진 인간의 탐욕•••32
성장 촉진을 위한 초식동물의 육식•••32
육종이라는 인간의 욕심•••33
물먹는 하마-아보카도•••36
바나나의 멸종위기•••36
크릴 오일을 향한 탐욕•••38
공장식 축산과 구제역•••39
조류인플루엔자(AI)와 살충제 계란•••41
농업이 만들어내는 기후변화•••43

공장식 식량생산과 먹거리 안전•••45
먹거리는 의약품(약선식품)•••45
한국의 공장식 산업적 농업•••47

공장식 산업적 농업-포스트 하베스트···48
프리 하베스트···49
병해의 역습···51
공장식 축산···52
금전적 가치와 효율성을 강조한 사육···54
공장식 GMO 생산과 수입···56
진화하는 병원균···59

세계화 추진과 농업환경의 변화···64
농업이란?···64
국제적 수탈의 제국주의 시대···65
20세기 초의 농업···67
세계전쟁의 종말과 식량···69
선진국의 먹거리 자급과 국제무역의 변화···71
우루과이라운드협상과 미국의 대응···72
초국적 '농식품복합체'(agri-food complex)의 독점과 곡물 투기···73
WTO체제의 출범과 FTA(신자유주의)시대의 개막···76
진실을 말하라···78

농업·농촌, 그리고 식량의 가치···80
농림업의 공익적 가치···80
석유로 농사짓는 미국···84
농업의 공익적 기능을 반영한 헌법 개정 필요···85
식량자급의 실현은 종합먹거리대책의 첫걸음···86
지역먹거리운동···87
농장에서 식탁까지···89
식량주권은 먹거리 기본권···90
사례를 통해 본 식량주권-아이티 식량농업의 몰락···91

국제적인 교역과 식량정책의 변화···93
제1, 2차 세계대전으로 끝난 제국주의 침략···93
GATT가 설립된 이유···94
가트의 협상과정과 우루과이라운드···96
선진국들의 경제타개책···97
유럽의 EEC와 EC, 그리고 EU···98
유럽 통합에서의 농업과 미국 뉴딜에서의 농업···101
UR협상의 배경과 과정···102
식량안보론에서 식량주권으로···103
시장개방의 결과···104
WTO시대의 농정···106
1997년 IMF 경제위기···108
WTO/DDA 협상···109
비아 캄페시나의 반세계화 운동···110
한국의 움직임···112

농업·농촌 왜 어려운가?•••116

과거 시대 말에 찾아오는 농민들의 어려움•••116
일제 강점기 수탈•••118
일제강점기 농민들의 반발•••120
해방 후 농업의 가장 큰 쟁점 농지개혁•••122
농지개혁에 의해 지주층에서 자영농으로•••124
6.25 한국전쟁 이후•••126
산업화 과정의 농업(이중 곡가제를 중심으로)•••129
산업화 농정에서는 무슨 일이 있었나?•••132
우루과이라운드(UR, 다자간 무역협상) 협상과 그 이후•••136
IMF와 FTA•••137
IMF란 무엇인가?•••140
IMF의 구제금융•••142
미국·영국과 IMF•••145
금융기관의 부실•••147
미국·영국, 한국경제를 타깃으로•••148
FTA(양자 간 무역협상)의 시작•••149
미국과의 두 번째 FTA 협상•••151
쌀 관세화•••152
한·중 FTA•••154
한·중 FTA 기대효과•••156
한·중 FTA 관련 논란•••157
한·중 FTA의 비준과 농어촌상생기금•••158
사기를 친 정치권과 경제계의 농어촌상생협력기금•••160
농어촌상생기금, 외국에서는 어떤 사례가 있나?•••162
농어촌상생기금, 본말이 전도되다•••163
계속되는 FTA•••165
개도국 지위 포기와 정부의 대응•••168
개도국 지위 포기는 어떤 영향 미칠까?•••171
언론의 위기감 조성•••172
이런 논리는 농민만의 논리 아닌가?•••174
농민이 못사는 것은 기득권의 욕망 때문•••178

농민운동의 변화와 먹거리운동•••180

해방 후 농민단체•••180
한국전쟁 이후 농민단체•••183
민간 농업연구소의 부침•••186
UR 과정의 농민단체 구성과 투쟁•••188
농민단체의 전환•••189
농민단체의 분열•••191
분열의 원인은?•••192
농민단체도 개혁해야•••194
농민운동의 전환기를 맞아•••197
민간 농업연구조직의 대안농정 운동•••200

무상급식 운동의 격랑과 지역푸드플랜···201
지방자치단체의 지역푸드플랜 추진···203
농정 틀의 전환···205
농민들의 단식농성···206
농어업·농어촌특별위원회의 구성과 타운홀 미팅···208
농특위의 활동···209
타운홀 미팅 대통령 보고대회···210

제2장
코로나 대창궐(팬데믹)

인간 문명의 환경파괴···214
인간 문명을 바꾼 바이러스···214
전파력이 남다른 병원체···216
코로나19···218
대책은 없는가?···219
이런 전염병 팬데믹의 상황은 왜 일어나는가?···220

인간사회의 변화···213
세계화의 후퇴, 비대면 산업 성장···223
디지털경제로의 전환 가속화···224
기후변화와 관련된 산업 생태계 변화···225
국가의 역할 강화···226
코로나 시대 사회적 조류의 변화···228
글로벌 파워의 재편···230
팬데믹(Pandemic)이란?···231
산업 유형-비대면 산업, 4차산업으로 급격히 변화···232
구체적 농업 변화의 추세···234
농산물 유통의 공공화, 사회화 진전···235
먹거리 미래 준비···238
코로나 창궐에도 잊으면 안 되는 '윤봉길의 농민독본'···239
먹거리 물류 공공화를 위한 도시농업협동조합의 소비자 조직화···240
먹거리는 공공재, 공영화-사회화로 실천해야···241

제3장
포스트 코로나 시대의 변화

포스트 코로나 시대, 어떻게 변화할 것인가?···244

포스트 코로나 시대에 대한 전문가들의 전망···244
토마스 프리드먼의 뉴욕타임즈 기고문 풀기···248

포스트 코로나 시대, 농업의 전망···252
국가 농업연구기관의 진단···252
포스트 코로나 시대, 농업·농촌사회 패러다임 전환···254
농업·농촌 부문 변화···255
포스트 코로나 시대 농업·농촌의 과제···256
포스트 코로나 시대 정부 대안은 적절한가?···260
미래학자들의 뉴노멀···263
코로나 대응 글로벌 ODA 포럼에서 나온 메시지···265
되새겨 봐야 할 '정약용의 삼농혁신'···270

포스트 코로나 시대 정부의 대응전략···272
K-뉴딜, 제대로인가?···272
미국의 뉴딜정책(New Deal Policy)···273
K-뉴딜에 대한 생각···275

제4장
포스트 코로나 시대, 농업 대안을 위한 고민

상시적 전염병 시대의 중심 테마는 무엇일까?···280
"이젠 문명 다이어트, 농업 다이어트다."···280
문명 다이어트의 구체적 방안은?···282
기후위기에 대한 국제적 논의 동향···283
우리나라의 온실가스 배출량···286
외국의 코로나 대응···291

농업 대안을 위한 포스트 코로나 시대의 고민···294
비대면 사회를 위한 정책요소···294
테마와 목표를 명확하게···296
농업생산의 변화···300
인간탐욕의 제거, 바다 어자원 남획의 개선···304
돈만 밝히는 공장식 농업·축산의 대대적 개편···307
산업적 농업 개편과 GMO의 국제적 규약 필요···310
농민 스스로 친환경 농업환경을 만들어가자···312
디지털 뉴딜과 스마트농업, 기업의 농업 참여?···315
코로나 시대 농식품 지원제도···319

제5장
포스트 코로나 시대 농업, 우리의 대응방안

포스트 코로나 시대, 농정의 방향은?•••326
농업 다이어트란?•••326
농업 다이어트의 사례는 없는가?•••328
탄소 흡수원으로서의 농림업•••331

포스트 코로나 시대 농업, 어떻게 할 것인가?•••335
21세기는 4차 산업혁명의 시대인가, 코로나19 시대인가?•••335
4차 산업혁명이란?•••338
비대면 시대의 온라인 유통•••343
지역먹거리선순환시스템의 구축•••346
축산환경의 전환•••351
기후위기-코로나에 대응하는 농정-공익형직불제의 정착•••355
기후위기-코로나에 대응하는 농정-농정 틀의 전환은?•••358
농정 틀의 전환이든, 그린뉴딜이든, 포스트 코로나 농정이든 제대로 하자
•••362

포스트 코로나 시대 농림업, 온실가스 저감은?•••367
코로나 시대 옵션과 농림업 경영의 환경대응1•••367
코로나시대 옵션과 농림업 경영의 환경대응2•••371

<참고문헌 및 자료>•••376

제 1 장

한국인이 알아야 할
농업과 자연

지구의 역습과 먹거리주권

폭우

2019년 3월 이란은 폭우가 내려 4,400개 마을이 침수돼 수천만 명의 수재민이 발생했다. 규모가 엄청날 뿐만 아니라 경제적 피해 규모는 환산할 수 없을 정도로 크다.

2019년 1월 아랍에미레이트(UAE)는 폭우로 공항이 마비돼 국제적인 이동이 불가능해진 적도 있다. 공항은 웬만한 수해라도 극복할 수 있도록 기반을 마련해 지은 것이기에 상황이 어떤 수준인지 짐작할 수 있을 것이다.

2020년 여름 중국 장시(江西), 안후이(安徽), 후베이(湖北)성을 덮친 기록적인 폭우는 상황이 훨씬 더 심각하다. 두 달 간 이어진 폭우로 140여 명이 사망하거나 실종되고, 한국의 인구 수준인 5,000여 만 명의 수재민이 발생한 것은 물론 재산 피해도 2020년 7월 23일 기준 20조 원에 달하는 것으로 조사됐다. 너무나 심각한 상황이 아닐 수 없다.

그럼 무엇이 이런 폭우를 만들었을까? 공장에서 무수히 뿜어대는 연기, 엄청나게 돌아다니는 자동차, 화석연료를 이용한 발전소 등 인간이 자연을 막 대했던 결과인 셈이다. 자연이 인간에게 주는 경로의 역습이 아닐까? 너무도 무분별하게 환경을 오염시키고 에너지를 사용하면서 초래되는 기상이변 중의 하나라고 환경생태학자들은 말한다.

산불

2019년 인도네시아에서는 약 31만 8,000km²의 산림에서 산불이 발생했다. 이에 따른 경제적 손실은 무려 6조 원가량 되는 것으로 추정하고 있다.

2019년 브라질은 8만 건의 화재가 발생했다. 같은 해 가을에 발생한 호주 산불은 5개월이 넘게 지속되면서 한반도 면적을 넘어서는 숲과 초원을 태웠다.

상상을 초월하는 최악의 산불이다. 고온과 강풍에 불길이 솟구쳐 오르며 이동하는 '화염 토네이도' 현상이 잇따랐다.

2018년 11월 미국 캘리포니아에서 발생한 대형 산불 '캠프파이어'는 17일 동안 맹렬하게 타오르며 서울보다 넓은 면적을 태웠다. 특히 2만 7천여 명이 거주하던 파라다이스 시가지 전체를 집어삼키며 80명이 넘는 사망자가 발생했다.

2020년에도 미국 캘리포니아에서는 또 다시 산불이 발생했다. 2020년 10월말 AP통신에 따르면 캘리포니아 소방국은 성명을 통해 올해 캘리포니아에서 발생한 산불로 약 400만 에이커(1만 6,187km²)가 불타고, 최소 31명이 사망했으며, 주택 8,454채와 구조물이 파괴됐다고 밝혔다. 더구나 이 산불은 워싱턴, 오리건, 캘리포니아주 등 3개주에 걸쳐 동시다발로 번져 서울면적의 15배에 달하는 면적에 피해를 입혔으며, 역대 최다 기록이었던 2019년에 비해서도 2,000%의 피해를 입힌 것으로 집계됐다.

이렇게 거대한 피해를 입히는 폭우와 가뭄 또는 산불은 왜 일어나는가? 기상학자들은 엘니뇨, 남방진동, 인도양 쌍극자 현상이 복합적으로 작용해 발생하는 것이라고 하는데 그 원인은 바로 환경오염에 따른 기상이변이다. 인간이 저질러온 문명의 과잉 소비체제 때문이다.

태평양의 엘니뇨-라니뇨와 남방진동(ENSO)

엘니뇨(el Niño)는 페루와 칠레 연안에서 일어나는 해수 온난화 현상이다. 12월 말경에 발생하는 이 현상을 크리스마스와 연관시켜 아기 예수 의미를 가진 엘니뇨라고 부르게 된 것이다. 오늘날에는 장기간 지속되는 전 지구적인 이상기온과 자연재해를 통틀어 엘니뇨라 한다.

◆ 1997년 인공위성에서 엘니뇨현상이 발생한 시점에 지구를 향해 찍은 열화상 사진966년 캘리포니아 대학의 대기과학자인 야곱 비야크니스(Jacob

Bjerknes)는 엘니뇨를 태평양 적도 지역의 기압이 동부와 서부지역 사이에서 일진일퇴하는 변화, 즉 남방진동(ENSO, El Niño—southern oscillation)으로 설명한다.

동·서태평양 사이의 기압 차가 무역풍을 약화시키고 대기의 변화와 해류의 방향을 바꾸며, 바다 표면 온도를 변화시킨다. 광활한 태평양 적도상의 해양과 대기의 관계는 매우 밀접해 어느 한쪽의 변화는 다른 한쪽에도 영향을 미치게 마련인데, 어느 한쪽의 바람이 약해지거나 동서 간의 수온차가 생길 때 다른 쪽의 대기와 해양이 변화를 일으켜 엘니뇨현상이 발생한다.

남반구에서 부는 남동 무역풍은 바다의 따뜻한 표층수를 서쪽으로 이동시킨다. 이때 표층수가 이동한 자리에는 200~1,000m 깊이에서 상승(용승)하는 영양분이 가득한 찬 해수가 올라와 대체된다. 상승이 일어나는 지역은 200km 미만으로 좁지만 이때 올라온 풍부한 영양분은 부유성(浮遊性) 생물의 빠른 성장을 도우며, 활발한 어업 활동을 가능케 한다.

이러한 기상 조건이 정어리(멸치)가 잘 자라는 데 적합하기 때문에 한때 페루는 세계 최고의 정어리 어획고를 자랑한다. 이러한 기상 현상은 정상적인 수온과 정상적인 어업 활동으로 되돌아갈 때까지 보통 1~3개월 정도 지속되며 길게는 1~2년이 걸린다고 한다.

엘니뇨는 1950년부터 총 13회가 발생했는데 최근 1982~1983년, 1991~1993년, 1994~1995년, 그리고 1997~1998년에 나타났다. 엘니뇨는 기상, 어업, 경제 등 여러 방면에 영향을 주지만 특히 홍수나 가뭄을 불러일으킨다. 1982~1983년에 발생한 엘니뇨로 인해 에콰도르에서 홍수로 600명이 사망하고, 로키산맥에는 폭설, 캘리포니아에서는 대형 허리케인이 발생했다는 것이 기상학자들의 이야기다. 또한 타히티에는 강력한 사이클론이, 오스트레일리아에서는 건조한 모래 폭풍이 일어났고, 필리핀·볼리비아·페루 등지에는 심각한 가뭄이 있었다.

　1998년에 발생한 엘니뇨는 인도와 오스트레일리아의 동부지역에 심한 가뭄을 불러왔고, 인도에서는 40℃ 이상의 고온으로 약 2,500명이 사망했다. 우리나라의 경우 1998년 1월 영동지역의 폭설과 영남지역의 폭우가 엘니뇨현상 때문이라고 추정하고 있다. 2002~2003년 여름에 있었던 태풍 루사와 태풍 매미도 엘니뇨의 여파로 추측하고 있다.

　다우지역은 소우지역으로, 소우지역은 다우지역으로 바뀌고, 태풍의 발생이 적도 중앙으로 옮겨가며 발생 빈도나 태풍의 위력이 더 강해지는 현상도 발생한다. 인도네시아에서 바람의 방향은 주로 바다에서 육지 쪽으로 불어 평소에는 많은 비가 내리지만, 엘니뇨 기간에는 육지에서 바다 쪽으로 바람이 불어 날씨가 건조해지기 때문에 큰 산불이 일어나기도 한다. 또 남아메리카 서해안의 정상보다 따뜻한 해수는 대기의 대류를 촉진해 평상시 건조한 해안 평야지대에 많은 비를 내리게 함으로써 홍수를 일으키는가 하면 식물들을 무성하게 해준다.

　엘니뇨현상으로 멕시코만 연안지역의 겨울은 평상시와 달리 자주 비가 내리며, 캐나다의 서부지역과 미국의 북서부지역은 유달리 온화해진다. 이로 인해 농산물의 공급이 불안정해 가격이 폭등하고, 기후변화가 계절상품의 생산이나 유통업체의 운영 등 산업과 경제활동에 막대한 피해를 입히고 있다.

　엘니뇨와 반대로 평년보다 0.5도 낮은 저(低)수온 현상이 5개월 이상 일어나는 경우도 있는데, 이를 '라니냐(La Nina)'라고 한다.

　라니냐 현상은 적도무역풍이 평년보다 강해지면 서태평양의 해수면과 수온은 평년보다 상승하게 되고, 동태평양의 경우 찬 해수의 용승이 강해짐에 따라 저(低)수온 현상이 강화되는 현상이 나타난다. 이와 같은 엘니뇨-라니뇨와 남방진동은 왜 발생하는가?

2020년에도 역대 최고 기온

2019년 지구는 1880년 기온 측정을 시작한 이래 역대 2위의 높은 기온을 기록. 지구 기온을 높이는 엘니뇨현상이 없었음에도 이상고온을 보인 것을 두고 과학자들은 인간 활동이 유발하는 지구 온난화의 영향으로 해석하고 있다.

2020년에도 지구 기온이 역대 톱5에 오를 만큼 높을 것으로 전망된다. 지구의 기온을 기록하기 시작한 지 141년 만에 가장 따뜻한 해가 될 확률도 75%로 제시하고 있다.

미국 해양대기국(NOAA)은 최근 발표한 국립환경정보센터(NCEI) 3월 기후보고서에서 올해 1분기 지구 평균 기온은 1880년 이후 평균치(12.3도)보다 1.15도 높았다고 발표했다. 이는 역대 최고 기온을 기록한 2016년 1분기보다 불과 0.08도 낮은 역대 2위의 높은 기온으로 2016년 당시엔 지구 기온을 끌어올리는 엘니뇨현상이 뚜렷했으나 지난 3월은 423개월 연속으로 20세기 평균 기온을 웃도는 기록을 차지했다.

올해 1분기에는 특히 동유럽과 아시아 지역이 고온 현상을 보였는데 이 지역의 대부분에서 1분기 기온이 평균치보다 4도 이상 높았다. 유럽 일부 지역과 아시아, 중남미는 역대 최고기온을 기록했다. 지구 기온은 앞서 지난 1월에도 2016년 1월보다 0.03도 높은 기온을 기록해 올해도 역대 급의 지구 온난화를 예고한 바 있다.

해양대기국은 "과학자들이 1분기 통계를 분석한 결과에 따르면 2020년은 기온 측정을 시작한 이후 가장 따뜻한 '톱5' 안에 들 것이 거의 확실하다."고 밝혔다. 그리고 그 확률을 99.9%로 제시했다. 보고서는 인간 활동에 의한 기후변화가 2020년 이상 고온의 원인 가운데 하나라고 강조했다. 해양대기국은 또 2016년 기온을 넘어설 확률도 75%에 이른다고 덧붙였다. 2010년대, 특히 2015년 이후

5년간은 기상 관측 140년 역사상 가장 기온이 높은 시기였다. 역대 1~5위 기온 기록이 모조리 2010년대 후반에 몰려 있다.

인도양의 쌍극자 현상

인도양의 동서 간 해수면 온도가 격심해지는 것을 말한다. 인도양의 동부는 수온이 하강해 강수량이 감소함으로써 가뭄이 발생하는 반면, 인도양의 서부는 수온이 높아져 강수량이 급증함으로써 폭우가 발생하는 것이 일상화되고 있는 것이다.

2019년 이란, 이탈리아, UAE 등의 수해, 인도네시아, 호주 등의 산불 발생 등이 이 인도양 쌍극자 현상이 원인이라고 지적된다. 더구나 인도양의 쌍극자 현상은 태평양의 엘니뇨현상과 연계돼 전 지구적인 기상이변을 돌출하게 하고 있다.

엘니뇨현상과 인도양의 쌍극자 현상은 서로 연계돼 환경오염을 응징하는 현상으로 인간의 무분별한 환경파괴와 에너지의 과다 사용, 자연과 생태계를 고려하지 않는 인간의 탐욕에 대해 역습을 하고 있는 것이다.

말벌의 습격

곤충 생태계의 최상위 포식자인 말벌은 생태계 조절자로 지구 생태계에서 해충의 개체수를 조절하는 역할을 한다. 꿀벌보다 30배 많은 독을 보유한 말벌은 인간에게 벌침을 놓았을 때 적혈구를 파괴해 사람을 죽이는 살인 말벌이라 불린다.

2013년 7월 중국의 산서 성에서는 장수말벌 무리가 출몰해 40명이 사망하고, 1,600명이 부상을 입는 큰 사고가 발생한다. 이는 지구온난화로 인해 말벌의 번식력이 증가했기 때문이다. 폭염, 마른 장마 등의 환경이 말벌의 번식조건을 좋게 해 말벌이 극성을 피우는 환경이 조성된 것이다. 이에 따라 말벌주의보가 내려졌다.

한반도에도 그 영향이 미쳤다. 2003년 아열대지방에서 서식하던 등검이말벌이 대한민국의 수도권, 강원지역까지 점령해 등산객들은 물론 산림 거주자들까지 위협하고 있다. 밀원지역의 파괴까지 겹쳐 토종벌의 멸종 위기를 초래하고 있다. 이러한 말벌의 위협으로 토종꿀의 생산량이 대폭 줄고 있다.

스발바르 국제종자저장고의 위기

세계의 여러 나라들이 전 지구적인 재앙에 대비해 국제종자저장고(The Svalbard Global Seed Vault)를 짓자는 의견을 모아서 이를 추진했다. 노르웨이 영구동토층으로 알려진 스발바르 섬에 전 세계의 종자를 보관하는 국제종자저장고를 마련했다. 현재 한국은 이 국제종자저장고에 1만 3,000여 종을 보관하고 있고, 전 세계의 종자 105만 9,646종을 저장하고 있다. 저장고에는 향후 220만 종을 저장할 예정이다.

국제종자저장고는 지구 최후의 날을 대비하여 노르웨이 정부가 2008년 2월 완공한 것인데, 스발바르(Svalbard)제도를 구성하는 4개의 섬 가운데 하나인 스피츠베르겐(Spitsbergen) 섬의 바위산 안에 120m 길이로 만들어졌다. 이 저장고의 내부 온도는 영하18℃를 유지하고 있는 것으로 알려졌다.

국제저온저장고에서는 완두는 20~30년, 해바라기는 수십 년, 벼는 수백 년까지도 보관이 가능하다고 한다. 그런데 빙하가 있는 이

섬에도 이상이 찾아왔다. 2015년 노르웨이의 <The Guardian>지 (紙)는 "빙하가 녹은 물이 입구 터널에 흘러 들어갔다."고 충격적으로 보도했다. 지구온난화에 따른 기온 상승으로 주변 영구동토가 녹아 내부 일부가 침수됐다는 것이다. 이제는 빙하지대라고 일컬어지는 지역도 안전하지 않고 점점 많은 지역이 녹아 빙하지역은 점점 줄어들고 있는 것이다.

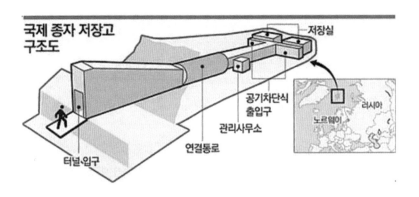

국제 종자 저장고 구조도

저장실
공기차단식 출입구
관리사무소
연결통로
터널·입구
러시아
노르웨이

자연의 또 다른 다양한 공격

세계의 공장으로 불리는 중국의 미세먼지 황사는 전 지구적 오염으로 확산되고 있다는 것이 기상전문가들의 이야기다. 인공위성 사진에서도 중국의 황사는 황해를 지나 한국, 일본으로 넘어오는 것이 확인된다고 한다. 더구나 이런 현상은 연중 발생해 일상생활에 커다란 불편을 주는 것은 물론, 호흡기 질환자가 급증하고 있는 것으로 통계상 나타난다. 물론 외국만의 문제는 아니다. 국내에서도 화력발전소와 자동차, 공장 등에서 발생하는 매연이 전체 미세먼지 중 30%를 차지하고 있다.

바다지진 이후 나타나는 쓰나미도 큰 피해를 주고 있다. 태국, 인도네시아, 일본의 피해는 그것을 단적으로 보여준다. 많은 사상자가 발생할 뿐만 아니라 발전소, 공업단지 등 사회기반시설을 망가뜨리고, 특히 일본의 경우 핵발전소까지 파괴해 바닷물을 오염시키는 최악의 상태로 확산되기도 한다.

북극과 남극 빙하지대의 급속한 해빙도 문제로 지적된다.

북극의 빙하가 지속적으로 녹아 북극곰의 생활터전을 무너뜨리고 있을 뿐만 아니라 어떤 후속적인 위기를 몰고 올지 걱정이 앞서고 있는 것이다.

국민 대부분이 난방 연료를 연탄에 의존하던 시절에는 겨울철마다 연탄가스 중독 사고가 잇따랐다. 원인은 아궁이에서 새나온 연탄가스 속의 일산화탄소 때문이었다. 일산화탄소는 냄새나 색깔이 없어 사람이 실제 쓰러지기 전까진 누출 사실을 알아채기가 어려웠다. 일산화탄소를 들이마시면 두통이나 구역질, 호흡 곤란이 생기고 심장이나 뇌도 치명상을 입는다.

이런 일은 산소를 온몸에 실어 날라야 할 혈액 속의 성분인 '헤모글로빈'이 제 역할을 하지 못해서 생긴다. 헤모글로빈은 산소보다 일산화탄소와 250배 더 잘 결합하기 때문에 일산화탄소가 몸에 들어오게 되면 산소 운반이라는 본래 임무는 내팽개치는 것이다.

북미의 '일산화탄소 구름'- 지구가 보내는 적색등

그런데 최근 난데없이 북미 대륙의 대기에서 일산화탄소가 평소보다 10배나 늘어나는 일이 발생했다. 미국 항공우주국(NASA)이 대기 속에 포함된 기체의 종류를 알아낼 수 있는 '아쿠아 위성'을 동원해 촬영한 사진을 살펴보면 고농도 일산화탄소의 증가세와 확산 속도는 충격적이다. 아쿠아 위성의 사진은 대기 중 일산화탄소 수치가 350ppbv(parts per billion by volume, 전체 부피의 10억분의 1)가 넘는 지역을 빨간색으로 표시한다. 지난 6~8일의 3일간 평균치에서 이런 곳은 미국 서부와 중부 일부에 국한됐다.

지난 12~14일은 상황이 확 달라졌다. 빨간색 지역이 크게 두 갈래로 나뉘어 광범위하게 확산했다. 하나는 미국 서부와 중부, 동부를 길고 두껍게 관통하는 띠 형태로, 다른 하나는 캐나다 남서부와 태평양 연안 하늘을 뒤덮는 회오리 같은 모습으로 발달했다.

북미 대기의 일반적인 일산화탄소 농도는 위성사진에서 녹색과 노란색 지역으로 표시된 30~50ppbv에 그친다.

겨우 일주일 새 평소보다 많게는 10배 이상의 일산화탄소가 북미 대륙을 덮친 것이다. 일산화탄소는 약 한 달간 대기에 남아 있을 것으로 NASA는 보고 있다.

산불이 만들고 제트기류가 배송

이번 일로 당장 미국과 캐나다 길거리에서 일산화탄소 중독을 걱정해야 하는 건 아니다. 일산화탄소가 고농도로 녹아든 대기는 고도 5km에서 관측됐기 때문이다. 백두산의 2배에 이르는 높이로, 사람이나 동물이 들이마시는 공기와는 한참 떨어져 있다. 하지만 NASA는 "일산화탄소가 강한 바람을 타고 공기 질에 상당한 영향을 미칠 수 있는 곳으로 내려갈 수 있다."고 경고했다. 미국 산불 지역에선 이미 초미세먼지 등으로 시민들이 마스크나 심지어 방독면을 착용하고 있는데, 일산화탄소 때문에 예기치 못한 문제가 생길 수도 있다는 뜻이다.

일산화탄소는 어디서 온 걸까. 바로 캘리포니아 주, 오리건 주, 워싱턴 주에 걸친 미국 서부 산불 현장이다. 지난달 중순부터 본격화된 산불은 이달 중순까지 약 2만㎢를 태웠다. 남한 면적의 5분의 1이 잿더미가 되면서 엄청난 양의 일산화탄소가 뿜어져 나온 것이다.

일산화탄소가 대기권에서 광범위하게 퍼진 이유는 산불의 뜨거운 열기와 제트기류 때문이다. 산림이 활활 타며 생긴 열기가 덥고 가벼운 공기를 만들면서 여객기가 다니는 고도 근처까지 일산화탄소를 밀어 올렸다. 이렇게 올라온 일산화탄소는 동쪽을 향해 움직이는 시속 100~200㎞의 제트기류를 타고, 일주일 남짓 만에 북미 대륙에 넓게 퍼져 나간 것으로 NASA는 보고 있다.

문제는 미국 서부의 산불과 일산화탄소 확산이 앞으로도 꾸준히 일어날 가능성이 크다는 점이다. 이번 산불은 지구촌의 구조적인 문제, 다시 말해 기후변화로 인해 발생했다는 것이 과학계의 분석이다. 기후변화는 폭염을 유발하고, 폭염은 산림과 대지를 바짝 말린 장작처럼 만든다는 것이다. 우울한 전망은 구체적인 숫자로 증명된다. 미국 해양대기청(NOAA)이 발표한 자료에 따르면 지난달 지구의 평균 기온은 20세기 평균(15.6도)보다 0.94도가 높아 2016년 이후 역대 두 번째로 뜨거운 8월을 기록했다.

날이 갈수록 더워지는 여름은 새삼스러운 일도 아니다. 1880년 기온 측정이 시작된 이후 '가장 뜨거웠던 8월 기온' 기록 10개가 모두 1998년 이후에 세워졌고, 상위 5개만 추리면 모두 2015년 이후 집중적으로 발생했다. 캘리포니아에서 1932년 이후 집계된 대형 산불 상위 20개 가운데 17개가 2000년 이후에 빼곡히 발생한 것도 우연한 일이 아니라는 얘기다.

가속화되는 전 지구적인 기후변화 앞에서 한국의 책임도 가볍지 않다. 한국의 온실가스 배출량은 경제협력개발기구(OECD) 국가 중 5위, 전 세계 11위다. 이지언 환경운동연합 에너지기후국장은 "한국은 국익 논리 때문에 한국전력 등이 추진하는 해외 석탄발전소 건설을 계속 허용하고 있다."며 "환경 문제 대응은 경제적 효용성을 중심에 둔 '돈 계산'이 아니라 생존이나 지속 가능성의 관점으로 보는 시각이 시급하다."고 설명했다. (경향신문 2020. 9. 27)

어린 학생들의 환경운동

기후변화가 심각해지면서 청소년들까지 목소리를 내기 시작했다. 스웨덴 출신의 16살 소녀, '그레타 툰베리(Greta thunberg)'는 유엔 연설까지 했던 청소년 환경운동가다. 2018년 8월, 스웨덴 의회 앞에서 지구 온난화 대책 마련 촉구 1인 시위를 한 것은 물론, 환경 회의가 열리면 어느 곳이든 달려가 지구환경을 위한 획기적인 전환을 요구한다.

그레타 툰베리의 영향으로 세계 100개 이상의 도시 학생들이 매주 금요일마다 등교를 거부하고 시위를 벌이고 있다. 이런 학생들의 시위는 1년 만에 기후파업(Climate Strike)이 '미래를 위한 금요일'이라는 환경운동으로 발전했다.

우리나라의 청소년들도 지역별로 정해진 장소에 모여 집회, '기후위기 비상행동'을 실시하고 있다.

툰베리는 친환경 태양광 요트를 2주간 이용, 지난 9월 미국 뉴욕에서 열린 유엔 기후행동 정상회의에 참석, 세계 지도자들 앞에서 기후변화 대책에 대한 문제점을 비판하는 등 기후변화에 대한 행동을 촉구하는 연설을 펼친 것으로 유명하다.

한국계 미국인 '조너선 리(Jonathan Lee)'도 유명한 청소년 환경운동가다. 2007년, 지구온난화와 관련된 환경 다큐멘터리를 보고 환경운동에 관심을 갖게 된 이후, 인터넷에 환경 주제의 판타지 동화 '

고그린맨(gogreenman)'을 연재, 미국에서 큰 관심을 불러 일으켰다.

조녀선 리는 1년에 세계 어린이 한 명당 한 그루 나무 심기 운동, 패스트푸드 레스토랑 재활용 캠페인을 펼쳤으며, 우리나라의 태안반도 기름 유출사고 때 기름 제거 작업에 동참하기도 했다. 2009년에는 12세의 나이로 세계청소년환경연대 'I See HOPE(ICEY HOPE)'를 설립했다. 학교를 방문해 재활용 방법 등 환경교육을 실시하는 '푸른 교실 프로젝트'를 진행하는 한편, 지구환경을 넘어 평화로운 지구를 위해 남북 어린이 교류를 위한 'DMZ 어린이 평화 숲 만들기' 운동을 전개하고 있다. 청소년이 이럴진대 어른들은 무얼 하고 있는지 안타깝다.

아래는 툰베리가 유엔 기후행동 정상회의에서 한 연설문이다.

그레타 툰베리의 유엔 연설

"이건 아니라고 생각합니다. 제가 이 위에 올라와 있으면 안 돼요. 저는 대서양 건너편 나라에 있는 학교로 돌아가 있어야 합니다. 그런데 여러분은 희망을 바라며 우리 청년들에게 오셨다구요? 어떻게 감히 그럴 수 있나요? 여러분은 헛된 말로 저의 꿈과 어린 시절을 빼앗았습니다. 그렇지만 저는 운이 좋은 편에 속합니다.

사람들이 고통 받고 있습니다. 죽어가고 있어요. 생태계 전체가 무너져 내리고 있습니다. 우리는 대멸종이 시작되는 지점에 있습니다. 그런데 여러분이 할 수 있는 이야기는 전부 돈과 끝없는 경제성장의 신화에 대한 것뿐입니다.

도대체 어떻게 그럴 수 있습니까?

지난 30년이 넘는 세월동안 과학은 분명했습니다. 그런데 어떻게 그렇게 계속해서 외면할 수 있나요? 필요한 정치와 해결책이 여전히 아무 곳에서도 보이지 않는데요. 여러분은 우리가 하는 말을 "듣고 있다."고, 긴급함을 "이해한다."고 합니다.

그러나 아무리 슬프고 화가 난다 해도, 저는 그 말을 믿고 싶지 않습니다. 만약 정말로 지금 상황을 이해하는데도 행동하지 않고 있는 거라면 여러분은 악마와 다름없는 것이기 때문입니다. 그래서 저는 그렇게는 믿고 싶지 않습니다.

지금 인기를 얻고 있는, 앞으로 10년 안에 온실가스를 반으로 줄이자는 의견은 지구온도 상승폭을 1.5℃ 아래로 제한할 수 있는 가능성을 50%만 줄 뿐입니다. 이는 또한 인간이 통제할 수 있는 범위를 넘어서 되돌릴 수 없는 연쇄반응을 초래할 위험까지 안고 있습니다. 50%는 여러분에게는 받아들여지는 수치인지도 모릅니다.

그러나 이는 여러 토핑 포인트, 대부분의 피드백 루프, 대기오염에 숨겨진 추가적인 온난화는 포함하지 않고 있는 수치입니다. 기후정의와 평등의 측면도 고려하지 않았습니다. 또한 이는 여러분이 공기 중에 배출해놓은 수천억 톤의 이산화탄소를 제거할 임무를 우리와 우리 자녀 세대들에게 떠넘긴 것이나 다름없습니다. 그렇게 할 수 있는 기술도 나오지 않았는데 말입니다. 그래서 기후위기가 초래한 결과를 떠안고 살아가야 할 우리는, 50%의 위험을 감수하라는 것을 받아들일 수 없습니다.

1.5℃ 아래로 머무를 수 있는 67%의 기회를 잡으려면 IPCC(Inter-governmental Panel on Climate Change, 기후변화에 대한 정부 간 패널)가 제시한, 현재로선 최상의 가능한 수준, 세계는 2018년 1월 1일 기준으로 420기가톤 이상의 이산화탄소를 배출하면 안 되는 상황이었습니다. 오늘날 이 숫자는 이미 350기가톤 아래로 떨어졌습니다.

어떻게 감히 여러분은 지금까지 살아온 방식을 하나도 바꾸지 않고 몇몇 기술적인 해결책만으로 이 문제를 해결할 수 있는 척할 수 있습니까? 지금처럼 탄소배출을 계속한다면 남아 있는 탄소예산마저도 8년 반 안에 모두 소진되어 버릴 텐데요. 오늘 이 자리에서 제시될 어떠한 해결책이나 계획도 이렇게 남아 있는 탄소예산을 고려한 경우는 없을 것입니다.

왜냐하면 탄소 예산을 나타내는 이 수치는 매우 불편한 것이기 때문입니다. 그리고 여러분은 여전히 사실을 있는 그대로 말할 수 있을 만큼 충분히 성숙하지 않기 때문입니다. 여러분은 우리를 실망시키고 있습니다.

그러나 우리 세대는 여러분이 우리를 실망시키기를 선택한다면 우리는 결코 용서하지 않을 것입니다. 여러분이 이 책임을 피해서 빠져나가도록 내버려두지 않을 것입니다. 바로 여기, 바로 지금까지입니다. 더 이상은 참지 않습니다. 전 세계가 깨어나고 있습니다. 여러분이 좋아하든, 아니든, 변화가 다가오고 있습니다. 감사합니다."

농업에 숨겨진 인간의 탐욕

성장 촉진을 위한 초식동물의 육식

인간의 탐욕은 초식동물의 육식으로 발전한다. 미국 등의 국가는 사육 소의 경우 도축하면서 발생하는 닭, 돼지, 소 등의 내장이나 털 등의 부산물이나 폐기물을 함께 모아 분쇄한 다음 사료 첨가물로 사용하여 다시 먹이로 둔갑시키는 일이 발생했다. 도축할 때 발생하는 동물성 폐기물도 단백질 성분이라며, 이를 사료에 첨가하는 방식을 택한 것이다.

미국에서 처음 시작됐는데 이 같은 방식은 유럽의 공장식 축산업자에게도 전파돼 초식동물에게 동물성 물질을 섭취시키는 일이 발생했다. 이런 작업은 자연현상을 거스르는 일로 초식성 동물에게 변형 프리온이라는 물질이 발생하고, 결국 이것이 확산되는 광우병이 발생하게 되며, 이를 인간이 섭취하게 되면서 인간광우병(야곱병)이 발생하는 최악의 상황이 전개된 것이다. 1980년대에는 소에게, 1990년대 중반에는 전 유럽에서 발생해 수천 명의 사망자를 발생하면서 이슈화 됐다. 초식동물에게 풀을 안 먹이고, 동물성 사료를 줘서 발생한 일이다.

프리온은 포유류와 조류에서 발견되는, 정상적으로는 무해한 단백질의 변형체로 뇌세포 표면에 존재한다. 자연현상을 어기면서 사료를 투여할 때 변형 프리온이 발생하여 동물에게 병이 오고 이를 인간이 섭취함으로써 인간에게도 병이 전이되는 것이다.

인간은 그 물질을 섭취하면서 프리온이 변형 프리온으로 변화, 주변의 정상 단백질들을 변형체가 되도록 유도함으로써 증식한다. 자기복제를 하는 것은 유전자인 DNA, RNA와 이를 가지고 있는 바이러스, 박테리아, 동식물인데 이상하게 단백질 스스로 복제하는 물질이 발생한 것이다. 이것이 바로 변형 프리온이다. 그래서 이 단백질의 복제가 뇌를 스폰지처럼 만들면서 침해증상의 일종인 변형 크로이츠펠트-야콥병에 걸려 죽게 되는 것이다.

인간은 구루병, 크로이츠펠트-야콥병, 게르스트만-스트라우슬러-샤인커병, 치명적인 가족성불면증 등에 걸리며, 소는 광우병, 양은 스크래피(scrapie)병 등이 발생한다.

지난 1985년 영국의 소에서 최초로 발견된 이후 1990년대 중반부터 최근까지 독일, 프랑스 등 EU 12개국과 미국, 캐나다 등에서 발생된 질병으로 인간이 자연을 거스르며 저지른 최악의 탐욕으로 꼽히고 있다.

육종이라는 인간의 욕심

품종개발이라는 인간의 욕심을 실현하는 것이 육종이라는 학문이고, 자연과학의 연구다. 육종이라는 것이 인간의 탐욕이라고 하면 인간의 과학지식을 활용한 슬기로운 개발이라고 주장할 수 있겠지만, 육종이 잡종강세에 의한 단순한 개량이면 모르되 인간의 목적을 위해 수단과 방법을 달리하면 결과가 달라질 수 있다.

육종은 농작물이나 가축이 가진 유전적 성질을 이용하여 이용 가치가 높은 작물이나 가축의 신종(新種)을 만들어내거나 기존의 것을 개량하는 것을 말하는데, 선발법(選拔法), 교잡법(交雜法), 돌연변이법(突然變異法), 유전자조작 등 여러 가지 방법이 있다.

이를 위해 인간은 과거에는 우수하고 병에 걸리지 않은 씨앗을 먹거나 사용하지 않고 보관했다가 다음해 파종용 씨앗으로 사용한다. 이것이 자연선발법이다. 강낭콩이 단순한 특징을 통해 후대로 유전된다는 멘델의 이론이 정립되고, 품종개발이라는 육종이 새로운 품종을 육성하는 방식으로 정착됐다.

이를 위해 사용된 방법이 교잡법(交雜法), 돌연변이법(突然變異法) 등이다. 교잡을 이용한 육종은 유전인자의 잡종강세를 이용한 육종의 방법으로 이렇게 개발된 종자는 후대에 사용할 수 없는 약점이 있다. 우리나라와 일본이 고추, 수박 등 채소종자 개발에 많이 이용하는 방식인데 수확한 작물의 씨앗은 후대로 갈수록 퇴화된다.

돌연변이를 활용하는 육종 기술은 과수에서 많이 이용된다. 똑같은 사과나무라도 한 가지가 돌연변이를 일으켜 꽃이 많이 피거나(다수확), 당도가 높거나(고품질), 열매가 크거나(기호성) 하는 현상이 발생하면 이 가지를 대목에 접목해 새로운 묘목을 만들어 개발하는 방식이다. 이런 육종방식은 돌연변이가 인간에게 유익한 방향으로 이뤄져야 하기 때문에 쉽게 찾아내지 못하는 어려움이 있다.

그런데 육종기술이 발전하면서 콜히친 등 화학약품을 처리해 2배체 생물을 4배체 생물로 만들거나 방사선을 조사해 돌연변이를 유도하는 등 무리한 조건 변화를 유도할 경우 자연현상을 어기는 결과를 초래한다.

인간의 욕심은 ①많이 달리고(다수확) ②열매가 크고 ③당도가 높게 ④병충해에 강하면서도 ⑤많은 영양을 흡수하도록 해야 한다. 이를 달성하기 위해서는 많은 퇴비와 화학비료의 투여는 물론이고, 병으로부터 예방하기 위해 농약 살포도 많이 해야 한다. 뿐만 아니다. 열매가 많이 달리도록 해야 하기에 나무의 과도한 전지·전정이 이뤄지며, 나무는 열매를 생산하는 공장처럼 과도한 노동을 하게 한다.

인간에게는 노동조합이 있지만 농작물에는 노동조합이 없다. 그래서 농작물은 무리한 노동과 농약에 의존하고 과도한 비료 성분에 혹사당하면 결국 농작물의 면역기능이 상실된다는 점을 인간은 간과하고 있는 것이다.

더구나 인간은 대규모의 과원 조성과 항공방제, 기계적 전지·전정 등으로 인해 상처 부위로 부란병균 등 병충해가 침투해 농약을 살포하지 않으면 1년만 농약 살포가 없어도 과원의 대부분이 고사한다. 작물의 면역력이 약화된 것이다.

인간은 목적을 달성하지만 달성하면 할수록 농작물은 병해충에 더욱 약해지고, 전지나 전정에 의한 상처뿐만 아니라 심식나방, 잎말이나방, 적성병, 흰가루병, 바이러스병 등 각종 병해충에 시달리는 것이다.

가장 고약한 식물 병 두 가지를 소개한다. 부란병(Valsa mali)의 경우 사과나무의 죽은 조직을 통해서만 감염되는 곰팡이병으로 상처 부위에 약제를 도포하고, 병징 발생 부위는 도려내고 약제를 철저히 도포해야만 방지할 수 있는 골치 아픈 병이다.

화상병은 에르위니아 아밀로보라라는 세균에 의해 감염된 병해로 감염된 나무가 발견되면 반경 100m 이내의 개체들은 모두 폐기해야 하며, 발병지역에서는 5년간 해당 과수나무를 심지 못해 농가에 극심한 피해를 남긴다.

과수의 구제역이라고 불리는 이 병은 최근 인간의 삶을 바꾸고 있는 코로나19와 같이 전염성이 높을 뿐만 아니라 치료나 예방약제가 없어 대책 마련이 어려운 식물 질병이다.

과거의 육종기술도 농약, 비료를 과다 투여해야 함은 물론, 과다한 병해충의 발생으로 농작물의 재배환경은 점점 더 나빠지고 있다. 그런데 설상가상으로 인간은 이보다 더한 유전자 조작까지 하고 있다. GMO 종자의 개량과 제초제에도 살아남는 종자 개량은 인간의 미래 건강을 위협하고 있다.

물먹는 하마-아보카도

녹색 황금이라고 불리는 슈퍼푸드 아보카도는 비타민, 아미노산, 단백질 분해효소 등 다양한 영양과 물질을 함유하고 있어서 미국 FDA가 꼽은 10대 식품에 속하는 작물이다.

아보카도는 고대 아즈텍 단어인 Ahuacatl에서 물을 많이 지니고 있다는 뜻을 담은 작물이다.

이런 좋은 영양과 성분을 가진 아보카도이지만 생산에 엄청난 물을 필요로 한다. 100㎡(약30평) 규모의 농장에서 240명의 하루 물 사용량인 10만 ℓ가 소모된다고 한다. 아보카도를 많이 재배하고 있는 칠레 페토르카 지역은 지하수와 우물이 고갈돼 주민들이 급수 트럭으로 식수를 공급받고 있는 실정이다.

그런데 멕시코 미코아칸 주는 아보카도 수확량을 늘리기 위해 1년에 약 7km²의 숲이 파괴되고 있다. 아보카도를 향한 멕시코인들의 탐욕이 나라를 물 부족국가로 만들고 있는 것이다.

바나나의 멸종위기

400여 종의 바나나 가운데 우리가 먹는 품종은 단 1종, 바로 캐번디시(Cavendish)다. 1870년 자메이카에서 한 미국인이 바나나를 수입한 후 미국은 바나나 열풍이 불어 엄청나게 소비가 증가했다. 이런 열풍을 바탕으로 1885년과 1890년에는 보스턴 플루트, 스탠다드 플루드 등의 바나나 수입회사가 설립됐다.

당시 미국인들이 즐겨먹었던 바나나 품종은 그로 미셸(Gros Michel)이다. 그로 미셸은 지금의 캐번디시(Cavendish)와 달리 충분히 단단해서 장거리 운송이 가능하고 진한 맛과 달콤한 향을 가진 바나나였으나 바나나 수입업자들은 더 많이 더 싸게 바나나를 얻기위해 주변국가에 바나나농장을 확대했다. 그 결과 중앙아메리카의 과테말라에서는 국토의 80%가 바나나 농장이었고, 온두라스에서는 국토의 50% 이상이 바나나 농장으로 확대되었다. 바나나 업자들은 중앙아메리카의 여러 나라에서 바나나 농장을 확대해 국토와 노동력을 착취하는 등 폐해가 증가하고 있었다.

단일종의 대량 생산 체계는 유전적 다양성이 없어 환경변화에 적응이 어려워 당시 농업학자들은 멸종 가능성이 크다고 문제 제기를 하면서 종의 다양성을 보유해야 한다고 조언해왔다. 하지만 이를 무시하고 미국의 바나나 수입회사와 바나나 농장주들은 19세기 말부터 2차 대전 무렵까지 전 세계에 단 하나의 품종 그로 미셸만을 재배했다. 19세기 말부터 제2차 세계대전 무렵까지 그로 미셸만 공급했던 것이다.

그러나 바나나의 암으로 불리는 파나마병이 전 세계로 확산돼 바나나 농장은 위기를 맞았다. 1903년 당시 파나마병은 치료법이 없었고, 결국 그로 미셸은 멸종에 이르게 된다.

그런데 바나나 기업을 회생시킨 것은 그로 미셸보다 맛도 없고 상품 가치도 떨어지지만 파나마병에 저항성을 가진 캐번디시(Cavendish)였다. 캐번디시는 현재 우리가 먹고 있는 단 한 종의 바나나인데, 재앙은 또 다시 반복됐다.

1980년대 대만에서 재배되던 바나나가 변종 파나마병에 걸려 유전적으로 다양성이 적은 캐빈디시는 70%나 사멸되는 결과를 초래하여 결국 대만에서는 멸종되고, 외국으로도 전파돼 캐빈디시 바나나는 머지않아 사라질 운명에 놓여 있다.

바나나가 야생일 때는 씨앗이 있지만 농장에 심을 때는 불임상태로 규모화해서 심는다. 그동안 바나나 농장은 수확이 잘 되는 단일 품종만 재배하면서 종자도 번식이 안 되는 생산용 바나나에만 신경을 써서 종의 보존이나 야생종의 육성을 방기한 측면도 있다. 인간의 욕망으로 다양하던 400여 종의 바나나가 짧은 시간 안에 멸종될 위기를 맞은 것이다.

크릴 오일을 향한 탐욕

남극해의 크릴새우에서 나오는 크릴 오일은 오메가3, 필수아미노산, 단백질 분해효소 등 건강에 좋은 물질을 많이 함유해 건강보조식품으로 각광을 받고 있다. 최근에는 우리나라 방송에서도 광고가 나올 정도로 소비량도 급격히 늘어나고 있다.

크릴은 남극 바다에서 먹이사슬의 맨 아래 있는 생명체다. 2017년 12월 영국 남극연구소에 따르면 크릴새우는 남극의 생태계를 지탱하는 종이다. 크릴새우의 환경효과를 보면 2300만 톤의 이산화탄소를 흡수, 심해에 침전시켜 지구 온난화를 막는 영웅이기도 하다. 이 양은 영국 전체 가정의 온실가스 1년 배출량과 같다고 한다.

그런데 크릴새우에서 나오는 크릴 오일은 1970년대 이후 사용량이 급격히 늘어 시장에서 호황을 누리고 있다. 이에 따라 크릴새우는 무분별한 남획으로 개체수가 80%나 감소할 정도로 심하게 줄어들었다. 지구온난화를 막고 있던 영웅의 개체수가 급격히 줄어든 결과로 남극의 온난화 현상은 더욱 급격해졌다.

결국 크릴시장을 85% 정도 감당하던 크릴어업체연합(2018년)은 올해(2020년)부터 조업을 제한하겠다고 발표했으나 눈앞의 이익을 두고 과연 이들 기업이 크릴 조업량을 줄일지 걱정이 앞서고 있는 형편이다.

공장식 축산과 구제역

2000년대 이후 가축 질병이 만연해 소, 돼지, 닭 등 육류의 대부분을 차지하는 동물들을 전염병 확산을 막기 위해 땅을 파고 매몰하는 뉴스를 자주 보아왔다.

◆ 매몰 살처분

이 같은 동물의 매몰은 과거에는 없던 일이다. 20세기 후반부터 항생제의 만연과 기상이변에 따른 생태계의 변화, 공장식 축산의 확대에 따른 가축 환경의 변화로 인해 전염병은 시간이 지날수록 변종과 변이의 발생으로 위협을 더하고 있다.

그 중에서 가장 빠른 속도로 병이 확산되는 병이 바로 발굽이 있는 동물에서 나타나는 구제역이다. 구제역은 피코나비리다에 아프토바이러스(Picornaviridae Aphthovirus)라는 작은 RNA 바이러스 병으로 제1종 가축 전염병이다. 구제역은 O, A, C, C1, SAT2, SAT3, Asia1 등 7가지 유형이 있고, 소, 양, 염소, 돼지 등 거의 모든 우제류(偶蹄類)에게서 발생되는 바이러스성 전염병이다.

유럽, 아시아, 아프리카, 남아메리카 등 여러 지역에서 발견되는 풍토병으로 자유무역에 따른 육류와 관련 제품의 교역으로 무분별하게 전 세계로 확산됐다.

구제역은 혀, 잇몸, 입술과 그 밖의 피부가 얇은 유방이나 유두, 갈라진 발굽 사이, 발굽 위 관상대(冠狀帶, coronary band) 주위 등에 통증이 심한 물집이 생기는 것이 특징이다.

또한 다리를 절고 침을 흘리면서 체온이 급격히 올라가고 식욕이 떨어져 심하게 앓다가 병사한다.

이는 공장식 축산으로 인해 발생한 아프리카, 중국 등 일부 지역의 토착질병인데 전염속도가 매우 빨라 구제역이 발생된 지역의 500m 이내에 있는 소들은 백신을 투여하지 않았다면 모두 매몰로 살처분을 해야 한다. 돼지는 전파력이 소보다 1,000~3,000배 강해 발생 지역 3km 이내에 있다면 모두 매몰한다. 공기-바람-차량-사람-분뇨-사료 등 여러 가지 다양한 요인으로 무분별하게 전파되기 때문이다.

소나 돼지, 양, 염소, 사슴처럼 발굽이 둘로 갈라진 동물(우제류)에서 발생하는 바이러스성 급성 가축 전염병으로 세계동물보건기구

(OIE)에서는 '가장 위험한 가축전염병'으로, 우리나라에서는 '제1종 가축전염병'으로 분류하고 있다.

그런데 축산물 수출은 구제역 청정지역이어야만 가능하다. 우리나라는 1934년 처음 발생한 후 구제역 청정지역이었으나 2000년 중국으로부터 전염됐고, 2001~2002년 발생했으나 청정국 지위 때문에 구제역 백신을 투여하지 않고 매몰 살처분만 해왔다. 그 덕분에 2002년 11월 청정국 지위는 회복했다.

그러나 2010년 다시 구제역이 발생하기 시작해 2019년까지 거의 매년 발생해 구제역이 토착화된 것으로 판단하고 2015년부터는 불가피하게 수출을 포기하고 백신을 투여하는 방식으로 방역이 전환된다. 이런 무(無)백신 조치는 얼마 되지도 않는 축산물의 수출을 위한 정부와 수출농가들의 욕심이라고 지적하지 않을 수 없다. 수익의 극대화를 위한 공장식 축산은 그 폐해를 동물과 인간에게 그대로 되돌려주고 있는 것이다.

조류인플루엔자(AI)와 살충제 계란

땅에 매몰되는 동물은 소, 돼지만이 아니라 닭과 오리도 꼽을 수 있다. 가금류를 매몰하도록 하는 전염병은 바로 조류인플루엔자 (AI)다. 조류인플루엔자는 야생조류에 의해 전파되는 것으로 알려져 있다. 특히 죽은 야생조수를 수거해서 검사할 경우 저병원성과 고병원성이 나타나는데 고병원성이 발견되면 주의 등의 조치가 내려진다. 그러다가 닭 등 조류가 고병원성으로 집단 발병하면 살처분(殺處分)한다.

AI가 과거에는 인축공통전염병이 아니었다. 그러나 이젠 인간에게도 타격을 준다. WHO에 따르면 2003년~2019년 인간이 조류독감에 걸린 경우는 모두 861건이며, 이 중 455명이 사망했다. AI는 사람에게 잘 전염되지 않지만 전염되면 치사율이 50%에 이를 정도로 치명적이다. 우리나라는 지난 2016년 AI가 창궐해 3,000만 수를 살처분했다. 축산농가에게 엄청난 피해를 주었다. AI도 공장식 축산의 산물로 볼 수 있다. 인간의 탐욕으로 AI가 창궐하는 셈이다. 닭은 공장식 축산의 폐해를 그대로 드러낸다. 창문 없는 계사, 케이지 닭장에서 A4용지 한 장 넓이의 공간에서 제대로 움직이지도 못하며 알을 낳거나 살찌우는 일만 하는 닭의 현실은 너무도 가련하고 불쌍하다.

닭이 무창계사(無窓鷄舍)의 어둠만 없앤 전등 속에서 가면상태로 알만 낳는 일을 하게 하는 것은 생명이 아닌 계란을 낳는 기계로만 취급하는 일이다. 이런 닭은 계사의 문을 닫는 작은 소리에도 크게 놀라 스트레스로 죽는 일이 매번 수십 마리씩 발생한다. 물론 창 없는 계사 안에 있는 닭이 수십만~수백만 마리이므로 비율로 따지면 얼마 되지 않지만 닭에게 생명의 존귀함은 찾을 수 없다.

좁은 케이지 계사 속의 닭도 마찬가지다. 케이지 계사는 1마리가 서 있는 공간이 A4용지 한 장의 면적에 불과하다. 이들은 좁은 공간에 있기 때문에 그만큼 스트레스도 많이 받는다. 옆에 있는 닭을 쪼는 등 싸움이 극심하다. 그래서 인간은 닭들이 차지하는 면적을 늘여주기 보다 닭의 부리 끝을 부러뜨려 쪼지 못하게 한다. 먹이만 먹으라는 이야기다.

이렇게 좁은 면적에서 닭을 사육하는 관계로 진드기가 닭에 달라붙어도 날갯짓 등을 통해 진드기를 쫓아내지 못한다. 그래서 케이지 계사의 닭들은 진드기가 많다. 그만큼 스트레스가 더하다는 얘기다. 이를 막아주기 위해 닭 사육자는 닭의 몸에 살충제를 뿌려준다. 그 살충제 때문에 일어난 일이 바로 살충제 계란 사건이다. 벨기에 등 유럽에서 발견되어 우리나라도 검사 결과 그 사실을 확인했지만 원인은 바로 공장식 축산 때문이다. 유럽도 아직 케이지 계사를 사용하고 있지만 동물 복지를 확대하고 있는 유럽에서 살충제 계란은 큰 충격이었다.

농업이 만들어내는 기후변화

강가와 호수에서 제멋대로인 질소는 뭐든 닥치는 대로 비옥하게 한다. 그래서 서양톱풀이 수로를 막고 무성해진 녹조가 부영양화라는 연쇄반응을 일으켜 연못과 호수, 연안수에 있는 산소를 빨아들이는 결과 물고기가 죽어 나가는 광대한 죽음 지대가 형성되고 있다.

2003년 유엔환경계획 보고서에 따르면 전 세계적으로 죽음 지대가 150개 정도 있으며, 1990년의 두 배 이상 늘어났다. 질소가 지구환경에서 미치는 영향은 이산화탄소를 능가한다. 질소가 가장 오랫동안 영향을 미치는 대상은 수질이 아니며, 떠다니는 질소는 산소와 결합해 아산화질소가 되는데, 이는 스모그를 유발하는 주요 오염원이자 오존층 파괴 인자다. 이산화탄소보다 300배 강력한 온실가스라는 점을 알아야 한다. 인간이 만드는 아산화질소의 70%가 밭 농업 부문에서 파생되고 있다.

예일대학교 기후 및 농업 전문가인 로버트 멘델존(Robert Mendel-sohn)과 동료 연구진의 예측에 따르면, 사하라사막의 이남 아프리카 8개국인 잠비아, 니제르, 차드, 부르키나파소, 토고, 보츠와나, 기니비싸우, 감비아는 농업 생산의 4분의 3을 잃을 수 있을 정도로 심각하고, 아프리카 대륙 전반으로 따지면 전체 식량생산 2,600억 원 정도가 감소될 것으로 전망되고 있다. 무분별한 화학비료의 남용과 규모를 확장하여 대량생산을 하기 위한 단일품목 농사의 대형화가 그 원인이다.

농업은 환경보전형이 있는 반면, 환경파괴형도 있다. 환경보전형 농업의 경우 담수해서 농사를 짓는 논은 습지를 유지하면서도 자체 환경순환의 구조를 가지고 있어 환경보전형이라고 할 수 있다. 지하수 함양은 물론, 자연재해의 방지, 토양유실의 방지, 탄산가스 흡수 및 산소방출, 습지생태계의 보전을 통한 생태순환 및 생물다양성 유지, 산사태 및 산불의 차단 형성 등 다양한 생태기능을 하고 있다. 반면 환경파괴형 농업의 경우는 밭농사의 대부분이 여기에 포함된다. 무리한 밭의 확대는 산림 생태계와 지상 생태계를 파괴해 사막화를 촉진한다.

이와 같은 현실을 어떻게 극복해야 할까?

단지형 규모화형 대형 밭 농지는 수자원을 고갈시키고, 사막화를 촉진하기 때문에 논 농업과 규모화가 덜 된 농지를 운영하는 중소농업 중심의 농업정책을 펼쳐야 한다. 환경론자와 환경학자들은 과거부터 농업의 친환경적 전환을 요구해 왔다.

그러나 우루과이라운드 협상과 WTO체제의 출범, 그리고 이에 따른 자유무역과 전 지구적인 교역의 확대는 규모화와 경쟁력 확대라는 명분으로 농지 규모를 확대했고, 이에 따른 아산화질소의 유출로 환경 파괴를 경험해야 했다.

또 토양 유실을 가장 적게 하는 방안으로 단계별 둑을 구축한 고랭지와 밭에도 수로를 설치해 농지의 형태를 유지하는 등 환경 친화적 농지 구축이 바람직하다. 가능하면 환경 친화적인 농사와 인간의 건강과 안전을 동시에 챙기는 농법의 정착이 절실하다. 이를 위해서는 먹거리가 지역 내에서 선(善)순환하는 로컬푸드(Local Food)의 확대와 지역 푸드플랜(Food Plan)의 수립이 무엇보다 절실히 요구된다.

공장식 식량생산과 먹거리 안전

먹거리는 의약품(약선식품)

"이 세상의 질병 중에 음식으로 고칠 수 없는 질병은 하나도 없다."
서양의학의 아버지, 의사들의 원조로 일컬어지는 히포크라테스
가 한 말이다. 조선시대 허준의 『동의보감』은 야생의 약용식물에서
환자들의 약재를 찾아냈고, 이런 약재를 요리해서 만든 음식이 바
로 약선식품이다. 이탈리아에서 시작된 슬로푸드운동은 금세 요리
해 먹을 수 있는 산업화시대의 패스트푸드가 인체의 건강을 해치고
있다며 전통적으로 시간이 많이 들어가는 요리를 통해 건강을 지키
자는 먹거리운동이었다.

◆이탈리아 슬로우푸드 매장인 'EATALY'의 내부 모습. 슬로우푸드 운동이 정착
된 후 슬로우푸드 매장으로 인기를 끈 'EATALY'는 중간 체인의 유통을 건너뛰어
생산과 소비자를 직접 연결시키고, 그로인해 줄어든 유통단계로 최상의 상품을 최
고의 가격으로 소비자에게 제공한다.

또 푸드 마일리지를 줄여 환경을 보호하자는 로컬푸드 운동도 전 세계적으로 확산되고 있다. 이런 운동의 하나인 일본의 지산지소운 동은 자기 지역에서 생산된 농산물을 자기 지역에서 소비하자는 운 동이며, 우리나라의 신토불이운동도 지역의 농산물이 지역민과 하 나라는 취지의 먹거리운동이다.

히포크라테스
- "이 세상의 질병 중에 음식으로 고칠 수 없는 질병은 하나

루돌프 슈타이너 - 「농업강좌」(1921)
- "자연과 사람을 되살리는 길은 유기농 순환농법 뿐이다."

결론은? 유기농업은 과거 선조들의 농사법
- 프랭클린 하이럼 킹 박사의 「4천년의 농부」- "한국의 순환농법에 의한 유기농업은 4천여년 동안 사람들에게 안전한 먹거리를 제공하면서 도 땅을 비옥하게 유지해왔다."
- 우리나라에서 공장식 농·축산업을 줄이고, 파괴된 자연을 재자연화하 며 사람을 살리는 과제는 우리 당대 모두의 책임.

이렇게 먹거리운동은 다양한 형태로 나타나지만 그 내용을 자세 히 훑어보면 지역농산물로 요리한 약선식품을 소비하는 로컬푸드 운동이라는 것을 알 수 있다. 역동유기농법의 시조 루돌프 슈타이 너는 『농업강좌(1921)』 중에 "자연과 사람을 되살리는 길은 유기농 순환농법뿐이다."라고 밝히고 있는데 특히 공장식 농·축산업을 줄 이고, 파괴된 자연을 재자연화하며 사람을 살리는 과제는 분명히 말해 우리 시대 모두의 책임이라는 의견을 피력하고 있다.

유기농업은 과거 선조들의 농사법이었다. 1909년 미국 농무성 의 토양관리국장 프랭클린 하이럼 킹 박사가 중국과 한국, 일본을 여행하면서 이들 나라들, 특히 한국의 순환농법에 의한 유기농업

을 보면서 4,000여 년 동안 사람들에게 안전한 먹거리를 제공하면서도 땅을 비옥하게 유지해온 지혜에 감탄을 금치 못하고 있다. 이런 내용은 하이럼 킹 박사가 저술한 책 『4천년의 농부(곽민영 옮김, 2006)』에 잘 나타나 있다.

약선식품-슬로우푸드-로컬푸드-지산지소-신토불이-유기농업 등은 이렇게 우리의 먹거리를 건강하고 안전하게 하는 하나의 메커니즘으로 연결된다.

한국의 공장식 산업적 농업

로마제국의 농업이 망한 것도, 영국의 농업이 쇠퇴한 것도 모두 '자본적 경영', 그놈의 돈과 이윤이 먼저인 대규모 경영방식이 '주범'이다. 우리나라도 농업은 세계적인 시장개방과 함께 이에 대응하고 경쟁력을 높이기 위한 수단의 하나로 규모화와 생산성 증대를 꾀한 것이 결국 이윤추구 농업으로 우리에게 다시 역습을 가하고 있다.

세계화와 우루과이라운드 협상, FTA 등으로 교역이 확대되고, 농산물시장이 개방되면서 식량자급률은 더욱 감소되었으나 우리는 농업경쟁력의 강화라는 이름으로 단위 면적당 생산력 증대를 통해 이를 극복하려고 했던 것이다.

지금 우리나라는 단위 면적당 농산물 생산량이 세계 최고 수준이다. 그런데 이를 달성하기 위해 다생산성 종자의 도입과 함께 화학비료의 과다한 투여를 필요로 했고, 이 과정에서 발생하는 농산물 병해충을 막기 위해 농약을 과다하게 살포해야만 했다.

UR협상 이후 한국농업이 택한 길은 이런 경쟁력 강화다. 이를 통해 우리는 세계 최고 수준의 단위 면적당 농업생산성을 보여주고 있지만 여기에는 그만큼 화학비료와 농약의 투여량도 세계 최고 수준이라는 것을 의미하고 있다. 이런 농업경쟁력 강화는 환경희생을 담보로 한 농업생산성 증대였던 것이다.

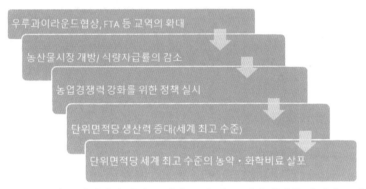

우루과이라운드협상, FTA 등 교역의 확대

농산물시장 개방/ 식량자급률의 감소

농업경쟁력 강화를 위한 정책 실시

단위면적당 생산력 증대(세계 최고 수준)

단위면적당 세계 최고 수준의 농약·화학비료 살포

◆농업경쟁력 강화를 위한 공장 식 농업의 폐해를 나타낸 그래픽

공장식 산업적 농업-포스트 하베스트

1994년 소비자단체인 일본자손기금 고아카 주니치 회장이 과일을 수출하는 미국의 현지를 조사해 충격을 준 적이 있다.

수출 농산물은 수출국으로 운송하기 위해 선적을 해야 하기 때문에 운송 도중 병해충에 걸려 손상되는 것을 막기 위해 농약을 살포한다. 이것이 바로 사회적 문제가 제기된 포스트 하베스트 농약의 살포다. 수확 후 살포하는 포스트 하베스트 농약은 수확 후 수출을 위해 배를 통해 운송하는 과정에 병에 걸리지 않도록 할 목적으로 사용되는 농약으로 문제점은 농산물을 농약 통에 담근 후 건져 배에 선적하는 등 농약에 범벅이 되기 때문이다.

고아카 주니치 회장은 미국 현지 조사를 통해 배에 선적하기 전

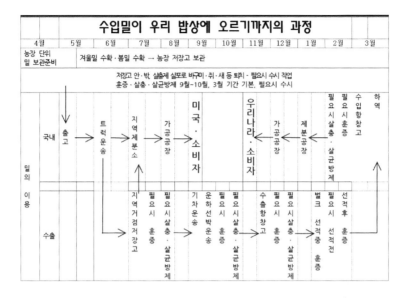

농약에 담갔다가 배에 선적하는 과정을 영상으로 촬영해 소비자들에게 충격을 주었던 것이다.

프리 하베스트

또 수확 전 농약을 살포하는 프리 하베스트 문제도 제기된다. 프리 하베스트는 수확 전에 제초제를 뿌리면 수확하기도 편하고 수확물도 빨리 익어 작업이 편리하기 때문에 택한 방법이다.

프리 하베스트는 일반적으로 제초제를 말한다. 그러나 수확 전 제초제를 뿌리면 수확하기도 편하고 수확물도 빨리 익어 작업에 편리하지만 수확한 농산물에 글리포세이트라는 제초제가 잔류해 인체에 해를 끼친다.

공장식 농업의 일환으로 대규모 밀 생산지에서 주로 이뤄지는 프리 하베스트는 살포하면, 밀과 여타 잡초 등이 말라 죽어서 △수확하기 편리해지고 △수확량이 늘어나는 장점이 있다. 벼나 밀 이삭은 동시에 여물지 않는데 제초제를 살포해서 작물을 죽이면 종족번식의 본능에 의해 아직 완전히 여물지 않은 이삭을 빠른 시간에 여물게 해 수확량이 늘어난다.

2016년 건강한 농사방법에 초점을 둔 웹사이트 에코워치(Ecowatch.com)는 영국을 시작으로 캐나다와 미국에서 수확 직전 제초제를 사용하는 프리 하베스트가 이뤄지고 있다고 설명하고 있다. 노스다코타주립대학교 농업학자 조엘 란솜은 지난해 미국과 캐나다로부터 수집된 밀가루 샘플을 검사해 미국 밀 품질위원회에 보고했는데 모든 밀가루에서 글리포세이트가 검출됐다고 밝혔다. 조엘 란솜은 "밀·귀리와 더불어 글리포세이트를 통한 건조를 행하는 곡물은 렌즈콩, 완두콩, Non-GMO 대두, 옥수수, 아마, 호밀, 라이밀, 메밀, 기장, 유채, 사탕무 그리고 감자가 있다."고도 밝혔다.

더구나 미국에서는 2014년 미국 여성의 모유에서 글리포세이트가 검출된 적도 있다. 미국엄마모임(Moms Across America)과 지속가능한 맥박(Sustainable Pulse) 등 2개 시민사회단체의 공동연구로 행한 당시 실험에서 글리포세이트 농도는 리터당 76μg에서 166μg 범위였다. 이는 유럽연합이 허용하고 있는 음용수 글리포세이트 농도보다 760~1600배 높은 수치다. 이를 파악하고 있는 김성훈 전 농림부 장관은 "우리나라는 귀리 등 수입곡물을 시리얼, 이유식 등의 원료로 포함하고 있어 글리포세이트의 농약 잔류검사 전수조사가 필요하다."는 의견을 최근 농업 전문지에 제시한 바 있다.

결과
- 밀가루에서 벌레기 발생하지 않음. 2014년 미국 여성의 모유에서 글리포세이트가 검출
- 노스다코타주립대학교 농업학자 조엘 란솜은 2019년 미국, 캐나다의 밀가루 샘플을 검사해 미국 밀 품질위원회에 보고했는데 모든 밀가루에서 글리포세이트가 검출.
- 조엘 란솜="글리포세이트로 건조하는 곡물은 밀·귀리, 렌즈콩, 완두콩, Non-GMO 대두, 옥수수, 아마, 호밀, 라이밀, 메밀, 기장, 유채, 사탕무 그리고 감자가 있다."
- 김성훈 전 농림부 장관: 우리나라는 귀리 등 수입곡물을 시리얼, 이유식 등에 원료로 포함하고 있어 글리포세이트의 농약잔류검사 전수조사가 필요하다는 의견 제기

병해의 역습

인간이 추구하는 산업적 농업은 대부분 이같이 농산물 수출을 기계적·산업적으로 진행하기 위해 추진되는데, 이것뿐만 아니다. 단위 면적당 생산력을 높이고 생산비를 낮추기 위한 수단으로 농장을 규모화하고 농약도 항공 살포로 하는 등 광범위한 구역에서 이뤄질 경우 그 폐해는 작물이나 인간에게 되돌아오기 마련이다.

◆ 2020년 10월 20일 미 폭스뉴스는 코로나19로 인해 해외 농작물 수입이 중단되고 대신 깨끗한 지역 농산물에 대한 수요가 증가하면서 '수직농업'이 대안으로 떠올랐다는 내용의 보도를 조선일보가 인용하고 있으나 에너지 다소비농업을 모르고 진단한 기사다.

환경의 오염과 산업적 농업의 확대는 기후온난화로 가뭄과 수해 피해를 크게 함은 물론이고, 이에 따른 기온온난화로 병해충의 확대가 과거와는 다른 양상을 띤다.

그동안은 잘 걸리지 않던 병해충이 새롭게 등장하기도 한다. 과수의 구제역으로 불리는 과수 화상병과 무 흑반병인 푸사리움에 의한 병해의 확산이 그것이다. 과수의 화상병은 병에 걸리면 300m 이내의 모든 과수를 땅에 묻어야 하고 향후 5년간 과수를 심을 수도 없다. 과수 부란병의 경우 농약을 1년만 살포하지 않아도 1년이면 사과의 경우는 몰살된다.

참외, 수박의 만할병도 기후온난화로 인해 새로운 병징으로 진화하고 있으며, 버섯재배에 있어서도 규모화에 의한 재배면적의 대형화로 버섯병이 한 번 창궐하면 수년간 병해를 극복하는 데 추가적인 비용과 노력이 들어간다.

공장식 축산

공장식 밀집사육으로 가축들은 고통을 받고 있다. 소, 돼지, 닭뿐만 아니라 대부분 가축의 사육이 수익성을 위해 좁은 면적에서 비용이 적게 들고 수익이 많이 남는 경제성을 기준으로 이뤄지고 있는 것이다.

뿐만 아니다. 인류는 지금 콩의 90%, 옥수수의 80% 등 곡물의 70%를 가축먹이로 사용하고 있다. 미국의 가축 사료곡물의 양이면 지구상 4억 명의 인구를 먹일 수 있는 물량이다. 그런데 현재 지구상에서는 해마다 4,000만~6,000만 명이 굶주림과 질병으로 사망하고 있다. 100g의 고기를 생산하는 데 최대 5.4kg의 곡물이 들어가고 그만큼 에너지 사용과 탄소 배출량도 늘어나고 있는 것이다.

이처럼 공장식 축산은 공기, 수질, 토양 등을 오염시키고, 기후변화를 가져온다. 메탄, 이산화탄소, 일산화질소의 방출량을 보면 축산업이 지구상 이산화탄소 배출량의 18%, 전체의 5분의 1을 차지하고 있다. 전 세계 모든 운송수단을 통해 배출하는 이산화탄소가

13.5%라는 사실에 비추어 보면 공장식 축산에서 배출되는 이산화탄소의 양은 엄청난 것이다. 사료용 곡물의 생산과 가축의 사육을 위해 배출하는 화학비료-질소산화물, 가축-메탄가스 등을 계산하면 인간 배출량의 37%를 차지하는 꼴이다.

◆ 젖소들이 기계처럼 우유를 생산하고 있다.

특히 비좁은 공간의 공장식 사육은 비좁은 공간으로 인해 가축 질병에 노출되고 이는 항생제의 남용으로 이어지는 한편, 공장식 양돈장의 65%에 달하는 폐렴 증상은 암모니아의 영향에 의해 발생한다는 사실을 알게 되면 공장식 축산이 환경에 미치는 영향이 어마어마하다는 것을 깨달을 수 있다. 좁은 우리에서 사육되는 소와 돼지, 닭은 인간과 가축에게 모두 환경오염을 넘어 정서적인 악영향을 미친다.

금전적 가치와 효율성을 강조한 사육

돈만을 위해, 효율성을 위해 초식동물에게 초식이 아닌 육식 사료를 투여하는 것은 자연의 생리를 어긴 짓이다. 인간은 이런 짓을 가축 사육에서 되풀이하고 있다. 이는 광우병, 구제역, 조류인플루엔자, 아프리카 돼지열병 등이 창궐하게 하는 조건이 되고 있다.

가창오리 떼죽음, 페스트 대유행 등이 과학이 발달한 현 시대에 왜 발생하는 것일까? 역병의 기본 구성요소를 인간이 잊어버린 탓일 것이다. 그 이유는 ①미생물에 대한 면역을 갖추지 못한 숙주를 키우고 있기 때문이며, ②경제성을 위한 밀집사육으로 미생물이 자유롭게 오갈 수 있는 밀집된 생활환경으로 사육하기 때문이다.

현대화된 가금(家禽)류 사육 시스템을 살펴보면 인공부화기로 부

◆ 한 뼘×두 뼘짜리 케이지 계사에서 평생 계란만 낳다가 죽는 닭들

화된 후 소독약 뿌려진 양계장에서 배합사료 급여로 면역력 갖출 기회를 박탈당하고 있으며, 암퇘지 좁은 우리, 좁은 공간 운송(밟혀 죽음), 젖 빨릴 시기에 수익성을 위해 인공수정을 감행하는 인간의 욕심이 그런 결과를 초래한다.

병해충의 발생도 전 방위적으로 일어나고 있다. 광우병, 구제역, 조류독감, 아프리카돼지열병(ASF), 브루셀라, 사스, 메르스 등 새롭게 진화하는 병해충은 엄청나게 빠른 속도로 변이가 일어나고 있으며, 가축뿐만 아니라 최근의 코로나19와 같이 인간에게까지 병해를 일으키고 있다. 백신과 치료제가 개발되지 않아 아직도 끝나지 않은 아프리카돼지열병(ASF)과의 전쟁의 경우 민통선 멧돼지까지 전염된 ASF 때문에 방역당국이 골머리를 앓고 있다.

뿐만 아니라 수년 전부터는 축산물의 오염과 식중독 우려로 안전한 축산물에 대한 고심이 깊어지고 있다. 축산 분야에서도 살충제 계란, E형 간염 소시지 등 다양한 형태로 인간의 생활을 위협하고 있다.

공장식 축산으로 인한 먹거리 위험을 극복하고 안전한 먹거리 생산과 유통을 위해서는 어떻게 해야 할까? 2017년 살충제 달걀 파동(2017 Fipronil eggs contamination)을 살펴보자.

피프로닐을 함유한 달걀이 15개 EU 국가와 홍콩 등에서 유통돼 세계적인 이슈가 됐다. 영국에서만 약 70만 개의 달걀이 슈퍼마켓에서 판매된 것으로 추정했다. 진드기 퇴치를 위한 피프로닐에 오염된 달걀은 강도 높은 수준의 조사가 있기 전부터 오랜 기간 판매돼 왔던 것으로 예측하고 있다. 유럽에서 달걀 파동이 발생한 후, 대한민국에서도 전수조사를 해서 피프로닐, 피펜트린 등의 성분이 잔류한 달걀이 다수 발견돼 파장이 일었다.

공장식 양계의 경우 A4조 넓이에서 사육하는 케이지 계사(鷄舍)를 일반적으로 사용하는데 워낙 좁은 면적에서 사육하기 때문에 닭에게 붙어 서식하는 진드기의 방제가 필요하게 된다. 닭 스스로 진드기를 막기 위해 날개 짓을 할 수 없는 면적이기 때문에 닭 사육 농가는 피프로닐, 피펜트린 등 농약을 닭의 몸에 살포해 진드기를 방지해온 것이다. 이런 사육의 결과 닭의 몸에 뿌려진 농약이 계란

껍질에 잔류한 계란을 낳음으로써 살충제계란이 발생되는 것이다.

닭은 A4지 한 장 정도의 좁은 면적에서 사육되기 때문에 여기서 받는 스트레스로 옆의 닭을 부리로 쪼는 이상증세를 보이기도 하는데, 사육 농가는 이를 방지하기 위해 닭 부리까지 제거하는 경우도 많다. 생명체가 아니라 공장에서 생산하는 물건 취급을 받는 것이다. 이런 사태를 극복하기 위해서는 일단 공장식 사육 방식을 친환경적으로 개선하여 어느 정도 동물 복지를 고려하는 대대적인 전환이 필요하다. 단기간에 이뤄질 문제는 아니지만 동물과의 공생을 위한 생태적 재배 또는 사육 방식의 도입이 절실한 것이다.

이를 위해 일부 여성농업인단체들이 토종종자를 관리해 보존하는 운동을 펼치고 있다. 인간의 목적만을 위한 종자개발이 아니라 종자의 다양성을 갖추고 그 대신 보존 종자의 건강, 안전상의 강점을 살린 소비와 생태적 방식의 도입을 고려하고 있는 것이다. 이를 위해 정부가 주도하는 토종종자 번식과 관리체계가 절실하다.

이와 더불어 안전한 농사법과 식품에 대한 교육도 질실하다. 공장식 농법에 의한 오염 방지를 위해 안전한 농사법의 교육과 소비자들이 안전하고 건강한 먹거리를 구분할 수 있도록 하는 교육이 절실히 요구되고 있는 것이다.

공장식 GMO 생산과 수입

대한민국은 세계 최고의 GMO 농산물 수입국(콩, 옥수수, 카놀라, 감자, 알팔파 등 연간 1,100만 톤 GMO 수입)이다. GMO 농산물의 생산은 공장식 생산의 전형이다. GMO 농산물은 제초제를 뿌려도 죽지 않는 농산물을 유전자 조작으로 개발한 후 종자 장사를 위해 종자를 채종해 다시 파종하는 것을 막기 위해 불임종자를 생산한다. 자기네가 유전자 조작한 종자만 사서 쓰라는 이야기다.

더구나 이들 종자를 통한 농산물의 생산은 목화, 옥수수, 감자, 벼, 카놀라, 콩 등의 농산물을 제초제 저항성이 있는 것으로 개발해 농장에서 항공방제로 제초제를 살포해 생산한다.

제초제가 범벅이 돼도 제초제 저항성으로 살아남는 농산물을 생산하는 시스템인 것이다.

GMO와 제초제 등의 위해성은 영국의 푸사이 박사 부부, 프랑스의 셀라리니 교수, 러시아의 이라니 박사 등이 실시한 독립적인 돼지 및 쥐에 대한 GMO 급여 실험 연구를 통해서 세계적으로 널리

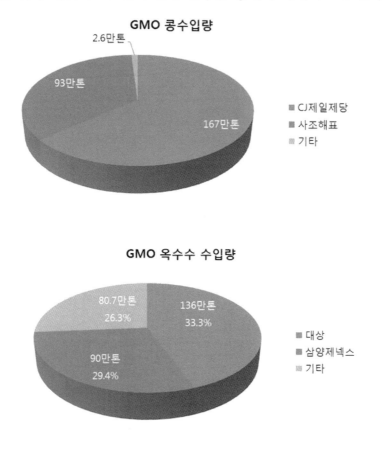

GMO 콩수입량

- 2.6만톤
- 93만톤
- 167만톤

- ■ CJ제일제당
- ■ 사조해표
- ▨ 기타

GMO 옥수수 수입량

- 80.7만톤 26.3%
- 136만톤 33.3%
- 90만톤 29.4%

- ■ 대상
- ■ 삼양제넥스
- ▨ 기타

알려졌다. 세계 GMO의 82%를 쥐고 있는 몬산토 사는 권력과 돈으로 그 연구 결과와 실적을 무력화하려 들고 정계, 관계, 학계, 그리고 언론계에 심어 놓은 GMO 장학생들을 동원하여 사실을 왜곡하고 있다.

우리나라는 세계 최대 GMO 수입국이다. 일본이 약간의 차이로 최대 수입국이나 일본은 대부분 사료용과 기름용 등 가공용으로 사용하는 데 비해 우리나라가 식용으로는 세계 최대 수입국이라는 것이다. 경제정의실천시민연합이 2년간에 거쳐 대법원에 '기업별 GMO 수입 현황' 정보공개를 요구해 얻어낸 결과로 이와 같은 사실을 알게 된 것이다. 식품의약품안전처가 기업의 영업비밀이라며 정보공개를 거부했고, 이에 경실련이 법원에 정보공개 소송을 제기, 1심과 2심 모두 정보공개 판결을 내려도 식약처가 이에 불복해 항소와 상고를 거듭한 바 있다. 식품의약품안전처(약칭 식약처)라는 정부기관이 이런 짓거리를 저지른 것이다. 과연 국민을 위한 식약처인지 분노가 치미는 대목이다.

2018년 GMO 콩 총수입량의 경우 (주)CJ제일제당이 63.4%인 약 167만 톤, (주)사조해표가 약 93만 톤을 기록하고 있으며, 우리나라 GMO 옥수수 총수입량의 경우 대상이 44.3%인 136만 톤, 삼양제넥스가 29.4%를 차지하고 있는 90만 톤을 기록하는 등 4대 기업이 GMO 농산물을 거의 대부분 수입하고 있다.

GMO 농산물의 물량은 대부분 두부, 유류, 콩나물, 장류, 전분, 전분당의 원료로 들어가기 때문에 유류, 전분, 전분당 등 GMO를 표시하지 않아도 되는 가공식품의 경우 GMO 제품인 줄도 모르고 소비자는 섭취하고 있는 것이다.

인간의 욕심은 무한정이어서 GMO에서도 동식물계는 물론, 곤충까지 유전자를 무분별하게 실험하고 있다. 제초제 저항성이 있다면 선충의 유전자라도 치환할 수 있는 실험을 할 수 있다. 초식동물에게 육식을 먹여 큰 재앙을 경험했듯이 계-문-강-목-과-속-종이라는 생명체의 범위에서 종과 속 단위가 아닌 과 이상 단위에서 유전자를 치환하는 것은 생명윤리는 물론, 어떤 재앙이 다가올지 모르는 일을 저지르는 것이다.

일반적인 교잡과 돌연변이를 넘어선 인위적 유전자 조작은 인류에게 재앙으로 다가올 것이다. 이 때문에라도 유전자 조작의 게놈 공개 연구제도가 필요하다. 과-속을 넘어선 유전자 치환의 도덕적 규범 마련이 절실한 것이다.

또 GMO는 곡물로만 먹는 것이 아니라 케이크나 아이스크림, 소시지, 어묵, 맥주, 과자, 두부 등을 먹고 있어서 국민들의 건강에 어떤 영향을 미치는지 확인이 불가능하다. 또 GMO 농산물과 프리 하베스트에 의한 농산물 재배의 공통점이 있다. 그것은 바로 글로포세이트라는 제초제의 인간 중독과 연관이 있어 양심적인 과학자들의 연구가 절실하게 요구되는 분야다.

진화하는 병원균

푸사리움(Fusarium circinatum, solani, oxysporum, cujenanjens)은 1월 평균기온이 0℃ 이상인 아열대성기후 지역에서 주로 발생하는 곰팡이류인데 벼, 보리를 비롯하여 야채, 화훼, 밭 농작물, 과수, 수목 등 많은 작물의 여러 부위에 피해를 주는 병원균이다.

푸사리움 솔라니(Fusarium solani)는 전 세계적으로 콩, 완두콩, 감자, 다양한 박과식물에 병을 일으킨다.

국내에서는 기상이변이 찾아오면서 콩, 오이, 꽃도라지, 인삼, 고구마, 국화 등 작물에서 병의 발생이 보고되어 있다. 솔라니는 주로 뿌리썩음병(root rot)을 기주식물에 일으키고 병의 정도는 괴사(necrosis)의 정도와 관계가 있다.

식물 조직이나 죽은 조직, 또는 종자에 균사와 포자 형태로 겨울을 나거나 토양에 존재하는데 10여 년 전부터는 아예 토양병으로 진화됐다. 병원균은 뿌리에 침입을 하고 침입 후 F. solani는 무성생식 대형분생포자 또는 소형분생포자를 생성한다. 이 분생포자들은 바람이나 비를 통해 퍼진다. F. solani는 토양에서 5년 이상 살아남을 수 있다. Fusaric acid와 naphthoquinones와 같은 곰팡이 독소까지 생성한다.

그런데 소나무가 과거에는 없던 푸사리움 가지마름병(Fusarium circinatum)에 걸려서 확산되고 있다. 아열대성 환경에서 발병하는 푸사리움 가지마름병은 우리나라에서는 1996년 최초로 발견됐으나 기후온난화의 심화로 리기다소나무를 중심으로 발병지역이 확대되고 있다. 기후온난화로 병원균이 환경에 적응하면서 진화한 것

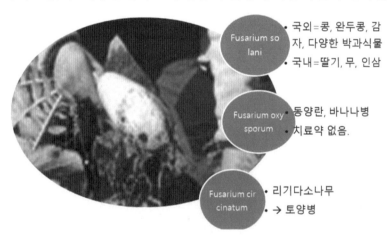

Fusarium solani
• 국외＝콩, 완두콩, 감자, 다양한 박과식물
• 국내＝딸기, 무, 인삼

Fusarium oxysporum
• 동양란, 바나나병
• 치료약 없음.

Fusarium circinatum
• 리기다소나무
• → 토양병

◆푸사리움은 곰팡이의 일종인데 밀집농사를 짓는 여러 농작물에 피해를 입힌다. 춘란과 변종 바나나병의 경우 치료약도 없으며, 변이로 인해 분생포자의 형태로 토양에서 5~6년간 생존해 무 위황병이 걸린 경우 7년이 경과한 후 재배해야 한다. 토양병으로 발전한 것이다.

이다. 이 병에 걸린 소나무는 가지가 갈변하면서 송진이 흘러나와 껍질이 뿌옇게 지저분해지면서 서서히 고사하게 된다.

더구나 F. solani은 식물병인데 사람에게도 감염되는 인식(人植) 공통 병이다. 면역저하 환자에 진균성 전신 감염을 일으킬 수 있으며, 각막(corneal)에 침입할 수 있다. 푸사리움 옥시스포룸(Fusarium oxysporum 파나마병)도 발전해 토양 전염병을 일으켜 양파 뿌리 부위가 썩고 저장 중 부패를 일으킨다. 과거의 푸사리움이 아니다. 올해도 새로운 사실이 발견됐다. 농촌진흥청은 푸사리움 쿠제난젠스(Fusarium cujenanjens)라는 균이 황기 시들음병의 원인균이라는 것을 찾아냈다. 이 병은 푸사리움 옥시스포룸에 20배나 강한 병발생력이 있는 것이다.

무 위황병의 원인균인 푸사리움 옥시스포룸은 과거에는 없었으나 10여 년 전부터 기후온난화로 많은 변종들이 발생해 이젠 토양병으로 강력히 변이됐다. 기후온난화로 토양에서 변종이 발생하면서 후막포자를 형성해 작물이 없어도 수년간 생존하다가 작물이 들어오면 수관을 굳게 만들어 병을 일으킨다.

6년이 넘기 전에 무를 심으면 여지없이 위황병에 걸린다. 하나의 곰팡이균이 변이와 변종을 하면서 시간이 흐를수록 더욱 강력한 병균으로 발전하는 것이다.

베트남에서는 조류인플루엔자에 걸린 닭과 함께 생활하는 농민이 조류독감에 감염됐다는 뉴스가 보도된 바 있다. 조류 인플루엔자는 그동안 인수(人獸)공통 병이 아니었으나 닭과 함께 생활하는 농민에게 변종이 발생해 인체에 치명적인 병해를 입힌 것이다.

이렇게 농산물 질병에도 무서운 변화가 일어나고 있는 것이다. 푸사리움, 버티실리움, 과수의 심식충, 온실질병의 변화, 경인국도 변에서 자라는 보리-밀, 건초로 함께 들어오는 병해충 등으로 인한 것과 기후온난화로 인한 생명체의 생태계가 변화하고 있는 것이다.

가축 질병에도 변화가 오고 있다.

인축(人畜)공통 전염병, 아열대 형으로 변하는 미생물들이 가축질병의 유형을 변화시키고 있는 것이다.

최근 발생한 코로나19도 살아있거나 죽은 박쥐가 거래되는 우한의 농수산물시장에서 사스균의 변종으로 발생해 퍼진 것으로 추정되고 있다. 병발생주기가 단축되고 있는 것은 물론, 다양한 미생물의 진화가 목격되고 있는 것이다. 이렇게 지구온난화가 미치는 생태환경의 변화는 지금까지 우리가 경험하지 못한 새로운 질병의 확산으로 연결될 수 있어 여러 측면에서 우려되는 점이 많다. 베트남에서 조류 인플루엔자 변종에 감염된 사람의 사례가 이것을 증명한다. 조류 인플루엔자는 그동안 인축(人畜)공통 전염병이 아니었기 때문이다.

그러면 어떻게 해야 하나?

어떻게 해야 하나	• 모든 병균, 병충은 진화→항생제나 농약만으로는 안된다. 병균도 이를 극복하기 위해 변종과 변이가 발생.→인간의 탐욕을 줄여야/ 경제구조도 바뀌어야. • 최근 코로나19의 상황에서 자연의 회생을 보면 그 답이 있다. 직장인이 휴가가 있듯이 자연도 휴가를 줘야 함. 일본의 농장이나 축사에서 1년에 1회 휴지기를 주고 살균과 말리기 작업하는 것에서 시사점을 찾자. • 농업도 인간의 욕심을 줄이고 공장식 농업체계를 생태적으로 전환. 자연·인간·농장·축사·공장식 시스템 등 모든 것에서 휴식을 갖자.

모든 문제의 원인은 지구온난화이고, 이에 따른 기후변화다. 인간의 문명 자체를 바꿔야 한다. 지금은 18살이 된 스웨덴 출신의 환경운동가 '그레타 툰베리(Greta thunberg)'의 목소리를 귀 기울여야 한다. 생태계 전체가 무너져 내리고 있고, 종의 대멸종이 시작되는 지점에 있는 상황에서 현재의 문명으로는 안 된다는 지적이다. 문명의 다이어트를 이제는 시작해야 한다. 돈과 끝없는 경제성장의 신화를 벗어던지고 과감한 생태 중심 문명을 건설해야만 한다.

현실적으로 모든 에너지 소모성 산업의 체계를 바꿔야 함은 물론, 생산방식의 근본적 변화를 꾀해야 한다. 농업이나 생물학적 측면에서 보면 모든 병균, 병충은 기후변화에 맞춰 진화하고 있다. 현재의 항생제나 농약만으로는 극복이 안 된다. 미생물 스스로가 이를 극복하기 위해 변종과 변이가 발생하고 있기 때문에 인간의 탐욕을 줄여야만 한다. 이에 따른 경제구조도 바뀌어야 한다.

최근 코로나19의 상황에서 보면 그 답이 보인다. 코로나 때문에 전 세계적으로 산업이 중단되고 항공과 선박은 운행이 엄청나게 줄어들면서 하늘은 맑아지고 물도 깨끗해지고 있다. 그동안 미세먼지에 의한 공기 악화도 상당히 해소됐다.

일본에서는 농장이나 축사에서 1년에 1회 휴지기를 주고 축사나 온실의 살균과 말리기 작업을 하는 것을 볼 때가 있다. 직장인이 휴가가 있듯이 자연과 농업시설도 휴가를 줘야 한다. 농업도 인간의 욕심을 줄이고 공장식 농업체계를 생태적으로 전환하지 않으면 오히려 환경부하를 높이고 지구온난화를 심화시키는 역할을 한다.

자연-인간-농장-축사-공장식 시스템 등 모든 것에서 휴가와 휴식을 갖자. 문명, 경제, 산업, 생명, 일상 모두 휴가와 휴식이 있는 새로운 문화의 틀을 가져야 하는 것이 아닐까?

세계화 추진과 농업환경의 변화

농업이란?

농업이란 구석기시대에서 신석기시대로 넘어오면서 수렵·채취 과정에서 발견한 식물의 씨앗번식과 동물의 수정번식 등 생명현상을 발견하면서 이를 집 주변에서 손쉽게 채취 또는 취득하기 위해 발명한 기법이다. 이것은 손을 사용하게 된 인간에게 준 조건과 지혜가 합쳐서 탄생한 결과다.

약 5,000~6,000년 전 수렵·채취에서 농업의 시대로 변화하면서 목기, 석기를 사용한 농기구가 사용됐고, 3,000년 전 청동기시대에는 그 시기에 맞는 농기구가 발전했으며, 2,000여 년 전 철기시대에 들어서면서 농기구는 엄청난 발전을 거듭한다.

이에 따라 수렵-채취를 위한 이동이 없어지고 정착생활에 들어가면서 넓은 면적의 영농을 위해 대가족 중심의 노동을 통한 식량의 생산이 이뤄지게 된다. 이 시기를 우리의 경우 고고학자 또는 사학자들은 단군조선이 멸망한 열국시대(부여, 고구려, 동예, 옥저, 삼한 등)쯤으로 추산하고 있다.

그러면서 국가는 보다 많은 식량생산 면적과 인구의 확보를 위해 국가별 영토전쟁이 벌어진다. 당시 중국대륙과 만주, 한반도는 이런 식량증산을 위한 농지 확보 전쟁이 활발하게 벌어지던 시기다. 그리고 나서 우리의 삼국-후삼국-고려시대의 역사적 흐름과 중국의 한-수-당-송 등의 흐름을 이야기하지만 무수히 많은 전국시대와 오호십육국시대의 생략된 역사를 감안하면 엄청난 국가별 농지(農地) 침탈전쟁이 있었음을 알 수 있다.

유럽의 경우에는 중세시대에 4분의 3이 넘는 인구의 농업노동자를 뜻하는 특별한 유럽만의 농노제가 발전하여 농업을 전담하면서도 생산물을 착취당하는 시기였고, 동양에서는 농노제와는 약간 다른 사농공상과 같은 계층의 형성으로 대부분의 농민과 분야별 역할이 구분되는 신분제 사회를 경험하게 된다.

그러나 농업도 발전하면서 인간의 오류가 오래도록 지속되어 어려움에 봉착하게 된다. 농업이란 자연을 빌려 자연현상인 동식물의 번식을 지혜로 활용해 먹거리를 충당하는 것이지 자연을 훼손하고 생태계에 맞지 않게 일부 작물에 집중된 농사를 짓거나 초식동물에게 육식을 급여하는 등 자연의 질서를 깨는 경우에는 자연의 역습으로 다가오게 된다.

이를 반성하고 개선하는 일이 농업에서도 요구되고 있다.

국제적 수탈의 제국주의 시대

해양업의 발달로 유럽의 국가들은 스스로 경제와 식량문제를 해결하려 하지 않았고, 교역과 상업의 확대를 위해 200~300년간 전지구적인 활동을 벌였다. 이런데 이들은 상업보다는 침략과 약탈로 자신들의 부와 식량을 해결해 왔다. 과거 토지 확보를 위한 국가 간의 전쟁이 아니라 국가를 송두리째 삼키고 자원과 식량을 빼앗아온 것이다.

제국주의 시대 국제적 수탈 농업은 현시대에 와서도 대형 바나나, 커피 농장 등 아프리카, 동남아, 남미 등에서 보듯이 평생 낮은 일당으로 살아가는 노동자들의 피와 땀으로 상징되는 현상(제국주의 시대 플랜테이션 농업*)으로 목격되고 있다.

*플랜테이션 농업이란?
주로 열대 및 아열대기후인 동남아시아와 아프리카, 남아메리카에서 이루어지는 농업으로, 선진국이 가진 기술력과 자본, 원주민과 이주 노동자의 값싼 노동력이 결합된 농업이다. 주로 대규모 기업 위주의 단일 경작이 이루어지며, 주요 작물에는 고무, 사탕수수, 카카오, 담배, 커피, 삼, 목화 등이 있다. 최근에는 소규모 개인이 운영하는 다각적 경영이 주를 이루고 있다. 서양인의 기호품으로 애용되던 커피, 차 등을 얻기 위해 서양의 자본과 기술, 원주민의 노동력을 결합하여 이들 작물을 생산한 것이 플랜테이션 농업의 시초이다. 15세기 이후 서양인들은 새로운 항로를 개척하며 국외로 진출해 나갔으며, 에스파냐를 중심으로 남아메리카 대륙에 식민지를 늘려갔다. 산업 혁명 이후에는 열강들이 동남아시아와 아프리카 대륙을 식민지로 만들면서 식민지에서 생산되는 많은 물품을 수탈해 갔다. 제2차 세계대전 이후 식민지였던 국가들이 자치를 획득해 나가고 독립을 이루어냈으나, 서양의 자본과 기술, 이들 지역의 값싼 노동력을 활용한 농업이 계속 이루어지면서 오늘날에 이르게 되었다.

◆ 수리남 커피 재배지에서 흑인 노예들이 커피를 빻고 있다.

유럽의 해양업의 발달은 상업의 발달로 이어지는데 상업의 발달도 세월이 흐르면서 수탈경제의 발달로 이어진다. 물론 이것이 가능해진 것은 산업혁명의 기술적 진전과 함께 중국으로부터 들어온 화약을 이용한 총기로 개발해 무기로서의 기능이 확대되면서 바이킹보다 더한 수탈과 국가침략이 이뤄졌던 것이다.

이런 활동은 곧 식민지시대를 도래하게 하고, 인도-후추, 아프리카-남미-동남아시아의 커피나 바나나, 아보카도 등의 작물에서 노예농업이나 식민지국가의 자원 수탈이 이뤄졌다. 그래도 중국에서는 19세기까지 교역으로 차와 도자기 등을 거래했으나 20세기에 들어서는 마약까지 풀어 국가를 송두리째 혼란에 빠뜨리면서 유럽 제국들이 중국을 나눠가졌다.

20세기 초의 농업

제국주의 시대의 끝장을 달리던 세계사는 20세기에 들어서서 식민지 확대로도 모자라 1차, 2차 세계대전이라는 세계 최강대국 간의 극렬한 충돌로 비화된다.

그러나 농업은 세계전쟁과 달리 과학적으로 멘델의 유전학과 리비히의 최소량의 법칙에 의해 생산의 커다란 전기를 맞게 된다. 경제계는 멜더스의 인구론에 의해 인간이 생산하는 생계 수단인 식량의 생산은 산술급수적 성장하지만 인구는 기하급수적으로 증가해 사람의 식량이 절대적으로 부족해지는 현상이 발생할 것을 우려하는 전망을 했지만, 자연과학계는 이와 같은 비관적 전망을 해결할 과학적 진보를 제시했다.

멘델의 유전학에 의해 인간의 입장에서 좋은 유전인자를 가지고 있는 둘 또는 세 가지의 특성을 교잡해 생산량이 많고, 품질이 우수한 종자를 육성해 멜더스의 인구론을 대체하려는 노력을 기울일 수 있는 전기를 맞았다. 또 독일의 리비히라는 학자는 '최소량의 법칙'이라는 이론을 전개해 농업생산에도 화학비료를 활용해 성분적으로 고른 영양을 공급해 생산량이 증대되는 전기를 제공했다.

1842년 독일의 리비히가 내놓은 '최소량의 법칙*'은 식물 생장의 경우 가장 소량으로 존재하고 있는 무기성분, 즉 임계 원소의 양에 의해 달라진다는 내용을 발표했다. 과거 자연농업에서 화학비료를 중심으로 한 농업으로 전환되는 계기를 마련한 이론이다.

*최소량의 법칙이란?
식물의 생육은 그 식물이 필요로 하는 여러 물질 중에서 가장 적게 존재하는 물질에 의해 지배된다는 법칙을 말한다. 1843년 독일의 생물학자 리비히(Liebig, J. F.)가 발견한 이 법칙은 식물에 아무리 다른 좋은 영양소들이 충분히 공급된다 해도 그 식물은 부족한 원소가 있다면 그 이유 때문에 제대로 성장하지 못한다는 것이다. 즉, 영양소 최소량의 법칙이다.

이 이론을 바탕으로 독일의 프리츠 하버는 1차 세계대전 중 염소가스를 독가스로 개발했는데 이 기술로 질소비료가 생산됐다. 생화학기술이 세계대전 후 농약, 화학비료 등으로 발전된 것이다. 아마도 전쟁 당시 개발해 남아돌던 독성 화학물질의 새로운 용도를 찾다가 발견한 물질이었다.

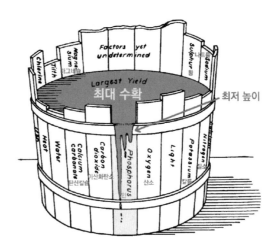

이렇게 독가스로 개발됐던 화학물질이 농약과 화학비료로 개발됨에 따라 화학적 농업은 점차 보편화돼 이후 전 세계적으로 화학농업은 확대된다. 그렇지만 화학농업은 오랫동안 정기적으로 사용될 경우 토양의 단립화 등의 문제점이 발생하면서 농업생산성이 오히려 줄어드는 문제가 발생한다.

한국이 본격적으로 과학적(?)인 농사법(현재의 관행농업)을 도입한 것은 1960년대부터다. 농림부가 1960년대 미국 USAID의 ISOM 플랜에 따른 지원협약으로 요소 등 화학비료를 만드는 원료인 인광석을 무상지원 받으면서부터다.

그러나 농약과 화학비료의 투여로 환경의 문제와 토양 단립화 등으로 그 폐해가 알려지면서 전 세계적으로 1960년대 이후 유기농업-친환경농업이 대두된다. 1904년 영국의 알버트 하워드(Albert Howard)가 『농업성전』을 저술하여 산업혁명 이후 산업화로 인해 환경공해와 자연파괴가 심각해짐을 고발하고 인도에서의 연구와 실험을 바탕으로 세계 최초로 유기농업의 필요성과 이론체계를 정립한 내용이 발표됐는데 영국에서 이 같은 내용이 보편화된 것은 50여 년이 지난 후이다.

미국 로데일(J. I. Rodale)은 1945년 『유기농법』이라는 책을 저술해 미국에서 유기농업이 확산되는 계기를 제공했다.

일본에서는 1946년 애농회, 1966년 유기농업연구회 등 다양한 농민단체들이 조직을 결성해 유기농업(자연농업, 순환농법, 미생물농법 등)운동을 전개한다.

한국도 일본 애농회의 고다니 주니치 선생의 강연 후 감명을 받은 농민들이 결성한 정농회를 시작으로 유기농업환경연구회(현 한국유기농업협회), 자연농업연구회, 농생명대 출신의 유기농운동가 이태근 씨가 시작한 '흙살림' 등 다양한 유기농업운동이 전개돼 현재에 이르고 있다.

세계전쟁의 종말과 식량

제국주의·식민주의 시대와 세계대전이 끝나자 세계의 열강들은 전후 복구에 들어갔다.

이에 따라 세계전쟁에 따른 자국의 산업적 피해 없이 군수물자를 공급한 미국은 세계 최대의 경제 강대국으로 부상한다.

미국은 미국 주도의 세계 세력을 재편하려는 시도를 하는데 1차로 북대서양조약기구를 발족, 유럽의 안정을 도모한다. 그러나 공산주의 국가로서 주변 국가들과의 연방국가로 소비에트연방공화국(소련)을 주도한 러시아는 공산주의의 확대 전략을 펼치면서 이를 차단하려는 미국과의 팽팽한 대치 상황이 벌어진다.

미국은 전후 유럽 국가들과 북대서양조약기구(NATO)를 결성해 소련의 남하정책을 견제하고, 유럽 국가들은 미국 다음의 세계 부자 나라들끼리 뭉쳐 경제와 철강을 협조하는 EEC라는 기구를 결성해 세계강대국연합을 형성하려는 노력을 기울인다.

그 결과물이 최종적으로는 이뤄진 것은 1990년대 후반에 결성될 유럽연합이며, 그 수단으로 권역 내 자유무역과 함께 유로화라는 단일통화 운영이라는 성과를 거두게 된다. 전쟁을 통해 식량의 중요성을 느낀 유럽의 강대국들은 산업정책에서 식량안보를 최우선으로 펼쳐 1960~1980년대에 이르면서 식량자급률이 100%를 넘어 농산물 수출국으로 부상한다.

전 세계적으로 산업혁명을 통한 산업의 발전이 가장 앞서고 경제가 발전한 나라들은 미국과 유럽의 국가들이다. 또 한국전쟁으로 경제적 도약을 이룬 일본 등이 후발주자로 GDP가 세계 최고 수준인 나라로 꼽히는 상황이었다.

그러나 미국과 유럽의 국가는 산업이 앞서고 식량자급률도 150%를 넘는 수준이어서 시장에서의 가격폭락 위기가 반복되는 상황에 이르자 당시에 수입을 통제하기 위해 관세를 높게 부과하던 개발도상국의 경제상황을 돌파하기 위해 강대국 중심으로 연대해 후발 국가들이 뒤쫓아 오는 경제발전을 막기 위한 수단을 강구하게 된다. 그것이 이른바 케임브리지대학의 장하준 교수가 이야기하는 '사다리 걷어차기'다.

그것이 다름 아닌 세계화와 신자유주의를 표방하는 우루과이라운드 협상의 시작이며, 식량을 포함한 모든 시장의 개방이다.

선진국의 먹거리 자급과 국제무역의 변화

2차 세계대전 이후 유럽은 전쟁 중 식량의 중요성을 체험한 터라 전후 복구과정에서 식량자급 문제를 최우선 과제로 삼으면서 농업 부문을 적극적으로 지원한다.

1970년대에 들어서면서 농업 부문이 지속적 성장을 통해 식량자급을 달성하면서 미국과 유럽을 중심으로 식량자급에 기초한 식량안보론은 쇠퇴하게 된다. 이러한 이유로 증대하는 과잉농산물의 문제가 심각했기 때문이다. 미국과 유럽은 농산물을 해외에 수출하기 위해 미국과 유럽 선진국이 주도하는 관세협상을 모색하게 되는데 그것이 바로 우루과이라운드협상이다. 한국전쟁의 경험에서 미국의 잉여농산물인 밀과 밀가루를 원조물자로 한국에 지원하면서 미국의 농산물 물가하락을 해결한 경험을 바탕으로 미국과 유럽의 농산물 자급국가들이 함께 뭉쳐 '관세 및 무역에 관한 협정(GATT)'을 대폭적으로 개편해 세계를 하나의 시장으로 통합하려는 선진국들의 사전거래가 있었던 것이다.

그래서 나타난 식량안보론이 바로 수입해서라도 식량을 자급한다면 산업발전을 위해 시장을 열어야 한다는 신(新)식량안보론이다. 새로운 개념의 식량안보론인 식량확보론은 각국이 식량을 자급하기보다는 일국에 필요한 식량을 무역을 통해 안정적으로 확보하는 것이 보다 효율적인 식량안보전략이라고 영국과 미국 등 UR 주도국과 다국적기업, 자유무역주의자들의 주장이 계속됐다.

이런 주장을 통해 우루과이라운드협상(UR)을 관철했던 것은 경제발전과 관련 선진국들의 '사다리 걷어차기'라고 장하준 케임브리지대학 교수는 주장한 바 있다.

결국 1986년 9월 우루과이 푼타델에스테에서 열린 GATT 각료회담에서 국제교역에서의 시장개방을 확대하기 위해 GATT 체제 및 규율을 강화하는 한편, 농산물 서비스와 지적재산권 분야에 대한 국제규범 제정을 통해 새로운 세계교역질서를 창설한다는 명분으로 우루과이라운드(UR)가 시작된다.

그 배경을 보면 1980년대에 들어 세계경기가 제2차 석유파동을 겪으면서 장기간 침체를 보인 데다, 미국의 막대한 재정적자와 경상수지적자 등으로 세계경제의 불균형 현상이 심화되면서 세계교역 질서가 보호주의에 휩싸이게 되어 반(反)덤핑·상계관세의 남용 등으로 경제 블록화가 진전되는 상태에서 미국-유럽 등을 주축으로 선진국의 산업적 우위와 식량과잉에 따른 수출을 확대하기 위해 새로운 세계 무역질서를 요구했기 때문이다. 따라서 산업적 우위와 식량과잉을 해소하기 위해 선진국들이 뭉쳐 개발도상국 시장을 강제 개방하기 위한 의도가 깔려 있는 것이다.

1993년 12월 15일 UR협상은 타결됐고, 1994년 WTO(세계무역기구)가 출범하게 된다. 쌀을 제외하고 모든 농산물의 시장이 개방됐으며, 우리나라는 쌀도 10년씩 2차례 유예를 받았으나 의무수입 물량이 매년 늘어가는 상황을 맞아 2015년 쌀 관세화로 전환됐다.

우루과이라운드협상과 미국의 대응

1993년 12월에 타결된 UR 협상을 통해 이뤄진 농산물의 무역자유화를 뒤에서 조정한 것은 미국 정치권의 비호를 받는 다국적기업의 임원들이다. 예컨대 미국이 내놓은 농산물 자유무역 안을 실질적으로 작성한 사람은 카길 사의 부회장인 대니얼 암스테드라는 사실이 UR 협상 초기인 1987년 3월 로이터통신 보도로 세상에 알려졌다. 암스테드를 실무책임자로 한 국제농산물 교역질서 개편 기도는 UR 협상이 타결되기 10여 년 전인 1983년 이미 시작되었던 것으로 알려져 있다.

또한 곡물 메이저는 미국 정부와의 인사 교류, 대정부 로비 등을 통해 미국과 세계 농업정책에 영향력을 행사한다. 1972년 소련에서 흉작으로 식량난이 발생하는데 이때 소련과 식량협상을 했던 사람들이 바로 다국적기업의 임원들이다. 예컨대 미 농무성 차관 출신인 팜비이는 콘티넨털의 부사장으로 정부 협상단에 영입되어 1972년 콘티넨털의 대(對)소련 수출 계약을 성사시키는 데 결정적 기여를 했고, 닉슨의 통상 특별고문 피아스와 농무성 고위관료 팔머 마커는 카길의 부사장을 역임하기도 했다. 이러한 사실들은 이들이 얼마나 정부와 밀착해 있는지를 보여주는 사례에 불과하다.

2003년 멕시코 칸쿤에서 열린 WTO 농업협상에서는 아예 카길 사가 미국 측 의견서를 작성했다고 한다. 이처럼 곡물 메이저는 미국 정부뿐 아니라 세계 농업정책 전반에 막강한 영향력을 행사한다. 이쯤 되면 세계 곡물시장이 국가 간 약속이나 WTO 협정 등 국제사회의 규범과 질서보다는 곡물 메이저의 '보이지 않는 손'에 의해 움직이고 있다고 볼 수밖에 없다.

초국적 '농식품복합체'(agri-food complex)의 독점과 곡물 투기

카길 사는 전 세계 곡물시장의 40%를 장악하고 있다. 1990년대 초반 우루과이 라운드 협상 때 카길의 당시 부회장 댄 암스테드가 미국을 대표해 협상을 주도했다. 인도의 환경사상가인 반다나 시바는 "WTO 농업 협상은 '카길 협상'으로 고쳐 불러야 마땅하다."며 "남반구 시장을 개방하고 '농민 농업'을 '기업 농업'으로 바꾸는 것이 카길과 농업 협정의 주요 목표다."라고 역설한 바 있다.

암스테드는 지난 2003년 3월 이라크 전쟁 직후 부시 대통령에 의해 농업재건국장으로 임명돼 이라크 농업재건국장이 지위를 이용해 미국산 곡물을 이라크 시장에 덤핑으로 공급함으로써 이라크를 미국 곡물 회사의 안방으로 만들려는 의도를 갖고 이를 추진한다.

소맥(小麥, 보리)은 카길(Cargill), 아처 대니얼스 미드랜드(ADM), 콘아그라(ConAgra), 시리얼 푸드 프로세서 등 미국의 4대 기업이 가공과 유통의 60% 이상을 장악하고 있는 상황이며, 대두(大豆)는 ADM, 붕게(Bunge), 카길, AG 프로세싱 등 4개 기업이 80%를 장악하고 있다. 2008년 세계적인 식량위기가 도래하자 아이티, 마다가스카르 등 세계 37개국이 폭동으로 정권이 바뀌거나 큰 혼란을 겪었지만 이 초국적 기업들은 이윤이 급증했다.

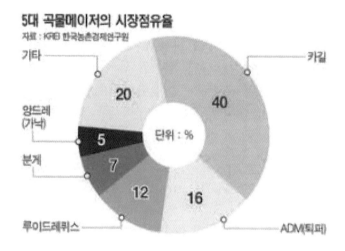

5대 곡물메이저의 시장점유율
자료 : KREI 한국농촌경제연구원

기타 20
카길 40
앙드레 (가낙) 5
분게 7
단위 : %
ADM(퇴퍼) 16
루이드레퓌스 12

세계 식량시장은 생산량 중 약 87~88%를 자국 내에서 소비하고, 12~13% 정도만을 국제시장에서 거래하는 매우 얇은 시장이기 때문에 생산과 소비 과정에서 조그만 변화가 생겨도 식량가격은 폭등할 수밖에 없는 구조다. 더 큰 문제는 곡물 메이저들이 종자, 비료, 농약, 농산물 유통, 식품가공 등 농산업(Agribusiness)의 전 분야를 장악해 농자재의 공급까지 조정하며 수익을 극대화하고 있어 전 세계적인 혼란은 더욱 가중되고 있다.

이들의 뒤에는 WTO와 FTA가 있어 관세를 제외한 모든 국경 장벽을 철폐하고, 농업 보호정책을 축소하거나 폐지하여 다국적 곡물 기업이 소위 세계 식량체계(global food system)를 구축할 수 있는 버팀목 역할을 하도록 배경 역할을 하고 있는 것이다.

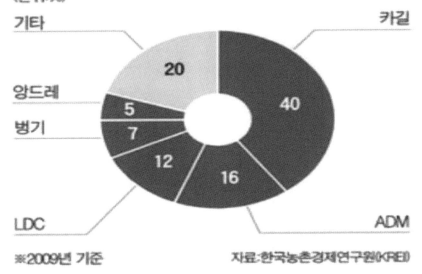

세계시장 80%를 장악한 5大 곡물메이저
(단위:%)

기타 20
카길 40
앙드레 5
벙기 7
LDC 12
ADM 16

※2009년 기준　　자료:한국농촌경제연구원(KREI)

다국적 곡물 기업 카길의 횡포를 고발한 책 『보이지 않는 거인』

의 저자 브뤼스터 닌은 "초국적 곡물상이 세상을 지배할수록 소농을 보호해야 하고, 정부는 땅을 일구는 농민의 견해를 바탕으로 하여 정책을 세워야 한다."고 충고했다.

WTO체제의 출범과 FTA(신자유주의)시대의 개막

우루과이라운드협상이 1993년 12월 마무리되고 1994년에는 GATT에서 WTO로 전환돼 새로 출발하게 된다. 산업제품뿐만 아니라 모든 농산물이 예외 없이 개방되고 일부 늦춰지는 예외조치도 최대 15년이 지나면 모두 개방되도록 협상이 이뤄졌다. 이 때문에 WTO 각료회의가 열리는 곳에서는 우리나라뿐만 아니라 전 세계의 수많은 농민단체 대표자들이 추가적인 개방을 반대하며 시위의 대열에 합류했다. 홍콩, 시카고, 칸쿤 등이 대표적인 각료회의이며, NGO들의 반대운동도 치열했다.

그런데 WTO 2차 협상인 WTO/DDA(WTO 도하개발의제 협상) 각료회의가 열린 멕시코 칸쿤에서 한국의 이경해 농민이 자결했다. "WTO가 농민을 죽인다. WTO에서 농업을 제외하라."는 구호를 외치며, WTO 각료회의가 열리는 바깥 철조망 위에서 이경해 열사는 자신의 가슴을 칼로 찌르며 반대 구호를 외쳤던 것이다.

이 사건으로 전 세계적인 추모 열기와 함께 국가별 농민단체의 반성과, 특히 브릭스 5개국(브라질, 러시아, 인도, 중국, 남아프리카공화국)의 적극적인 협상 의견 발의로 WTO/DDA는 미국과 유럽이 원하는 협상이 진척되지 못하고 정체되다가 결국 더 이상 진전이 없게 된다. 다음은 이경해 열사가 2003년 3월 제네바에서 단식하다가 WTO에 보낸 서한이다.

◆ 이경해 열사가 멕시코 칸쿤 WTO각료회의 행사장 밖 철망 위에서 'WTO가 농민을 죽인다'며 WTO협상에서 농업을 제외하라는 구호를 외치고 있다.

진실을 말하라

나는 56세, 한국에서 온 농민이며, 젊은 시절 희망을 가지고 동료들과 농민단체를 결성하여 우리의 문제들을 스스로 해결해보고자 노력하였던, 그러나 결국 실패만을 거듭한 많은 농촌지도자 중 하나이다.

우리는 우루과이라운드가 끝나고 곧 우리의 운명이 더 이상 우리 손에 있지 않다는 것을 알았다. 그리고 우리는 나약하게도 수백 년 대대로 살아왔던 우리의 고향 농촌이 큰 파도로 붕괴되는 것을 그냥 지켜볼 수밖에 없었다. 나는 용기를 내어 적극적으로 그 큰 파도의 근본과 이유가 어디에 있는지 찾아보고자 하였다. 이제 그 결론에 도달함에 여기 제네바 WTO 정문 앞에서 나는 다음과 같이 온몸으로 절규한다.

"누구를 위한 협상을 하고 있는가? 국민들인가, 너희들 자신인가? 이제 허구적 논리와 외교적 수사로 가득 찬 WTO 농업 협상은 그만하라. 농업을 WTO 체제에서 제외시켜라!"

(…중략…) 나는 지금, 인류는 지금 극소수 강대국과 그 대리인인 세계무역기구(WTO)와 이를 돕는 국제기금(IMF) 그리고 다국적기업의 상업적 로비에 의해 주도되고 있는 반인류적이고 농민말살적인, 반환경적이고 비민주적인 세계화의 위험에 빠져 있다는 것을 시민들에게 경고하는 바이다. 즉시 이를 중단시켜야 하며 그렇지 않으면 이 허구적인 신자유주위가 세계 각지의 다양한 농업을 말살시킬 것이며, 이로써 모든 인류에게 재앙이 초래될 수도 있음을.

나는 단호히 말하건대, 우루과이라운드는 몇몇 야망에 찬 정치집단들이 다국적기업과 외눈박이 학자연하는 자들과 동조하여 자기들의 골치 아픈 농업문제를 다른 나라에 떠넘긴 한 판 사기 게임에 지나지 않는다. 이제 진실을 말하라. 그리고 원점으로 돌아가 농업을 WTO에서 제외시켜라.

2003년 3월, WTO 정문 앞에서

한국 농민 이경해 (한국농업경영인중앙연합회 2대회장)

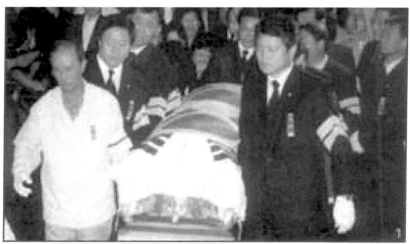

◆ 멕시코 칸쿤에서 자결한 고 이경해씨의 유해가 지난 9월 18일 오전 인전공항에 도착, 운구되고 있다

이경해 열사는 제네바 세계무역기구(WTO) 앞에서 한 달 넘게 단식하다가 후배들에 의해 업혀서 돌아왔으며, 그해 9월 추석 전날 WTO 각료회의가 열리는 멕시코 칸쿤 WTO 회의장을 가로막은 철조망 위에서 구호를 외치다가 스스로 자결했다.

농업·농촌, 그리고 식량의 가치

농림업의 공익적 가치

농업의 공익적 기능과 가치에 대해서는 농촌진흥청의 엄기철 박사가 최초로 산술적으로 수치화해 발표한 바 있다. 그것도 금액으로 산출해 손쉽게 이해하도록 발표했다.

2006년 발표한 이 논문은 그동안 농업이 생산한 농산물의 산업적 가치만 쳐서 3조 원 규모로 국한된 평가만 받아왔던 농업의 새로운 가치를 전달하는 계기가 됐다.

특히 엄기철 박사가 발표한 논문은 농업의 산업적 가치뿐만 아니라 농업이 사회적, 문화적, 생태적으로 미치는 눈에 보이지 않는 가치들, 다시 말해 산소 함양, 자연재해 예방, 생태계 보전 등의 무형적 가치까지 평가함으로써 자연에서 인간에게 필요한 것들을 제공하여 총체적으로 중요한 의미를 가진다는 메시지를 줬다.

엄 박사의 발표 내용은 밭 농업을 빼고 논 농업을 주축으로 분석했는데 논 농업에서의 홍수조절 기능을 첫 번째로 꼽았다. 논 농업의 홍수조절 기능의 경우 농업을 통해 논에 물을 담아놓음으로써 홍수로 인한 재해의 예방과 잡초 방제, 생산증대 등의 효과를 거두는 기능을 갖췄다고 한다. 그러한 기능만으로 연간 53조 원의 사회적 비용을 줄여주고 있다고 강조한다. 이런 홍수조절 기능만으로도 우리나라 농산물 생산액 50조 원보다 훨씬 많은 경제적 가치를 갖고 있다는 것이다.

농업을 영위함으로써 탄산가스를 흡수하고 산소를 방출하는 등 대기를 정화하는 기능도 22조 원의 경제적 가치가 있는 것으로 환산했다. 이런 내용은 산업체에서 발생하는 오염물질의 환경정화 비용을 고려하여 환산한 것으로 인간의 삶의 질을 엄청나게 높여주고 지키는 역할을 하고 있다는 것이다.

논에 담수하면서 지하에 물을 담아두는 지하수 함양 기능도 빼놓을 수 없는 공익적 가치다. 이런 지하수 함양 기능은 농업용수 또는 공장용수, 생활용수 등으로 사용할 수 있도록 함으로써 21조 원의 경제적 가치를 갖고 있다고 분석한다.

농업의 환경보전 기능과 경제가치
(2006년 기준)

홍수조절
물 저장
37억1000만t
경제적 가치(원)
51조5364억

수자원 함양
지하수 저장
46억2400만t
1조8222억

대기정화
이산화탄소(CO₂) 흡수
3280만t
9조9280억
산소(O₂) 배출
2380만t

여름철 기후순화
물 증발량
45억3000만t
1조7870억

수질정화
질소 제거
2만1970t
2977억

토양유실 방지
토양 보전
1억8060만t
2조2679억

농업 환경보전의 경제가치 총 **67조6632억원**

자료·농촌진흥청

경제적 가치로 본

농업의 공익적 가치

총계
27조8993억

단위: 원

환경 보전			**18조6343억**
홍수 조절	3조2531억	토양유실 저감	2120억
지하수 함양	2조3976억	축산분뇨 소화	1조2413억
기온 순화	3조7722억	수질 정화	1조8722억
대기 정화	5조8859억		

사회·문화적 기능
(농촌활력 제고 기능 포함)
4조1040억

식량 안보
3조1158억

자료: 한국농촌경제연구원

농업 경관
2조452억

◆한국농촌경제연구원, 농업의 공익적 기능에 대한 가치(2018)

또한 농업을 영위함으로써 비와 폭풍 등으로 인한 토양 유실을 방지하는 기능으로 15조 원의 경제적 가치를, 농업을 영위하는 농촌이라는 공간이 휴양공간으로서의 기능을 하는 점도 13조 원의 사회적 가치를 보유하고 있는 것으로 나타났다.

영농과정에서 수질을 정화함은 물론, 생태계를 유지하고 보전하는 수질정화 및 생태계 보존기능으로도 8조 원의 경제적 비용을 담당하고 있는 것으로 평가했다.

이밖에 농업생산을 통해 국민에게 먹거리로 제공되는 기능을 당시 생산액 기준으로 2조 원으로 평가하는 한편, 경관가치 및 농촌활력의 기능은 농업을 영위함으로써 농촌의 경관을 유지해 농촌관광을 유치하고, 농산물로 지역특산품, 가공품 등을 생산함으로써 얻는 경제적 기능으로 3조 원을 평가하고 있다. 이와 같은 공익적 기능으로 농업은 사회·문화적 가치를 제외한 총 162조 원의 경제적 가치를 갖고 있으나 농업은 점점 줄어들어 공익적 기능의 발현이 축소되고 있는 상황이다.

한국농촌경제연구원도 농업의 공익적 기능이 가진 가치에 대해 발표한 적이 있다. 가장 최근에는 2018년에 발표한 내용인데 농촌진흥청이 2006년 내놓은 발표와는 다르게 굉장히 축소지향으로 조사해 발표했다. 그 내용을 보면 농업의 공익적 가치를 27조 8,993억 원(2016년 불변가치 기준)으로 평가했다. 세부적으로는 환경보전 기능 18조 6,343억 원, 사회·문화적 기능 4조 1,040억 원, 식량안보기능 3조 1,158억 원 등이다.

산림청 국립산림과학원은 2020년 4월 산림의 공익적 가치가 221조 원(2018년 기준)에 달한다는 평가 결과를 내놨다. 이는 2014년 기준 평가액 125조 8,000억 원보다 76% 증가한 수치다. 국립산림과학원은 1987년부터 2~4년마다 산림의 공익적 기능을 경제 가치로 환산한 결과를 발표하고 있다. 산림과학원은 산림기본법에 따라 일관된 방식으로 산림의 공익적 기능을 평가하고 있다. 산림기본법 제17조 2항에는 '국가 및 지방자치단체는 산림의 공익 기능에 대한 평가를 실시하고 이를 시책에 반영하도록 노력하여야 한다.'라고 명시돼 있어서 이를 일정 주기마다 조사하고 있는 것이다.

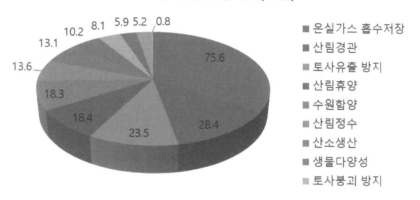

2018년 기능별 평가액(조원)

반면 농업·농촌 및 식품산업 기본법에는 '농업·농촌의 공익기능이 최대한 유지·증진되도록 노력하여야 한다.'(제9조)라고만 돼 있을 뿐 평가에 대한 내용이 없어 농업의 공익적 가치는 농업 관련 연구기관이 정기적으로 조사하고 평가하는 발표가 없다.

석유로 농사짓는 미국

미국의 농지에서는 3,000평에서 약 6톤의 옥수수를 수확하고, 이를 가공하여 처리하면 1,240ℓ의 에탄올을 얻는다. 하지만 원료인 옥수수를 심어 재배·수확하는 데는 3,000평에 약 1325ℓ의 화석연료가 들어간다. 더 많은 연료를 들여 들어간 연료만큼도 생산을 하지 못하고 있는 것이다.

미국이 주도하고 있는 세계 농식품 체계는 거대 농업기업에게는 막대한 이윤을 제공하고 있지만, 그 반대편에는 기아를 낳고 있다. 독립 당시에는 식량을 수출했던 아프리카의 여러 나라들이 지금은 전체적으로 식량의 4분의 1을 수입하고 있다. IMF의 구조조정안 덕택에 30여 년 전만 하더라도 쌀을 자급할 수 있었던 아이티는 세계 최빈국임에도 불구하고 미국산 쌀을 세 번째로 많이 수입하는 나라가 되었고, 필리핀도 거의 유사한 과정을 겪었다.

이런 불합리함은 에너지의 투입과 산출 측면에서 보면 더욱 적나라하게 드러난다. 뉴기니의 젬바카 마린족의 화전 농업에서는 1의 에너지를 투입해서 10의 식량에너지를 만들어낸다. 1970년 시점에서 미국 농업의 생산량은 과테말라 농업보다 4.8배나 많았으나, 에너지 투입량은 25.4배가 되었다.

에너지 효율로 볼 때, 미국농업은 과테말라 농업의 5분의 1밖에 되지 않는다. 미국농업은 수확된 식량 1칼로리에 대해 기계, 비료 등으로 2.5칼로리의 화석연료를 태우며, 270칼로리의 옥수수통조림 1개를 생산하는 데 2,790칼로리를 소비한다고 한다. 농업이란 것이 태양의 은혜로 이루어지는 자연의 산업이라고 했지만, 적어도 미국농업은 석유로 이루어지고 있다. 미국뿐만 아니라 현대의 녹색혁명 형 농업에 바탕을 두고 있는 관행농업은 모두 석유로 농사를 짓는다는 말이 틀리지 않는다.

농업의 공익적 기능을 반영한 헌법 개정 필요

2018년 농업의 공익적 가치를 반영한 헌법 개정안 정부(안)에는

제129조에 "국가는 식량의 안정적 공급과 생태 보전 등 농어업의 공익적 기능을 바탕으로 농어촌의 지속 가능한 발전과 농어민의 삶의 질 향상을 위한 지원 등 필요한 계획을 시행해야 한다."는 규정을 마련한 바 있다. 이렇게 공익적 기능을 반영한 헌법 개정(안)은 농업계와 출향인사의 천만서명운동에서 목표를 초과 달성한 약 1,300만 명의 서명을 받았다.

스위스는 헌법규정에 의거, 농업·농촌의 공익적 서비스 기능을 유지·강화하고 이를 위한 재정 지원에 농업예산 중 80% 이상을 할애하고 있다. '연방헌법' 제40조에는 독립적으로 농업조항을 두고, 농업의 역할과 기여에 대한 보상과 지원 관련된 국가 책무를 규정하고 있다.

식량자급의 실현은 종합먹거리대책의 첫걸음

야마자키 일본의 농장이나 축사농업연구소 회원 겸 법인 '농업과 자연연구소' 대표인 우네 유타카(宇根豊)는 먹거리(농산물)의 자급이 자연의 자급과 떼어내기 어렵게 결합되어 있다고 주장한다. 이것이 농사의 본질인데도, 현재는 먹거리가 그저 인간을 위한 '식재료', 즉 소비재가 되어 돈으로 살 수 있는 물건으로 타락했다는 것이다. 이에 따라 먹거리가 자연의 선물이라는 사실조차 망각하고 있다는 지적이다.

자급의 실현은 '살려져서 사는 것', '서로 지탱하는 것'으로 자기 의존성을 높이는 것이라는 유타카의 논리다. 이 때문에 재생에너지, 순환형 경제, 복합영농, 사료자급, 6차산업화, 지역사업 그리고 주민이 주도하여 내발적으로 추진하는 지역개발 등을 결합한 종합적인 먹거리·에너지·지역대책이 필요하다는 주장이다.

자급의 출발은 인류의 생명유지에 불가결한 먹거리는 건강한 흙과 물, 대기를 바탕으로 생산된 안전한 것이어야 한다. 그래서 자연의 물질순환을 기본으로 하는 생산 활동으로 연결되어야 한다. 이러한 생산 활동의 결과물인 먹거리가 지역 내에서 순환되는 시스템이 한 사회의 '자급'시스템을 이끌어내는 기초단위가 되는 것이고, 그것이 일본에서 진행되고 있는 '지역먹거리운동'인 '지산지소'운동이라고 할 수 있다.

일본의 지산지소운동은 자신의 현에서 생산한 농산물은 자기 현에서 소비하자는 뜻으로 농업과 먹거리의 세계화, 무역자유화가 진행돼 먹거리·농업·농촌의 모순이 심화되는 상황에서 생산과 소비의 현장에서 제기된, '먹거리'와 '생명'의 전망에 대한 물음이고 제안이었다.

이러한 지산지소의 출발은 농정에서 버림받은 작은 자급농가들이 모여서 만들어낸 농산물직판장에서 시작됐다. 일본의 농산물직판장은 정책에서 배제되고 버려진 자급적 농가의 잠재적 능력에 의해 꽃을 피운 자립의 결과물이다. 이후 이런 운동이 지자체와 일본 농협이 결합되면서 전국적으로 체계화되고 확산됐다.

지역먹거리운동

지역먹거리운동(Local Food 운동, 신토불이운동, 지산지소운동)은 1차 산업과 생업을 소중히 여기면서 그것을 새로운 일과 연결시켜, 생명과 생활을 지키고, 유연한 감각으로 매력을 발산하고 있는 지역으로부터 배우고, 그 공통점을 찾아내어 보편화하는 것이다. 이 운동이 지향하는 점은 먹거리의 지역 내 유통뿐만이 아니고, 재래종이나 자가 채종 등을 통한 '씨앗의 자급'을 비롯하여 농사에 투입되는 자원들을 가능하면 스스로 확보하는 것이 지역먹거리운동을 확대하고 심화시키는 데 있어서 매우 중요하다.

지역먹거리운동의 목표는 규모나 효율이 아니라 자급의 원리는 본래 경제를 뛰어넘은 데서 생긴 것이므로 선택의 여지가 없는, 반드시 맡아서 소비해야 할 '의무'가 있는 것이다. 그래서 대규모 유통회사와 손잡고 지역먹거리운동을 전개하겠다는 일부 지자체의 구체안은 허구인 것이다. 협치를 통해 지역의 농업생산은 어떤 구조로 얼마만큼의 생산량을 가지고 지역에서 어떻게 공급되고 있는지 분석해 개선방안을 모색하고, 지역에서 생산된 먹거리를 공공의 영역에서 어떻게 유통할 것인지, 공공영역의 시장 규모에 맞게 어떻게 공급할 것인지를 결정하는 한편, 중소농과 지역민 참여 속의 먹거리소비운동을 전개하는 것이 궁극적인 실천방안이다.

이를 통해 '생명'과 '생활'을 전제로 '농(農)과 먹거리와 환경'이 본래의 모습을 회복하면서 자연 내의 순환을 되살리고, 자연과 사람 사이의 순환을 재생하고, 사람과 사람 사이의 신뢰를 회복하고자 하는 생명운동이고 지역자치운동인 것이다.

일본의 경우 2000년대 JA(일본 농협)이 참여한 이후 정부 차원에서 지산지소를 추진하고 있다. 일본 정부는 2008년 학교급식법을 개정해 학교급식에서 지역 농산물을 활용하도록 했다. 지역의 식재료(로컬푸드) 사용을 장려하는 운동으로 신선 식재료를 제공하면서도 식량자급률 향상, 지역경제 활성화 등을 도모할 수 있는 것이다.

장거리 운송을 거치지 않아 신선하게 소비할 수 있으며, 지역의 농수산업을 활성화하는 효과가 있어 중소농의 경제적 여건을 개선하는 데 도움을 준다. 아울러 식품의 이동거리가 짧아지면 운송의 연료 사용이 줄어 이산화탄소 배출을 감소시킨다.

프랑스 등 일부 국가에서는 식품의 생산부터 소비자의 섭취까지 이르는 거리인 '푸드 마일리지(Food Mileage)'를 환경지표의 하나로 사용하고 있다. 일본의 경우 2005년 레스토랑, 마트 등의 상품에 푸드 마일리지를 표기하는 '캠페인'을 시행하고 있다.

이와 함께 우리나라에서는 재래종이나 자가 채종 등을 통한 '씨앗의 자급'을 비롯하여 농사에 투입되는 자원들을 가능하면 스스로 확보하는 운동과 활동도 전개하고 있다.

농장에서 식탁까지

이런 먹거리운동은 생산지인 농장에서 시장으로 유통되고 가공으로 변신하면서도 영양적 측면에서 건강증진에 도움이 되는 한편, 농약 잔류나 GMO로부터의 안전성을 유지하도록 해야 함은 물론, 먹거리를 환경적으로 처리하는 시스템이 구축돼야 한다. 먹거리의 생산-가공-유통-건강-안전-환경-폐기 등 순환 고리를 모두 만족시킬 수 있도록 선순환체제를 구축해야 한다. 다시 말해 먹거리와 관련된 농장에서 식탁을 거쳐 폐기에 이르기까지 삶의 질 향상을 위한 종합적인 체계를 갖추는 것이 지역푸드플랜의 수립인 것이다.

지역푸드플랜은 가족농과 중소농 중심으로 지역 먹거리의 선순환을 구축하는 것으로 소비자의 건강과 안전은 필수적 조건으로 갖추고 공공재인 먹거리의 선순환을 꾀하는 것이다.

현재 서울, 완주, 전주, 화성, 춘천, 나주 등 전국에서 50여 개의 지자체가 로컬푸드의 선순환체계 구축했거나 이에 동참하여 선순환 체계를 구축 중에 있다.

정부 부처의 먹거리 관련 업무를 보면, 생산은 농림축산식품부, 예산은 기획재정부, 학교급식과 식생활교육은 교육부, 건강과 안전 관련 업무는 보건복지부, 먹거리의 폐기와 재활용의 영역은 환경부, 식품위생과 안전성 검사와 관련된 업무는 식품의약품안전처 등 범부처 차원에서 추진해야 한다.

그러나 이러한 부처별 업무 분장이 부처의 칸막이 때문에 이를 종합적으로 처리하기 어려운 상황에 있다. 부처간의 업무 장벽을 허물기 위한 제도적인 대책이 필요한 것은 물론, 이를 해소하기 위해 민간 차원의 먹거리시민위원회를 구성하여 부처의 칸막이를 해소하고 먹거리와 관련된 정책 건의 등을 할 수 있도록 해야 한다.

식량주권은 먹거리 기본권

『비아 캄페시나』

소작농과 소농들이 식량의 생산자이자 농촌문화의 배양자로서 생존을 위해서뿐만 아니라 곳곳에 활력 넘치는 농촌공동체를 건설하고 땅과 사람들의 관계를 존속시키기 위해 필사적으로 투쟁해 온 비아 캄페시나의 전략들과 실천들에 대한 분석이 담겨 있다. 식량주권과 성(性)평등, 지구적 수준의 풀뿌리 연대를 달성해온 과정을 살펴보면 창의적이고 지구적인 '비아 캄페시나'의 아름다운 행보를 알 수 있다. 이 책『비아 캄페시나 : 세계화에 맞서는 소농의 힘』은 챈드윅 앨거 상과 리오넬 겔버 상을 수상하였으며, 이미 프랑스어, 스페인어, 이탈리아어 등으로 번역 출간되었다.

인간 복지 가운데 가장 중요한 것은 먹거리의 안전성 확보와 먹거리로 건강을 지키는 길이다. 농업·농촌, 그리고 먹거리의 가치는 가장 기본적인 생존의 재료인 식량에 있는 것이다.

세계 여러 나라의 농민단체 연대조직인 비아 캄페시나는 1993년 출범 당시 생존을 위한 먹거리의 확보를 인간의 기본권으로 설정하고 식량주권을 선언했다. 모든 생명이 의존하고 있는 식량과 종자와 토지에 대한 기업의 탈취에 대항하기 위해 농민들이 만든 국제적인 농민운동조직이 비아 캄페시나다.

또 프랑스 여성농민 출신이면서 레지나대학 국제연구 프로그램 조교수로 재직 중인 아네트 아우렐리 데스마레이즈 박사가 이 단체에 대해 발간한 책의 제목도 『비아 캄페시나』다. 이 책은 비아 캄페시나가 국제무대에 어떻게 등장하였고 무엇을 실천해왔는가를 보여주고 있다.

사례를 통해 본 식량주권-아이티 식량농업의 몰락

아이티는 1986년 국제통화기금(IMF)의 구제금융 지원을 받으면서 쌀시장을 개방했고, 1995년에는 수입쌀의 관세를 35%에서 3%로 급격히 내렸다.

이에 따라 미국 쌀이 아이티 쌀시장을 지배하게 됐고, 자급률이 100%에 가까웠던 아이티의 벼농사는 몰락하고 말았다.

그 내용을 구체적으로 풀어보면 1970년대 후반 미국 정부가 아이티에 거액의 원조를 해주겠다고 했는데, 여기에 조건이 붙었다. 쌀, 옥수수 같은 작물은 돈이 안 되니 더 이상 농사를 짓지 말고, 돈이 되는 커피, 사탕수수, 카카오 등을 심어야 한다는 것이다.

당시 아이티는 30년 동안 부자와 지주들이 권력을 독차지하고 있었고, 국민들의 반대를 무마하기 위해 미국의 원조가 꼭 필요한 상황이었다. 결국 아이티 정부는 미국의 조건을 받아들여서 쌀, 옥수수 대신 그들이 원하는 경제작물을 재배하게 된다. 그런데 얼마 지나지 않아 커피, 사탕수수, 카카오 값이 폭락하기 시작한다. 세계 여러 나라에서 너도나도 이 작물을 재배했기 때문이다.

불행은 여기서 출발한다. 더 이상 생산하지 않게 된 쌀, 옥수수를 미국으로부터 수입하게 되는데, 곡물회사에서 해마다 값을 올려 국민들이 굶주림에 시달리게 된 것이다. 어린아이들은 진흙에 소금과 마가린을 섞어 햇볕에 바짝 말린 진흙쿠키를 먹었다. 우리 국민들도 그 내용을 TV를 통해서 봤을 것이다.

(멕시코시티=연합뉴스)

우리나라도 6.25 전쟁 이후 식량난을 극복하기 위해 미국의 잉여농산물 원조를 받았으나 그 영향으로 국산 밀의 기반이 붕괴되는 바람에 수입 밀이 대부분인 현재 밀 자급률은 1%에도 미치지 못한다. 이와 같이 식량주권은 스스로 지키지 못하고 외국에 의존하게 되면 자립기반이 무너진다는 것을 알 수 있다. 농업의 공익적 가치는 홍수조절 , 대기정화, 지하수 함양, 토영유실 저감, 휴양공간의 제공, 수질정화 및 생태계 보전, 식량안보, 경관가치 및 농촌 활력 등으로 162조 원에 달한다고 하지만, 그 중에서도 인간의 생명을 유지하기 위해 필수적인 식량주권이 최고위에 존재하는 가장 중요한 가치라는 사실을 깨달아야 할 것이다.

국제적인 교역과 식량정책의 변화

제1, 2차 세계대전으로 끝난 제국주의 침략

    제국주의 국가들이 식민지 수탈경제로 부자나라가 됐으나 2차례에 걸친 세계전쟁으로 전쟁을 치른 국가들은 사회기반시설이 붕괴되는 등 황폐해졌다. 그런 가운데 이들 국가는 자기 나라의 전후복구뿐만 아니라 국제연맹, 국제연합(UN) 등의 결성으로 여러 나라들의 협력과 평화를 위한 조치들이 필요한 시기가 도래하면서 더 이상의 침략은 중단되고. 식민지 국가들의 독립을 지원하는 체계로 변화하게 된다. 이런 세계적인 흐름의 변화는 UN이 1950~1970년대 식민지 국가의 독립을 지원하는 체계로 전환돼 상당히 많은 신생국가들이 탄생한다.

    그런 한편으로 제2차 세계대전 이후 세계는 동서 냉전의 시대로 접어든다. 러시아혁명 이후 공산주의 국가가 된 러시아가 주변국들의 공산주의 확산과 더불어 이들 국가를 연방국가로 결성하여 소비에트연방공화국(소련)으로 출범하게 되면서 소련의 남방 확산정책이 전개되자 이를 막으려는 미국과 유럽 국가들의 연대가 형성되면서 동서 냉전의 시대가 시작된다.

    미국과 유럽은 북대서양조약기구(NATO)를 설립해 소련의 서진을 막으면서 미국이 동아시아 정세에 개입해 일본을 지원하고 한반도 남쪽에 친미정권을 수립하도록 하는 한편, 소련과 인접한 국가에 친미정권이 수립되도록 공작과 적극적인 지원을 아끼지 않는다. 베트남전쟁도 공산화의 확산을 막기 위한 미국의 무모한 개입이었다.

당시 남진 정책을 펴던 소련의 공산주의 확산을 막기 위해 미국의 주도로 북대서양조약기구(NATO)가 설립됐다. 그런 가운데 전후 복구과정을 거치고 난 후 1960년대 들어 미국, 영국을 비롯한 유럽 선진국들은 식량을 무엇보다 중시하여 식량생산이 100%를 초과해 과잉상황을 맞이하게 된다. 유럽의 GDP가 높은 국가들은 식량의 과잉으로 발생하는 농산물 값의 폭락을 바탕으로 이농이 가속화되고 산업이 발전하는 계기를 맞지만 농업인구는 급속하게 줄어들어 이에 대한 대책을 고심하게 된다.

그런 가운데 또 하나의 흐름이 바로 '관세 및 무역에 관한 협정(GATT)'이다. GATT는 1944년 제2차 세계대전이 끝날 무렵 브레튼우즈 회의에서 제안됐지만 제2차 세계대전 후 세계통화질서의 안정과 국제통상의 기준 마련을 위해 논의가 집중됐고, 이런 논의는 1960~1970년대에 주로 타결됐다.

GATT가 설립된 이유

제1, 2차 세계대전으로 인해 자국에서는 전쟁 피해를 입지 않으면서 전쟁국가가로의 물자수출에 따른 경제적 발전과 함께 세계 최고의 영향력을 발휘하는 세력으로 등장한 미국이 전후에도 이를 지속하기 위한 노력을 기울이게 된다.

관세 및 무역에 관한 일반협정(GATT, General Agreement on Tariffs and Trade)을 결성하게 된 것은 바로 그런 이유 때문이다. GATT 설립에 중추적인 역할을 수행한 미국은 제2차 세계대전 당시부터 전후의 세계경제정책에 대해 검토해왔는데, 이것이 나중에 국제통화기금(IMF)과 GATT로 실현되기에 이르렀다.

세계대전으로 교역의 달콤한 맛을 본 미국은 무역정책의 기조를 무차별 원칙에 입각한 자유무역체제를 세계적으로 확립하는 것이었다. 그러한 자유무역주의는 비교생산비 학설에 의해 그 합리성이 주장되었을 뿐만 아니라 자유무역을 방해하는 블록경제가 제2차 세계대전 발발 원인이 됐다는 이유로 제시하면서 정당화됐다.

미국은 무기 대여 등을 통해 그러한 기본정책에 대한 영국의 동의를 얻어냈으며, 1945년에는 '세계무역과 고용의 확대를 위한 제안'을 발표하고 국제무역기구(ITO, International Trade Organization)의 설립과 관세나 기타의 무역장애 제거를 위한 교섭을 제안했다.

1946년에는 완전고용·일반통상정책·제한적 상 관행·국제상품거래 등에 관한 ITO 헌장 초안을 공포했다. ITO 헌장의 기초 작업은 국제연합무역고용회의의 준비위원회 및 기초위원회에서 진행됐으며, 1947년 기초위원회는 '관세 및 무역에 관한 일반협정 초안'을 작성했다. 그 과정에서 ITO 헌장 초안의 어떠한 규정을 일반협정에 포함시킬 것인가에 대한 논의가 진행됐다. 즉 관세특혜 및 최혜국 대우에 관한 규정에 한정할 것인가, 경제발전에 관한 규정을 포함시킬 것인가에 대해 의견이 진행돼 관세특혜 및 최혜국 대우를 보장하는 입장으로 수용됐다.

그래서 GATT 제2부는 무역장애의 광범위한 제거를 규정하게 됐다. GATT의 발효가 지연될 것을 우려한 자유무역 주도 국가들은 주로 관세에 대해 규정한 제1부 및 주요 절차에 대해 규정한 제3부는 무조건 적용하고, 제2부는 각국이 기존 국내법의 범위 내에서 최대한 적용한다는 것을 인정한 '잠정적 적용에 관한 의정서'를 같은 해 10월 30일 작성하여 1948년 1월 1일부터 시행했다.

이와 같이 GATT는 ITO 헌장이 성립될 때까지 그 목적의 일부를 담당하기 위해 잠정적으로 체결됐다.

반면에 ITO 헌장은 준비위원회의 초안에 근거하여 국제연합 무역고용회의에서 완성돼 서명됐으나 미국 내에서 보호무역주의자 뿐만 아니라 자유무역주의자로부터도 비판을 받게 되자 미국은 ITO 헌장에 비준하지 않기로 결정했다. 이러한 ITO 헌장의 성립을 전제로 한 GATT의 장래에 대해 재검토하기 위한 회의가 개최되어 여러 제안이 있었으나 그 대부분은 채택되지 못해 결국 ITO헌장(국제무역기구헌장)은 유명무실화됐다.

가트의 협상과정과 우루과이라운드

'관세 및 무역에 관한 일반협정(GATT)'은 1944년 브레튼우즈 회의의 결과의 하나로 각국의 다각적인 교섭으로 관세, 수출입 규제 등의 무역장벽을 제거하기 위해 발족했다. 1947년 제네바에서 열린 제2차 ITO헌장회의와 함께 회의 참가국 간에 잠정적으로 체결되었다가 1948년 1월에 정식으로 발효를 보게 된 협정이다.

이 협정은 당초 ITO헌장* 가운데 통상정책에 관한 부분을 조속히 발동하기 위해 만들어졌으며, 그 조문도 ITO의 무역에 관한 부분을 계승하여 35조로 구성된 간략한 것이었다.

*ITO헌장이란?
1930년대 대공황을 계기로 세계 각국의 보호무역주의가 심화됐다. 이에 미국은 1945년 12월 위축된 국제무역을 확대시키기 위해 브레튼우즈에서 브레튼우즈협정(Bretton Woods Agreement)을 체결함으로써 국제무역기구(ITO, International Trade Organization)의 설립을 제안하며 1948년 국제무역기구헌장(Charter for the International Trade Organization)이 채택됐다. 이 헌장을 ITO헌장 또는 하바나 헌장이라고도 한다. 이때 설립된 것이 국제통화기금(IMF)이다. ITO 헌장의 지나친 자유무역의 이상에 의해 ITO는 유산되고, ITO 헌장의 통상정책 부분을 반영해 관세 및 무역에 관한 일반협정 GATT(General Agreement on Tariff and Trade)가 설립된다.

그 후 가트는 2차 대전 후의 세계 통화질서 안정의 기초가 된 IMF

체제와 아울러 자유무역의 뼈대가 되었으며 자유·무차별 무역의 원칙을 실현하기 위해 2개국 간 내지 다국 간 관세문제를 교섭해왔다. 1962년까지 가트는 5회에 걸쳐서 일반무역 교섭을 진행했고 1964년부터 1967년에 걸쳐 케네디라운드를 실시, 관세 일괄 인하라는 새로운 방식을 채택하여 평균관세인하율 35%라는 성과를 올렸다.

그 후 1973년부터 1979년에 걸친 동경라운드에서는 평균 33%의 관세를 인하했다. 1986년 9월 우루과이의 푼타 델 에스테에서 열린 가트 각료 회의에서 뉴라운드 개시 의제에 합의함에 따라 1987년 초에 출범한 우루과이라운드는 관세 인하와 함께 금융, 정보통신, 건설 등 서비스 무역을 주요대상으로 7년간의 협상 끝에 1993년 12월 15일 완전히 타결됐다.

이에 가트 체제는 1994년 12월 6일 막을 내리고 우루과이라운드 협상 결과의 준수 여부를 감시할 보다 강력한 세계무역기구(WTO)가 1995년 1월 1일 출범했다.

선진국들의 경제타개책

1960년대에 이르기까지 식량부족과 자국 산업보호를 고려한 보호무역주의가 횡행했지만 미국과 유럽의 선진국들은 식량의 과잉과 제국주의 침략이 국제평화를 이유로 불가능해진 상태에서 산업생산품의 과잉까지 겹쳐 반복적으로 발생하는 경제공황을 타개하기 위한 방안을 구상하게 된다.

미국은 GATT 체제를 국제적인 자유무역의 체계로 전환시키려 노력하는 한편, 한국전쟁, 베트남전쟁 등의 국제적인 전쟁에 개입하면서 해당국의 피해를 고려하지 않고, 자국의 경제공황의 상황을 극복해 나간다.

이런 가운데 미국은 분쟁이 있는 곳은 친미적 정부의 수립을 위해 음성적으로 무기를 대주거나 직접 파병해서 전쟁을 치르는 등 전쟁경제국가로서의 면모를 크게 드러낸다. 이스라엘의 중동전쟁이나 리비아, 이라크, 아프리카 일부 국가의 내전, 아프가니스탄 등 여러 나라의 전쟁에 직·간접으로 개입해 자국의 경제를 활성화하는 면모를 유감없이 보여주고 있는 것이다.

하지만 유럽은 유럽석탄·철강공동체와 원자력공동체 등을 흡수해 유럽경제공동체(EEC, European Economic Community)→유럽공동체(EC, European Community)라는 단일경제체제로 개편해 유럽 내의 부족하고 과잉되는 교역을 유럽 내의 자유경제로 해소해 보려는 노력을 하게 된다. 이런 유럽의 노력은 미국을 뺀 부자국가들의 연대로 나타나 세계 최대의 경제블록으로 군림하게 된다.

유럽의 EEC와 EC, 그리고 EU

유럽경제공동체(EEC)는 로마조약에 의거, 1958년 1월 1일 서독, 프랑스, 이탈리아, 벨기에, 네덜란드, 룩셈부르크의 6개국에 의해 발족된다. EEC는 그 후 1967년에 그동안 각각 독립되어 있었던 ECSC(유럽석탄·철강공동체)와 EURATOM(원자력공동체)을 흡수하여 EEC라는 단일체제로 발전하게 됐다.

이를 계기로 EEC는 유럽공동체 European Community(약칭 EC)라고도 불리게 됐다. 이와 같이 형성된 EEC는 역내관세의 철폐, 역외 공통관세의 부과, 수입수량 제한의 철폐를 중심으로 한 관세 동맹을 1968년 7월에 완성했으며, 역내 농업의 합리적 발전, 역내 농산물의 적절한 공급, 농산물의 적정 가격보장 등을 기본 목표로 한 공동농업정책도 1968년 7월에 마련해 실현하고 있다.

또한 EEC는 1980년까지 가맹국의 경제 및 통화정책을 3단계에 걸쳐 단계적으로 접근·조정시킴으로써 최종적으로는 ①역내통화의 완전한 교환성 확립과 환율변동의 제거 ②평가의 고정 ③자본이동의 완전자유화 ④단일통화의 창출 등을 목표로 한 경제·통화동맹을 추진, 정치동맹으로 발전을 모색하고 있으며 야운데협정*과 아루사협정** 로메협정*** 등을 통해 대외연합 및 특혜무역을 확대하고 있다.

*야운데협정이란?
EEC와 중·서아프리카간 체결한 무역협정
**아루사협정이란?
EEC와 동아프리카간 3국간의 체결한 무역협정
***로메협정(Lome convention)이란?
종래 체결했던 야운데협정과 아루사협정을 통합 갱신한 것으로 무역협력, 투자 및 기술협력 등을 목표로 하고 있다. 1975년 2월에 토고의 수도 로메에서 EC 9개국과 ACP 64개국(아프리카, 카리브해, 태평양지역의 EC 제국의 구(舊)식민지국)간에 체결된 협정으로 1976년 4월 발효됐다.

EEC는 이러한 과정 속에서 유럽 통합정신에 입각, 영국, 덴마크, 아일랜드를 신규가맹국으로 맞이해 1973년 1월 1일부터 종전의 6개국에서 9개국으로 확대·출범하게 됨에 따라 EEC는 확대 EC라고도 불리게 되었으며, 막강한 경제블록으로 군림하게 된다.

EC는 유럽공동체. EEC, ECSC, 유라톰이 통합된 기구다. 1967년 7월, EEC의 법적 기초를 이루는 로마조약 조인 10주년을 맞이하여 이들 3조직의 집행기관이 일체가 되어 새로운 출발을 했기 때문에 이 이름이 쓰이게 되었다.

그동안 프랑스, 서독, 이탈리아, 벨기에, 네덜란드, 룩셈부르크 등 유럽 6개국이었으나 1973년 1월 1일에 영국, 덴마크, 아일랜드 3개국이 신규 가입, 다시 1981년 1월 1일부터 그리스가 가맹하여 10개국이 됐으며 스페인, 포르투갈도 1986년 1월에 가맹했고, 그

후 스웨덴, 핀란드, 오스트리아가 가입해 가맹국 수는 15개국, 지역 내 인구는 약 3억 4,000만 명, GDP 규모는 약 2조 5,000억 달러에 달하는 경제 정치블록을 이루게 된다.

활동주체로 되어 있는 EEC는 1958년 1월 발족, 1959년 1월부터 실시 단계에 돌입했다. 로마조약의 규정에 의하면 ①역내 국가 간의 관세 전폐와 수출입 제한의 철폐 ②대외 공통관세의 설정과 공동통상정책의 수립 ③농업, 운수, 경쟁제한 등의 면에서의 공통정책의 작성 ④노동력, 자본이동, 기업설립 등의 자유화 ⑤유럽투자은행의 설립 등을 실행하도록 되어 있었다.

EC는 각료이사회(Council of Ministers), 유럽의회(European Parliament), 사법재판소(Court of Justice), 유럽위원회(European Commission) 등의 기구가 있다. 각료이사회는 EC의 최고결정기관이며 가맹국의 대표(각료)로 구성, 가맹국의 일반 경제정책을 조정한다. 유럽회의는 로마조약에 정해진 제 기관이 특정국의 이익에 사로잡히지 않고 EC 전체의 입장에 서서 행동하고 있는가의 여부를 감독하는 권한을 갖는다. 사법재판소는 로마조약의 해석이나 적용에 대한 법규를 준수하기 위한 기관이다.

또 유럽위원회는 EC위원회라고도 불리며 ①EC 각 기관이 채택한 조치의 실시를 감독하고 ②로마조약이 규정한 사항에 대하여 권고나 의견을 작성하며 ③이사회가 결정한 규칙을 실시하는 것 등을 임무로 하고 있다. EC는 1993년 5월 유럽자유무역연합(EFTA)과 통합, 유럽경제지역(EEA)을 결성, 1994년 1월 1일부터 거대한 유럽단일시장을 발족시켰고, 1993년 11월 1일 마스트리히트조약이 발효됨에 따라 1994년 1월 1일부터 통화의 단일화까지 실현한 유럽연합(EU)으로 공식명칭을 바꾸었다.

유럽 통합에서의 농업과 미국 뉴딜에서의 농업

유럽의 EU통합에 이르기까지 역내 농업의 합리적 발전, 역내 농산물의 적절한 공급, 농산물의 적정 가격보장 등을 기본 목표로 한 공동농업정책도 1968년 7월에 마련해 실현하고 있다. 미국도 경제 공항을 극복하기 위해 농업에 대한 과감한 투자로 사회안전망 제고를 위한 먹거리 안정을 최우선 과제로 해서 뉴딜정책이 수립됐다.

뉴딜정책의 뼈대는 경직되고 침체된 경제순환과정에 정부가 적극적으로 개입하고 투자해서 국민은 소비할 여유를 가지게 되고 그 여유로써 기업이 생산하는 제품을 구매할 수 있게 하고 한편 기업은 투자할 수 있는 여유를 가지게 되어서 경제규모가 확대되고 일자리를 창출하게 된다는 유효수요이론을 기반으로 한다. 그 기초에는 먹거리, 즉 식량문제가 제대로 해결되지 않고서는 경제를 회생시킬 수 없으므로 농업에 과감한 지원을 아끼지 않은 것이다.

그러나 2020년 7월 정부의 K-뉴딜정책에는 먹거리를 기본으로 한 식량안전망 구축과 농촌회생의 분야가 전혀 반영되지 않고 있다. 이렇게 농업과 식량문제가 제대로 포함되지 않았다면 누구의 책임인가? 최근 바뀐 농특위원장은 빼고, 농림축산식품부 장관과 청와대 농업비서관과 선임농업행정관, 장관보좌관, 관료 모두 책임을 통감해야 한다. 검토 초기부터 개입해 미국의 뉴딜 수준의 농업 회생전략과 유럽의 공동 농업정책에 버금갈 정도의 합리적인 시스템을 요구해야 할 것 아닌가?

그리고 지난해 12월 타운홀 미팅 보고대회에서 농정의 틀을 전환하기 위한 대책을 마련하라는 대통령의 지시까지 받았으면서도 농림축산식품부가 올 초에 마련한 방안에 그 내용을 제대로 담았는가? 모든 것이 희석돼 농정 틀의 전환이 쉽지 않은 것 같다. 농특위원장은 2020년 3월경 정부가 마련한 농정 틀 전환 대책을 보다 꼼

꼼히 훑어봐야 할 것 같다.

UR협상의 배경과 과정

이렇게 미국과 유럽의 연합 움직임 속에 세계는 일본의 경제가 급부상하고, 한국, 대만, 홍콩, 싱가포르, 인도네시아 등 아시아 개도국 5개국의 경제발전이 급속히 이뤄지면서 세계시장 단일화라는 시장개방을 향한 미국과 유럽의 공동행동이 국제회의에서 제기된다. 이것이 바로 1986년 9월 우루과이 푼타델에스테에서 열린 GATT 각료회담의 결과물이다. 그 내용은 세계시장의 단일화를 위한 다자간 협상인 UR협상의 개시를 선언한 것이다.

식량생산에 대한 의견이 대부분 150%가 넘는 농산물 과잉 생산국인 미국, 유럽의 국가들 중심으로 제기된 것이다. 당시만 하더라도 개도국이나 후진국의 국제회의 발언권이 매우 낮아 이런 문제제기는 막아내기 어려웠던 상황이었다. 이는 미국, 영국 등 세계 강대국이 과잉생산으로 남아도는 농산물과 산업제품의 수출을 위해 개도국과 후진국의 보호무역주의를 해체하기 위해 시도된 협상이었던 것이다. 1980년대 선진국들은 농산물 생산과잉이 심각했고 산업제품의 수출욕구가 증대했으나 그들의 이익만을 위해 후진국과 개도국들의 보호무역주의를 해체시켜야 했던 것이다. 보호무역 중심의 '관세 및 무역에 관한 협정(GATT)'이 미국과 유럽 선진국 주도의 시장개방 요구로 시작된 것이다.

1986년 9월 우루과이 푼타델에스테에서 열린 GATT 각료회담에서 국제교역에서의 시장개방 확대, GATT 체제 및 규율 강화, 농산물 서비스와 지적재산권 분야에 대한 국제규범 제정을 통해 새로운 세계교역질서를 창설할 명분의 우루과이라운드협정이었지만 실질적으로는 선진국들의 후진국, 개도국 보호무역주의 해체가 목표였던 것이다. 더구나 개도국들의 보호무역주의 해체를 위해 미국은 다국적기업인 곡물 메이저의 고위 간부를 협상단의 주요직책으로 임명해 곡물 메이저에게 커다란 선물을 안겨준다.

식량안보론에서 식량주권으로

당시 식량안보는 자국의 식량자급률을 높여 전쟁 등 위기의 상황에서도 식량을 조달하는 시스템을 구축하는 것이었지만 농산물 자유무역 확대로 교역을 통한 안정적인 식량 확보가 훨씬 효율적이라는, 선진국들이 주장하는 논리로 식량안보가 변질되는 상황을 맞이하게 된다.

식량안보론이란 제2차 세계대전의 여파로 식량부족이 심각했던 유럽에서 전후 식량자급문제가 관심사로 대두되면서 농업복구에 중점을 두게 됐고, 그 결과 유럽의 공동농업정책 및 공동식량보장 체계가 탄생하게 된 것을 경험했다. 또한 제2차 세계대전 이후 탄생한 신생 독립국가들 역시 식량안보론에 기초해 증산정책과 농업 보호정책을 강조하게 된 것이다.

그러나 유럽은 식량자급을 달성한 이후 농산물 수출국으로 바뀌면서 1970년대부터는 미국과 유럽을 중심으로 식량자급에 기초한 식량안보론이 점차 퇴조하고 자국의 농산물 수출을 위해 오히려 안정적인 교역으로 식량을 확보하는 것이 훨씬 유리하다는 선진국들과 다국적 기업들의 논리를 강조하게 되었던 것이다.

1990년대 세계무역기구(WTO)의 출범과 농산물 자유무역의 확대에 발맞춰 우리나라의 통상 참여자들도 식량안보의 개념을 왜곡시켜 교역을 통한 안정적인 식량 확보가 훨씬 더 효율적인 것이라는 논리를 주장하게 됐다. 특히 한국개발연구원(KDI)의 중요 학자들은 이런 선진국들의 사탕발림 논리를 그대로 수용해 농산물도 무조건 개방해야 한다는 논리를 발표했고, 지금 이들은 당시의 주장에 대해 아무런 답변도 하지 않고 있다.

그 대표적인 학자가 설광언, 대외경제정책연구원 서진교 등의 학자였고, 나중에 국회의원이 되어 신자유주의 경제정책의 확산으로 한국농업을 망가뜨린 대우경제연구원의 이한구 박사 등도 이런 주장을 펼쳤다. 또 삼성경제연구원에서 강한 농민을 설파하며 농촌진흥청장까지 거친 모씨도 개방을 통한 경쟁력 강화를 외쳤다.

이들 덕택(?)에 한국경제가 급성장할 수 있었을지는 모르지만 농업에 대한 대책 마련이 미비한 상태에서 밀어붙인 것이어서 한국의 농촌은 아기와 젊은이가 사라지고 여성과 노인들이 중심인 생기 없는 곳으로 전락하고 말았다.

시장개방의 결과

세계무역기구(WTO) 출범 이전 약 8억 5,000만 명이던 전 세계 기아인구는 최근 약 10억 명 이상으로 증가했다. 식량수출국의 수출통제 조치와 곡물 메이저들의 곡물 투기가 성행하고, 세계적인 흉작이 있었던 2006~2008년에는 세계 곳곳에서 37개국이나 식량폭동과 유혈사태가 빈번하게 발생했다. 특히 아이티와 마다가스카르 등의 국가는 폭동으로 국가가 전복되는 사태까지 맞았다.

이런 가운데 민간에서는 식량과 먹거리의 새로운 패러다임으로서 식량주권론이 태동하게 된다. 1997년 소농들의 국제적 연대기구인 비아 캄페시나(Via Campesina)는 처음으로 국제사회에 식량주권이라는 대안을 제기, 그 내용과 체계가 더욱 다듬어지면서 나중에 식량주권 7대 원칙*으로 발전한다.

*식량주권의 7대원칙이란?
1. 먹거리는 인간의 기본권
모든 개인은 인간의 존엄성을 유지하고 건강한 삶을 유지할 수 있도록 안전하고 영양가 있고 문화적 정서에 맞는 음식을 양과 질에서 충분히 확보할 수 있어야 한다. 각 국가는 식량의 확보를 헌법상의 권리로서 선언하고, 이 기본권을 확고하게 실현시키기 위해 기본적인 산업을 발전시켜야 한다.
2. 농지개혁
진정한 의미의 농업혁명이란 무전농, 특히 여성들에게 일하는 땅에 대한 권리는 성, 종교, 인종, 사회계급이나 이념에 따라서 차별을 두지 않으며, 농지는 경작하는 자에게 속해야 한다.
3. 자연자원보호
식량주권은 자연자원, 특히 땅, 물, 종자, 축산동물 육종 등을 지속 가능하게 관리, 사용하게 한다. 주어진 땅에서 일하는 사람들은 지적재산권의 제한을 받지 않고 자연자원의 지속 가능한 관리권과 생물종의 다양성을 보존할 권리를 가져야 한다. 이러한 실천은 오직 경작기간의 보장, 건강한 토양, 농업용 화학물질 사용의 감축 등을 가능케 하는 건전한 경제적 기반 위에서만 가능하다.
4. 먹거리 무역 재편
식량은 제일 우선적인 영양의 원천으로 오직 부수적으로만 교역의 대상이 돼야 한다. 국내 농업정책은 국내 소비와 식량의 자급을 위한 생산에 우선순위를 둬야 한다. 식량수입이 국내 생산을 대체하거나 농산물 가격을 낮추게 해서는 안 된다.
5. 굶주림의 세계화 종식
식량주권은 문어발식 국제기관들과 투기자본에 의해서 약화된다. 국제 농업정책에 대한 다국적기업들의 점진적 영향력 확장은 국제무역기구, 세계은행, IMF와 같은 국제기관들의 신자유주의적 경제정책들에 의해서 촉진됐다.
6. 사회적 평화
누구나 폭력으로부터 자유로울 권리가 있다. 식량이 무기로 사용돼서는 안 된다. 농촌지역의 빈곤과 피폐화의 증가는 소수 인종 및 토착민들에 대한 억압의 증가와 함께 사회의 부정의와 절망적인 상황을 더욱 악화시킨다. 현재 진행되고 있는 거주지 이주 정책, 강제적인 도시화, 소농들에 대한 인종차별 사건의 증가와 억압은 더 이상 용인돼서는 안 된다.
7. 민주적 통제
모든 수준의 농업정책을 만드는데 소농의 입지가 충분히 반영돼야 한다. 모든 사람들에게 정직하고 정확한 정보와 개방적이고 민주적인 의사결정의 기회가 주어져야 한다. 이러한 권리들은 경제, 정치, 사회적 삶에 있어서 모든 종류의 차별을 지양하게 하고, 나아가서 투명하고 바람직한 관리와 동등한 참여를 증진시키는 초석이 된다. 특히 농촌여성들에게는 식량과 지역의 사안들에 대해서 직접적이며 활발한 의사결정의 권한이 주어져야 한다.

이를 받아들여 유엔도 2008년 먹거리권리선언을 제기해 "모든 사람은 먹거리권리를 가진다."라고 선언한다. 2014년에도 유엔은 "기존의 농업보조금 시스템을 재검토해 공중보건에 미치는 영향을 고려하고 학교급식 및 공공조달프로그램을 활용해 영양가 높은 로컬푸드를 조달하는 방안을 지원한다."고 표명했다. 유엔이 공공에 로컬푸드 농산물의 공급지원을 정식 표명한 것이다.

WTO시대의 농정

1986년 9월 우루과이 푼타델에스테에서 열린 GATT 각료회담에서 우루과이라운드 협상의 출범이 선언될 때 우리나라는 아시아경기대회가 한창 열릴 때여서 이에 대한 소식도 언론에서 잘 보도되지 않았고, 정치권과 국민들의 관심에서도 벗어나 있었다.

1990년 12월말에 완료될 예정이었으나 협상과정에서 미국과 EU가 농업보조금 감축안에 대해 이견을 보임으로써 타결에 실패했다. 1991년 4월 협상이 다시 시작되고 그동안 15개이던 협상 의제를 7개로 조정했으며, 같은 해 12월 GATT 사무총장이던 둔켈이 수정안을 제시하면서 급진전을 보였다. 최대 과제였던 미국과 EU 간 농업보조금 문제는 EU가 수출보조금 철폐를 양보하는 선에서 타결되고 나머지 분야는 미국 정부의 신속처리권한 시한인 1993년 12월 15일까지 협의가 마무리된다.

이런 가운데 우리나라는 1989년 노태우 정부 시절 농어촌구조개선사업이 발표되는데 그것은 경쟁력 있는 규모화 농업을 키우고 규모가 작은 소농의 정비를 위한 계획을 담고 있다. 그러는 사이 이 같은 농업을 전면적으로 개방하는 협상 내용이 알려지자, 그동안 친정부적이었던 농민후계자들이 전국적으로 조직화를 마치고 농민의 목소리를 내기 시작했으며, 가톨릭농민회, 기독교농민회, 전국농민협회 등 분산됐던 여러 자생적 농민단체들이 연합해 전국농민회총연맹을 결성했을 뿐만 아니라 농촌지도자연합회, 4-H연합회 등 보수적인 농민단체와 과수협회, 포도회, 양계협회, 양돈협회, 낙농육우협회 등 품목별로 활동하던 농민단체들이 함께 연대해 농민단체협의회를 결성하는 등 농민들의 자각도 일어난다. 당시 집회를 주로 주도한 전국농어민후계자협의회(현 한농연중앙연합회)와 전국농민회총연맹의 농민들이 중앙대 김성훈 교수와 함께 UR반대집회를 열어 협상의 중단을 요구한다.

그런 가운데 1993년 12월 UR협상이 마무리되는 시기 쌀시장 개방안이 타결된 것이다. 이 내용이 국내에는 알려지지 않았지만 1994년 3월 김양배 제45대 농림부장관 시절 쌀이 개방된 사실이 알려져 국민여론이 들끓게 되자 곧바로 장관이 교체됐다. 당초 대통령직을 걸고 쌀 개방을 막겠다는 공약을 파기해 여론이 흉흉해지자 들끓는 국민여론을 잠재우기 위해 취임한 지 3개월에 불과한 장관을 해임한 것이다. 이때는 GATT가 WTO로 바뀌어 출범했던 때다.

정부는 당시 농어민의 경쟁력을 강화하기 위해 영세소농을 퇴출시키고 전업농 육성을 중심으로 10년간 42조 원을 투자하겠다는 농어업구조개선 계획을 발표했다. 10년간 42조 원을 투자하는 것과 함께 농특세사업으로 15조 원을 추가로 투자하겠다는 계획을 발표했다. 이를 분석하면 예산의 절반이 기반조성예산이고, 농어민 실질투자예산은 30%에도 못 미치는 내용이었다. 그 예산마저도 대부분 전업농 육성 예산이어서 농민의 입장에서는 부익부빈익빈의 구조였던 것이다.

1997년 IMF 경제위기

　김영삼 정부의 말기인 1997년 임창열 경제부총리가 IMF 구제금융을 신청한다는 기자회견이 TV에 방영됐다. 그런데 IMF로부터 구제금융을 지원받는 데는 까다로운 조건이 달려 있다. 그 조건은 △대량 실업사태를 빚은 산업구조조정과 △양자 간 무역협상인 FTA 추진 등의 조건이 달려 있었다. 외환의 부족으로 일어난 경제위기로 구제금융을 지원받기 위해서는 IMF로부터 요청받은 이런 개선 요구사항을 받아들여야 하는 것이다. 미국의 의도에 의해 만들어진 IMF가 산업 전반의 구조조정과 FTA로 미국의 의도대로 시장을 무한 개방하도록 요구한 것이다.

　이는 어마어마한 기업 구조조정으로 대량 실업사태가 발생한 것은 물론, 농업 분야에서는 농가부채가 극심한 상황임에도 차기정부인 김대중 정부 시절 받아들일 수 없었던 상황임에도 한·칠레 FTA를 추진해야만 했던 것이다.

　결국 1998년 11월에 열린 APEC 정상회의에서 한국과 칠레가 FTA 추진에 합의하게 된다. 협의를 통해 2002년 10월 제네바에서 열린 제16차 협상에서 타결, 2003년 2월 정식 서명에 이르게 된다. 한·칠레 FTA는 2004년 2월에 한국 국회에서 비준동의가 통과, 2004년 4월 1일부터 정식 발효하게 된다.

　당시 정부의 FTA 협상을 위한 국가별 순위는 우리나라 산업과 농업에 가장 영향력이 적은 칠레가 1순위였지만 가장 영향을 크게 미치는 미국과 중국은 가장 마지막 순서였던 것이 정책당국의 계획이었다. 그러나 한·칠레 FTA 타결을 계기로 마지막 순서로 있던 미국과의 양자 간 협상이 두 번째 협상으로 당겨졌다. 삼성, 현대를 비롯한 대기업들이 시장 확대를 위한 미국과의 FTA를 요구하면서 마지막 순위의 미국이 가장 앞쪽으로 당겨진 것이다.

당시는 노무현 정부가 출범하고 삼성경제연구소의 경제 프레임의 일부가 정부정책으로 반영될 때여서 삼성의 영향력으로 그렇게 된 것으로 학자들은 추정하고 있다.

WTO/DDA 협상

세계적으로 WTO(다자간 협상)체계 출범 후 제2차 협상에 속하는 DDA(도하개발의제)협상이 지속되는 가운데 미국과 유럽을 중심으로 한 양자 간 협상이 시도돼 다자간 협상의 빠른 협상타결 요구가 드세어지는 시기에 커다란 일이 발생했다. 멕시코 칸쿤에서 열린 WTO/DDA 제4차 각료회의에서 한국의 이경해 농민이 협상장 밖에서 자결한 사건이다.

자결하기 전 이경해 열사는 "WTO kills Farmers(WTO가 농민을 죽인다)", "WTO에서 농업을 빼라." 등을 주장하며 죽음을 택한 것이다. 멕시코 칸쿤에서 열린 당시 협상은 한국 한 농민의 자살 충격으로 협상이 결렬돼 합의가 이루어지지 않는다.

이 사건을 계기로 전 세계적으로 반(反)신(新)자유주의 운동이 점화되고 확산된다. 세계 농민단체 연대와 각성한 개발도상국들이 반신자유주의 기조를 유지하게 되고, 브릭스 5개국*의 단합 등으로 WTO/DDA는 유명무실해진다.

*브릭스(BRICs) 5개국이란?
브라질(Brazil)·러시아(Russia)·인도(India)·중국(China) 4개 국가의 영문표기 머리글자를 따서 만든 용어. BRICs는 2003년 10월 미국의 유명한 투자회사인 골드만삭스가 발표한 Dreaming with BRICs라는 보고서에서 처음 사용.

브릭스 5개국(BRICs)은 인도, 러시아, 중국, 브라질, 남아공 등 5

개국을 말하는데 이들 국가의 단합으로 DDA협상은 물 건너가게 된다. 이들 국가의 경우 브라질은 자원과 농업, 러시아는 에너지, 중국은 제조업, 남아프리카 공화국은 자원 등에서 강점이 있기 때문에 각각의 강점을 살려 시너지 효과를 내는 방향으로 경제협력을 강화하기로 한다. 미-영 중심의 무차별적인 개방공세에 효율적으로 방어할 수 있게 된 것이다.

이들 BRICs에 포함된 국가들은 광활한 국토 면적과 풍부한 자원, 그리고 많은 인구를 보유하고 있다. 세계경제가 전반적으로 침체 국면이었는데도 이들 국가는 1990년대 말부터 경제성장률도 높은 수준을 보이는 공통점을 지니고 있다.

특히 BRICs는 전 세계 인구의 약 43%(중국 13억만 명, 인도 11억만 명, 브라질 1억 7천만 명, 러시아 1억 5천만 명)와 면적의 29%를 차지하고 있으나, GDP 규모는 전 세계의 8%에 그치고 있어 앞으로 성장 가능성이 매우 큰 국가들로 평가받고 있었다. 2011년 2월에는 남아프리카공화국이 BRICs 회원국으로 합류하면서 회원국은 5개로 늘었으며 이에 따라 BRICs의 영향력도 더욱 확대될 전망이었다.

비아 캄페시나의 반세계화 운동

1992년 5월 니카라과 수도 마나과에서는 전 세계의 농민연합 제2차 대표회의가 개최돼 농민들의 반(反)세계화 열기를 담은 세계 조직화의 문제가 대두된다. 이어서 1993년 5월 세계 전역의 46명의 농민지도자들이 벨기에 몽스에 모여 '농민의 길'이라는 뜻의 비아 캄페시나를 공식 출범시킨다.

공식 출범과 함께 공식 성명서로 '몽스 선언'을 발표하게 되는데, 신자유주의 농업정책에 대한 반대운동을 공식적으로 표명하는 내용이었다. 비아 캄페시나는 출범의 의미에 걸맞게 제네바, 시애틀, 도하, 홍콩 등 WTO 각종 회의 현장에서 반대투쟁을 전개했고, 당시 69개국 148개 조직을 포괄하는 단체로 성장했다.

비아 캄페시나의 활동 이유는 범지구 차원의 산업형 농업 모델이 식량무역의 자유화를 촉진시키고, 생물 다양성과 문화적 다양성을 파괴하며, 심각한 환경오염을 초래할 뿐만 아니라 전 세계적으로 지역 곳곳의 빈곤화를 가중시키기 때문에 이를 저지하고 식량주권운동을 전개하겠다는 것이다.

비아 캄페시나의 8개 핵심 주제는 식량주권 개념, 농업개혁, 유전자원과 생물의 다양성, 인권, 성 평등과 농촌개발, 지속 가능한 소농 모델 개발, (도농 간 및 국제적)이주, 농업노동자의 인권 등을 다루고 있다.

1996년 비아 캄페시나는 식량주권을 선언하는데 각 나라들은 문화적 다양성과 생산적 다양성을 서로 존중하면서도 기본적인 먹거리를 생산할 수 있는 생산능력을 유지하는 한편, 이를 발전시킬 수 있는 권리, 또 민중들이 자신의 농업정책과 먹거리 정책을 규정할 권리까지를 식량주권이라고 규정하고 있다.

2003년 9월 멕시코 칸쿤 WTO 제5차 각료회의 과정 중 발생한 이경해 농민의 자결 후 한국 농민단체 대표들과 비아 캄페시나의 참가자들이 함께 세계 농민장(葬)으로 장례를 거행했다. 한국의 주요 농민운동단체인 전국농민회총연맹(전농)과 전국여성농민회총연합(전여농)은 현재 비아 캄페시나 회원단체로 활동 중이며, 현재 전 세계 192개국의 농민운동조직이 함께 참여하고 있다.

한농연중앙연합회는 2000년대 중반까지 비아 캄페시나와 아시아농단협의회와 국제적 교류를 이어갔으나 조직이 보수화되면서 2009년경 한농연의 K회장과 전국농업기술자협회 Y회장, 한국화훼협회 L회장 등과 연대해 전국농민연대로 국제적인 투쟁을 함께 진행해온 조직을 해체시키고 농민단체들이 분열됐다. 지금은 '농민의 길', 농축산연합회, 한국농업인단체연합, 축산관련단체협의회 등으로 분화되고 선거철만 되면 농민의 단일대오는 사라지고 보수, 전보 또는 이권에 이합집산하고 있는 상황이다.

당시 한농연의 K모 회장은 조선일보 1면기사 인터뷰에 실렸는데 한중 FTA의 비준을 찬성한다고 발언해 농민들로부터 크게 지탄을 받은 바 있다.

한국의 움직임

2003년 전반기 그동안의 국내 대규모 집회로는 WTO/DDA 협상과, 한·칠레 FTA 등 양자 간 협정의 파고를 막을 수 없다는 위기감 속에 한농연과 전농은 물론, 전체 농민단체들이 단일대오로 뭉쳐 해외출장 집회도 불사하는 강도 높은 신자유주의 개방 반대 투쟁을 위해 전국농민연대를 결성하게 된다. 그런 와중에 늦은 봄 한농연 2대 회장인 이경해 열사가 제네바 WTO 사무국 앞에 가서 단식투쟁을 한 달 동안 벌였고, 전국농민연대에 합류해 멕시코 칸쿤에서 열린 WTO/DDA 각료회의 반대투쟁을 하는 과정에서 전 세계에 반(反)신(新)자유주의의 기치를 외치며 산화한 것이다.

이경해 열사 사망 이후 WTO/DDA 각료회의 반대투쟁은 더욱 강력히 전개됐다. 시카고는 물론이고, 홍콩에 이르기까지 세계 어디서라도 한국 농민들은 농산물시장 개방에 반대의 뜻을 내세우며 비아 캄페시나 회원 농민들과 함께 회의장 앞에서 시위를 벌였다.

그런 과정에 한국에서는 1950년대부터 지금까지 정치적 압력으로 해체와 설립이 이어지고 있는 한국농어촌사회연구소가 건재하고, 그동안 한국농어민신문 및 한농연과 함께해온 한국농축수산유통연구원 학자들의 조직이 유명무실해지면서 학계는 다시 재편하게 된다.

1993년 구성돼 매달 토론회를 가지고 있던 농정연구포럼이 농정연구센터로 조직을 확대했고, 이와는 별도로 지역정책과 농정의 연계를 추구하던 정영일, 박진도 등과 지역 대학의 학자들, 그리고 지역정책을 갈구하는 일반인들의 염원을 모아 지역재단이 창립됐다. 이제는 농민만으로는 안 되고 국민이 함께해야 미래 농정을 풀어갈 수 있다며 만들어진 조직이 국민농업포럼이다. 한국농촌경제연구원에서 퇴직한 이정환 박사가 학자 군(群)을 함께 영입하면서 운영하고 있는 GS&J 인스티튜드도 활발하게 활동에 들어갔다.

또한 청년층도 새로운 민간연구소를 만들어갔다. 서울대학교 농업정책연구회 멤버들이 발족한 지역농업네트워크, 유럽에서 유학하며 농촌개발 분야를 전공한 오현석 씨가 중심이 된 지역아카데미, 지역문제를 농업 및 환경적 측면과 함께 고려한 마을 가꾸기를 중심으로 한 이장, 지역활성화센터 등이 민간연구단체로 등장했다. 아울러 농촌지역의 도(道) 단위 연구소가 돋보이는 연구 성과를 보이면서 활발한 연구교류까지 이뤄진다. 충남발전연구원, 전북연구원 등이 대표적 사례다.

민간연구단체와 국가 및 지방 연구단체들의 미래 농정에 대한 연구교류가 활발해지면서 현장성을 위해 농민단체의 정책실과 산하 연구단체들의 연구도 심화된다.

정부가 농업대책을 외면하고 시장 중심의 농업운영이 더욱 심화하자 농민단체와 민간 농업연구단체, 지방 연구기관 등이 나서서 대안농정에 대한 논의를 시작하게 된다.

2011~2017년 농민단체 정책실-생협단체-민간농업연구단체 등의 연대로 대안농정토론회가 열리기 시작하는데 참여단체는 국민농업포럼, 농정연구센터, 지역재단, 지역아카데미, 농업농민정책

연구소 녀름, 로컬푸드시스템연구회, 지역활성화센터, 생생협동조합, 한농연 정책실, 지도자연합회 정책실, 지역농업네트워크, 지역농업연구원, 한살림, 생협조직, 한국협동조합연구소 등이다. 처음에는 대안농정토론회 조직위원회까지 구성해 단체별로 대표선수를 참여시켜 논의하며, 정부의 대안 없는 농정의 방향잡기에 들어갔고, 이를 단체들이 함께 토론했다.

첫 행사는 '한국 농업·농촌의 지속 가능한 발전전략'을 주제로 한 2011년 9월 22일 제1회 대안농정토론회다. 이어 2012년 11월 1일 제2회 대안농정토론회가 '참여와 연대의 거버넌스 농정'을 주제로 열었고, 2013년 10월 16일 제3회 대안농정토론회는 '시장을 넘어 신뢰와 협동의 지역으로'를 주제로 열었다. 다음에는 2014년 12월 11일 제4회 대안농정토론회가 '농의 새로운 미래-지역·청춘, 그리고 도농 연대의 비상'을 주제로, 2015년 11월 20일 제5회 대안농정토론회는 '농(農)으로 도시를 디자인하다'를 주제로, 2016년 9월 2일 제6회 대안농정토론회는 '2017년 이후, 우리는 무엇을 할 것인가?'를 주제로 논의를 구체화했다.

그런 논의과정에서 대통령 선거는 다가왔고, 이들 조직은 점차 늘어났는데 그 70여 개 단체는 국민행복농정연대라는 단체로 모여 대통령 선거공약 요구사항을 만들어낸다.

그래서 각종 토론회에서 국민행복농정연대는 각 당의 선거캠프에 이 같은 내용을 전달해 공약으로 요구했다. 그런 결과 대통령에 당선된 문재인 후보가 대안농정토론회 그룹이 마련한 대안농정의 틀을 농정공약으로 대부분 반영했다.

문 대통령 당선 후 2017년 12월 1일 열린 제7회 대안농정토론회는 '農·食·村의 통합과 혁신'을 주제로 하면서도 농정공약에 반영된 대선공약의 실천문제에 대해 토론했다. 당시 활동가들의 다수는 청와대, 농특위, 장관실 등에 합류해 활동을 전개하고 있다. 그러나 농특위원장의 중도하차로 기득권 세력과 개혁세력의 충돌에서 문재인 정부의 농정이 제대로 추진될지 의심하는 사람이 많다.

농업·농촌 왜 어려운가?

과거 시대 말에 찾아오는 농민들의 어려움

애절양(哀絶陽)

정약용

노전마을 젊은 아낙 그칠 줄 모르는 통곡소리
현문을 향해가며 하늘에 울부짖길
출정나간 지아비가 못 돌아오는 수는 있어도
남자가 양근 자른 건 들어본 일이 없다네
시아버지는 삼년상 나고 애는 아직 물도 안 말랐는데
조자손 삼대가 다 군보에 실리다니
가서 아무리 호소해도 문지기는 호랑이요
이정은 으르렁대며 외양간 소 끌고 가고
남편이 칼을 들고 들어가더니 피가 방에 흥건하네
자식 낳아 군액당한 것 한스러워 그랬다네
잠실에서 궁형을 당하는 것도 억울한 일인데
민나라 자식들 거세한 것 그도 역시 슬픈 일인데
자식 낳고 사는 것은 하늘이 정한 이치기에
하늘 닮아 아들 되고 땅을 닮아 딸이 되지
거세한 말 거세한 돼지 그도 서럽다 할 것인데

대 이어갈 생민들이야 말을 더해 뭘 하리요
부자들은 1년 내내 풍류나 즐기면서
낱알 한 톨 비단 한 치 바치는 일 없는데
똑같은 백성 두고 왜 그리도 차별일까
객창에서 거듭거듭 시구편 외워보네

어떤 시대건 시대 말에는 그 사회의 가장 큰 사회적 모순이 촉발하고, 부정과 부패가 사회를 뒤흔든다. 삼국시대 말기이건, 고려시대 말기이건, 조선시대 말기이건 그 사회는 가난하고 힘없는 자들의 고통이 매우 심각한 지경에 이르고 있다.

특히 조선시대 말 삼정(전정, 군정, 환곡)의 문란이 닥쳤던 시기에는 조선의 대부분의 백성이 폭정과 부정부패에 신음하던 시기였다. 다산 정약용이 지었던 당시의 이 시는 그 상황을 적나라하게 보여준다. 위의 시에서 보듯이 노인이 죽어서 3년 상을 마쳤는데도 군포를 징수했다는 것은 '백골징포'라는, 죽은 사람에게 군포를 징수하는 것을 말하며, 애는 아직 물도 안 말랐다는 이야기는 낳은 지 얼마 되지 않은 아이에게 군포를 부과하는 '황구첨정'의 폐단을 다산이 한탄하고 있는 사연이다.

뿐만 아니라 당시에는 양인, 천민 등이 도망 또는 사망했을 경우 그들의 군포를 가까운 이웃에게 대신 징수하게 하는 인징(隣徵), 군역을 피하여 도피한 자가 10년이 지나도록 행방불명일 경우 면역조치하도록 되어 있었으나 도피자의 미납분을 친족에게 납부하도록 하는 족징(族徵), 조세를 낼만 한 땅도 없고, 납세의무가 없는 사람에게 세금을 물리는 것은 물론, 아무 관계없는 사람에게 빚을 물리는 백징(白徵=생징) 등의 폐해로 민중들은 더욱 힘들었다.

더구나 당시 아문이나 군영은 재정을 확보하기 위해 환곡 제도를 이용하였는데 농민은 그들의 사정과는 관계없이 억지로 배당되는 억배(抑配), 늑대(勒貸)를 감수해야 했다. 거기에다가 아전들의 부정도 심해 원곡에 모래나 겨를 섞거나, 쭉정이 곡식을 배분하는 사례도 늘어갔다. 이와 더불어 봄가을 쌀값 차이를 착복하거나, 고리대로 활용해 폭리를 취하는 아전들이 굉장히 많았다고 한다.

이런 상황은 결국 민란의 시대를 거쳐 동학혁명으로 이어지는데, 지금의 대한민국 농촌은 어느 누구도 농민이기를 원하는 사람이 없게 되면서 청년이 없고 노인만 득실득실한 농촌으로 전락하는 상황이 된 것이다.

일제 강점기 수탈

일제는 조선토지조사사업(1910~18)을 통해 한반도의 모든 경지·택지 및 산림과 기타 토지에 대해 위치·경계·면적을 측량하고, 소유자·지목·지위를 조사, 기록한 지적도를 작성했다. 일제가 한일합병과 동시에 토지조사사업에 착수한 것은 토지의 생산력과 조세 기초의 파악이라는 목적 외에 농지 수탈과 이를 통한 식민지 경영 토대의 마련이라는 감추어진 의도 때문이었다.

그 결과 토지이용과 소유 체계 확립이라는 목표를 달성했고, 측량 결과로 1 : 50,000의 기본도가 작성됐다. 이를 통해 일본은 일본인과 친일 부역자 등을 부재지주를 인정하면서 수많은 소작인을 양산했고, 무엇보다도 적지 않은 토지가 이를 계기로 일본인과 친일파의 손에 넘어가게 되었다.

철도도 경인선에 이어 경부선(1905), 경의선(1906), 경원선(1914), 호남선(1914) 등이 건설되어 간선철도망이 구축됐고, 지선 철도망이 뒤따랐다. 도로에 있어서도 철도와 마찬가지로 대륙 진출을 위한 소위 대륙노선을 중심으로 군사 및 치안과 자원수탈을 위한 전국적 도로망을 형성시켜 갔다. 일제는 특히 항만의 개수와 확충공사에 힘을 기울여 식량 및 자원 반출 항구와 군항으로 이용했다. 특히 1번 국도와 장항항, 군산항 및 목포항 등은 쌀 등 식량의 수탈을 목적으로 한 개발이어서 그 흔적이 지금도 많이 남아 있다.

1926~39년까지 대대적으로 추진된 산미증식계획은 대규모의 농업개발 사업이었다. 동양척식주식회사와 토지개량주식회사는 이 계획을 추진한 2대 기관이었는데 이 계획은 미곡 수탈을 위해 토지개량과 경종법의 개선, 개간과 간척에 의한 농지확장 등을 통해 미곡의 증산을 기하려 한 것이다.

◆일제강점기에 식량을 수탈하던 동양척식주식회사

산미증식계획은 일본 금융자본이 조선의 수리사업에 진출하는 계기가 됐다. 장기적인 쌀 수탈은 일본에서의 쌀값 하락으로 이어져 본토 농업에 대한 압박으로 받아들여져 자국 농정 쪽의 반발이 컸던 데다 불량 수리조합이 속출, 1934년에는 일시 중단할 수밖에 없었다.

그러나 제2차 세계대전을 앞둔 시점에서 식량 확보를 위한 이른바 증미계획으로 제2차 산미증식계획(1940~45)을 추진했는데, 주로 관개 개선과 토지개량을 통해 생산 활동을 고취한다는 명목 아래 전쟁에서의 미곡공출제와 식량배급제로 변질돼 운영됐다.

일제는 1940년 10월 일본 내에서의 임시 미곡배급규칙, 미곡관리규칙을 한국에도 적용해 미곡에 대한 국가 관리를 단행했다. 이에 따라 미곡은 모두 공출제가 됐고 국민총력부락연맹을 단위로 해서 공출필행회를 조직하여 생산자 가격으로 매입했다.

그러나 식량수급사정이 급박해진 1943년부터 모든 잡곡까지 통제의 대상으로 삼는 한편, 6월에 조선식량관리 특별회계법을, 8월에 조선식량관리령을 공포, 조선식량영단을 설립함으로써 국가적 관리통제에 의한 강제공출을 강행했다.

1944년 7월에는 '외지에 있어서 미곡 등의 증산과 공출 장려에 관한 특별조치'에 따라 '농업생산 책임제 실시요강'이 제정돼 '생산보국'의 이름으로 공출할 식량의 생산증대까지 강요했다. 강제 공출의 강화로 1940~44년의 양곡 생산은 줄어들었으나, 공출량은 증대하여 1944년에는 전체 생산량의 60%나 됐다. 일본 제국주의의 미곡을 비롯한 농산물 수탈정책은 한국의 농업생산력뿐만 아니라 농민들의 삶까지 망쳐버렸다.

일제강점기 농민들의 반발

일제가 가장 역점을 둔 것은 수리조합을 만들어 이를 통해 토지

개량사업을 하는 것이었다. 수리조합에서 농경지에 관개, 배수함으로써 토지생산성을 높이려고 한 것인데 그 이유는 전쟁 식량으로 수탈하려는 목적이었다. 또 수리조합을 한국 농민의 지배와 수탈에 이용하려는 것이었는데 그것이 바로 산미증식계획의 숨은 의도였다. 이에 따라 일제는 조선총독부에서 조선토지개량주식회사, 동양척식주식회사 등을 통해 수리사업을 적극 추진했다.

자금보조 등 각종의 지원으로 일본인과 친일세력 등 식민 성향 대지주의 수리조합 설치를 후원함으로써 일제의 수리사업은 중·소 자작농과 자소작농에게는 과다한 공사비와 수세(水稅)의 부담을 전가한 것이다. 또 소작농에게는 수리조합 구역 내의 소작료 인상과 지주의 수세 및 공사비의 전가로 말미암아 부담을 가중시켰다.

수리조합 반대운동은 산미증식계획의 시행 초기부터 일어나 그것이 끝난 1934년까지도 계속됐다. 첫 수리조합 반대운동은 1921년 9월 전라북도 익산에서 있었던 익옥수리조합과 강원도 철원군 어운면에서 있었던 어운수리조합의 반대운동이었다.

그 뒤 수리조합 반대운동은 1922년 중앙(中央)·연해(延海)·영광수리조합, 1923년 평안(平安)·박천(博川)·함안·서천·단천·부평·연해수리조합, 1924년 영일·연해·익옥·단천·영광수리조합, 1925년 양덕(良德)·안강(安康)·장연(長淵)·영광·연해수리조합, 1926년 동진(東津)·적성(積城)·연해·부평수리조합, 1927년 대정(大正)·양산·고성·송정(松汀)·우두(牛頭)·정연(亭淵)·황룡(黃龍)·서면(西面)·익옥·동진·부평수리조합, 1928년 경산·양동(陽東)·임천(林川)·미림(美林)·주익(州翼)·함흥·안녕(安寧)·부북(府北)·용인·송정·연해·평안·부평·대정수리조합, 1929년 안변(安邊)·언양(彦陽)·홍산(鴻山)·평안·동진·부북·함흥수리조합, 1930년 가양(嘉陽)·사천(泗川)·고원(高原)·부평·함흥·안변·대정수리조합, 1931년 송악(松岳)·황주(黃州)·황해(黃海)·신천(信川)·보성(寶城)·어지둔(於之屯)·김천·해평(海平)·봉산(鳳山)·학일(鶴一)·김포·언양·

양산·안녕수리조합, 1932년 부평·학일·김포수리조합, 1933년 이천·소화(昭和)·어지둔·김포·학일·함안수리조합, 1934년 소화·대정·함흥수리조합 등에서 계속적으로 일어났다.

전국에서 지속적으로 전개된 수리조합 반대운동은, 초기에는 수리조합의 설치 자체에 대한 반대투쟁이 가장 많았고, 다음은 침수토지의 정당한 보상의 요구 등이었다. 그러나 후기에는 조합 구역 내의 소작료 인상과 과다한 수세에 대한 투쟁으로, 또 조합 구역의 확장에 반대하는 투쟁도 나타났다.

투쟁 양상을 보면, 초기에는 중·소 자작농과 자소작농이 지주회를 조직, 관계 당국에 진정하고 시위를 전개하는 데 그쳤다. 그러나 일제가 식민 성향 대지주를 비호해 수리조합을 설치해 그로 말미암아 중·소 자작농과 자소작농, 소작농이 피해를 당하게 되면서 투쟁 양상은 점차 격화됐다. 따라서 후기에는 중·소 자작농과 자소작농, 소작농이 연합하여 농민조합을 조직하거나 또는 기존의 소작조합을 농민조합으로 확대, 개편하여 수리조합을 습격하고, 일본경찰과 충돌하며 피검자 탈환을 위해 식민통치기관을 공격하는 등 격화된 양상을 보였다. 결국 수리조합 반대운동은 식민체제에 대항하는 독립운동의 성격을 강하게 띠고 전개되면서 소작농과 자소작농은 물론, 중·소 자작농에까지 확대시켰다는 평가를 받고 있다.

해방 후 농업의 가장 큰 쟁점 농지개혁

2005년 발간된 경기도사에 따르면 해방 직후 전 인구의 77%가 농민이었다. 농민들은 대토지를 소유한 지주의 소작농이거나 영세한 자소작농이 대부분이었다.

당시 남한 지역 총 경작지는 232만 정보 중 147만 정보(63.4%)

가 소작지였다. 논의 경우 71%가 소작지였다. 전체 농가 가운데 48.9%는 순(純)소작농이었고, 34.6%가 자소작농이었고 자기 땅으로만 먹고 살 수 있는 농민은 13.8%에 불과했다.

소작농민들은 수확량의 절반 이상을 소작료로 지불했다. 미군정 하에서는 30%로 줄기는 했지만 그렇다고 농민들의 생활이 나아진 것은 아니었다. 생산수단인 토지가 농민에게 돌아가지 않고서는 농민층의 빈곤과 농업경영의 합리화는 기대할 수 없었기 때문이다.

해방 후 농민들은 토지 재분배를 기대했다. 국가 차원에서도 농업경영의 합리성을 회복해야만 사회적 안정과 국가경영의 안정이 가능했다. 해방 직후 농민들은 토지개혁 투쟁을 시작했는데 토지개혁 투쟁은 일제강점기 농민운동을 통해 의식화된 사회주의적 성향의 운동가들과 농민들이 주도했다.

농민들의 요구에 대해 사회주의 정치단체인 조선노동당이나 민주주의민족전선, 그리고 좌우합작운동을 전개했던 중도세력은 무상몰수 무상분배를 주장했다. 그러나 지주와 자본가들의 이해관계를 대변했던 한민당과 우익세력은 무상몰수에 반대했다. 이들은 소작료 3분의 1제를 계속 실시하면 지주들의 이익이 적어 토지를 방기하게 될 터이므로 그때 국가가 매입하여 분배를 하고 지주자본은 산업자본으로 전환되도록 도와주면 해결될 것이라 주장했다.

결국 해방 정국 농업·농촌의 가장 큰 이슈는 농지개혁이었는데 빈농들의 입장을 대변하는 좌익과 중도세력의 주장이 추진되지 못하고, 지주와 자본가의 입장을 대변하는 한민당을 중심으로 하는 우익들의 조직적 훼방으로 관철되지 못했다.

지주들과 우익세력의 반대 속에 지지부진하게 전개되던 농지개혁이 급물살을 타게 된 것은 1946년 북한에서 실시된 무상몰수 무상분배의 토지개혁 때문이었다. 북한의 토지분배 소식을 들은 남한 농민들은 거세게 개혁을 요구했다. 궁지에 몰린 한민당과 우익세력은 제1공화국이 수립되자 태도를 바꿔 유상몰수 유상분배의 토지개혁을 받아들였다.

농지개혁에 의해 지주층에서 자영농으로

남한의 농지개혁은 미군정 시기에 실시된 적산농지 불하와 제1공화국에서 실시한 농지개혁으로 각각 추진됐다. 적산농지 불하는 정부수립 직전에 실시됐는데 1948년 신한공사가 관리하던 경기도 지역의 귀속농지는 논 2만 3,634정보, 밭 9,658정보였다. 경기도 지역은 귀속농지가 다른 지역에 비해 적었지만 조선 후기부터 궁방전이나 역둔토의 비율이 높았고 일제강점기에는 동척(東拓)이나 일본인 지주가 많았다.

귀속농지 분배는 1948년 3월부터 시작, 제1공화국 수립 전까지 80% 이상 분배됐다. 조건은 토지가격을 평년 소출의 3배 수준으로 정하고, 소작지 또는 소유지가 2정보 이하인 사람으로 해당 토지의 주생산물 가운데 20%씩 15년 동안 현물로 납부하는 방식이었다.

제1공화국의 농지개혁은 1948년 말부터 추진되었다. 조봉암이 장관이던 농림부가 '지주에게 평균 수확량의 15할을 3년 거치 10년 분할상환, 농민들은 12할을 6년 동안 매년 2할씩 상환하고 나머지는 국가가 부담하며, 모든 농지의 매매, 증여, 소작을 금지'하는 혁신적 방안을 제시했다. 2월 기획처는 1949년 수확량의 20할을 10년 동안 상환하는 방식을 제시해 정부안으로 확정지었다.

하지만 국회는 정부안을 묵살하고 1949년 3월 '수확량 30할을 10년간 분할상환'하는 안을 본회의에 제출했다. 국회 본회의는 무소속 의원들의 강렬한 비판과 정부와의 줄다리기 속에서 1949년 6월 21일 '15할을 10년 동안 매년 3할씩 상환하고, 농지 소유 상한선을 3정보로 하는 안을 의결(법률 제31호)'하여 공포했다.

농지개혁은 한국전쟁으로 일시 중단됐으나 전쟁이 수습되는 과정에서 다시 실시됐다. 소작농들은 '3정보 이하의 소작지'라는 조건만 충족되면 농지를 분배받을 수 있었다. 수확량의 3할이나 되는 상환액이 부담되기는 했지만 수백 년 만에 토지를 소유할 수 있다는 희망에 대부분 상환기일을 지켰다.

흉년이나 부득이한 사정으로 기한 내에 상환하지 못하는 경우에는 상환기일을 연장해 주기도 했다.

빈농들은 자기 땅을 갖는 절호의 기회였으나 지주나 마름*의 입장에서는 농지개혁이 재앙이었다.

해방 당시 지가(地價)가 연 수확량의 2~3배로 떨어져 있었기 때문에 만약 기획처에서 주장한 30할 또는 20할이 확정되었다면 지주들은 큰 손해를 보지 않을 수도 있었다.

*마름이란?
부재지주의 대리 감독인. 지주의 토지가 있는 현지에 거주하면서 추수기의 작황을 조사하고, 직접 각 소작인으로부터 소작료를 거둬들여 일괄해서 지주에게 상납하는 것을 주된 직무로 했다. 마름은 지주의 대리인으로서, 소작인의 생산 활동에 직접 개입하는 일은 드물지만, 추수기의 소작료 징수뿐만 아니라, 소작권의 박탈, 작황, 소작인의 평가 등에 실질적인 영향력을 행사할 수 있었다. 마름은 추수기에만 파견되는 경우도 있기 때문에 추수원이라는 명칭으로 불리기도 한다. 경우에 따라서는 마름을 별도로 두지 않고 소작인 가운데 한 사람을 뽑아 다른 소작지의 관리까지 그에게 맡기고 필요할 때마다 임시 대리인을 파견하는 일도 있었다. 그래서 평안도 지역에서는 마름이라는 용어 대신 수작인(首作人), 대택인(大宅人)이라는 말이 사용되고 있다.

하지만 15할로 확정되고 그것도 10년 분할 상환이다 보니 흡사 목돈을 주고 푼돈으로 나눠 받는 것과 같은 처지가 됐다. 지주보다 더욱 곤란에 빠진 것은 마름이었다. 마름들은 대부분 자기 땅이 적었고 지주의 토지를 관리하면서 얻은 이익으로 부를 누리는 경우가 많았다. 그러다보니 농지를 분배받지 못하는 경우가 허다했고 마을 사람들의 배척까지 받으면서 고향을 떠나는 경우도 생겼다.

농지개혁은 경제구조에 일대 변혁을 가져온 사건이다. 가장 큰 변화는 영세 소작농이나 자소작농들이 자기 땅을 갖게 되었다는 사실이다. 또 수천 년 이어져 내려왔던 지주제가 붕괴된 것이다. 일제 강점기 농민들을 괴롭혔던 마름의 억압과 중간착취도 사라졌다. 자영농으로 성장한 농민들은 몇 년 뒤 간척사업에도 참여하여 경작지를 넓힐 수 있었으며, 1970년대 수로정비, 경지정리사업 등으로 수리안전답이 되면서 기계화 영농이 가능해져 부농으로 성장하는 계기도 마련됐다.

6.25 한국전쟁 이후

해방 후 농지개혁이 진행되는 과정에 발생한 한국전쟁으로 농민은 물론 모든 국민들이 폐허의 전쟁 상흔을 딛고 살아가야 했다. 한국전쟁 이후 미국의 잉여농산물 원조가 식량부족분을 초과하는 규모로 도입됐는데 주로 밀이나 보리 등에 집중됐다. 정부는 한국전쟁 이후 농업증산 5개년계획을 세우는 등 주곡인 쌀의 증산을 위해 노력을 기울였다.

이런 노력이 결실을 얻어 1955년 쌀 2,054만석(약 296만 톤)을 생산함으로써 사상 최초로 쌀 2,000만 석 생산시대를 열게 됐다. 비록 전후 폐허의 상태이긴 하지만 농지개혁으로 자기의 땅을 가진 농민들은 보람을 갖고 벼농사를 지어 생산이 늘어난 것이다.

이후에도 쌀 생산 증가세는 지속돼 1960년대 초반 상당한 수준의 쌀을 생산하게 됐지만, 증가세가 둔화돼 1960년대 말까지도 주곡의 자급자족은 달성하지 못했다. 산림이 70%를 차지하고 있는 좁은 면적의 농지를 갖고 있는 우리나라의 상황 때문이기도 했다.

보리 생산의 경우에는 1, 2차 농업증산 5개년 계획의 추진으로 1961년에는 112만 톤을 기록하는 등 증산 목표치를 초과 달성하기도 했다. 밀 생산은 1970년 21만 8,633톤으로 정점에 달했지만 이후 미국의 잉여농산물이 대거 유입되면서 생산이 급격히 감소했다. 이것은 후일 우리나라의 밀 자급이 붕괴되는 현상으로까지 이어지게 된다.

콩, 팥 같은 잡곡의 경우 1950년대에 빈발한 자연재해로 인한 미곡 생산의 불안정을 보완하는 역할을 하면서 증산이 장려됐지만 이 역시 한국전쟁과 미국 잉여농산물의 유입으로 생산량이 서서히 감소했다. 다만 콩의 경우 재배 면적과 생산량 변동이 다른 작물에 비해 그렇게 크지 않았는데, 상대적으로 가뭄에 견디는 힘이 강하고 농가에서 간장과 된장용으로 꾸준히 재배했기 때문이다. 팥의 경작 면적은 1950년대까지 8만~10만ha 정도를 차지해 그리 비중이 높은 편이 아니었고, 고구마는 1960년대에 들어 주정 원료로 수요가 크게 늘어 경작면적도 20만ha로 확대됐다.

한국전쟁 이후 1950년대에 주곡을 비롯한 농업생산력이 정체하거나 감소한 것은 전쟁의 후유증이 가장 큰 이유였지만 이밖에도 여러 오인이 복합적으로 작용했다. 정부의 농산물 저가정책과 미국 잉여농산물의 대거 유입으로 인해 농민들의 농업에 대한 의욕이 크게 떨어졌고, 무엇보다 비료 부족, 기계화 영농 부재, 수리시설 미비 등과 같이 농업생산기반이 취약했던 것이 주된 원인이다.

농업생산성을 증진시키는 주요 요소 중 하나인 비료의 경우 해방과 동시에 최악의 공급 부족을 겪어야 했다. 남북한을 합쳐 총생산량의 90% 이상을 차지하던 흥남비료공장 등 공장이 대부분 북한에 자리 잡고 있었기 때문이다. 이에 따라 해방 이후 남한은 필요한 비료 대부분을 수입 화학비료에 의존해야 했다. 자급비료인 퇴비의 경우 해방 전인 1944년에는 4,077만 톤이나 생산됐지만 이를 강제하던 일제가 물러가고 한국전쟁을 겪으면서 생산량이 급감했다.

1950년대에는 농약사용이 많지 않았고 농기구 사용도 인력 위주의 무동력 농기구에 한정됐다. 소와 같은 가축의 힘도 중요한 에너지 자원이었는데, 소를 키우지 않는 농가가 전체 농가호수의 60% 이상을 차지할 만큼 농업생산기반이 취약했다.

하지만 가장 취약한 것은 수리시설이 갖춰진 수리답의 비중이 현저히 낮다는 사실이다.

1950년대 후반 남한의 경작지는 203만ha 정도였다. 경지면적 가운데 논이 121만 ha, 밭이 83만 ha쯤 됐다. 당시 원조에 의한 사업자금과 자재의 지원으로 수리사업이 계속 진행됐지만 공사 진척이 계속적으로 진행되지 않아 수리답 비율이 매우 낮았다.

이에 1950년대 말까지 농민들은 거의 매년 심한 가뭄에 시달려야 했다. 일제 강점기 시절 약 33만여 ha의 관개 개선을 시행했지만 그 가운데 7만 4,392ha는 가뭄을 극복할 정도의 담수능력은 갖추지 못한 소규모 시설이었다. 해방 후 1950년대 말까지 농업용수 개발면적 17만3,828ha가 추가됐으나 역시 수리답 비율이 매우 낮았다. 이는 1960년대까지 이어져 1960년대 중반 수리답은 49만 1,845ha로 당시의 전체 논 면적 105만ha의 45%에 불과했다.

정리해 보면 전쟁의 상흔으로 농지 기반이 상당히 파괴된 데다 농자재의 부족, 기계화의 미비로 농업생산 기반이 취약했을 뿐만 아니라 미국 잉여농산물의 과대 유입에 따른 농산물 값이 폭락하는데도 정책은 농산물 저가정책을 펼치면서 농가의 소득문제 이전에 생존에 필요한 먹거리 자체가 부족해 보릿고개를 경험해야만 했던 것이다.

산업화 과정의 농업(이중 곡가제를 중심으로)

이승만의 독재시대를 지나 1960년대에 들어서면 개발독재에 의한 산업화의 경제정책이 펼쳐진다. 초기 수출할 상품이 없어 여자들의 머리를 잘라 만든 가발이 가장 중요한 수출품인 시절도 있었다. 당시에는 서울역에 가면 농촌에서 농업을 버리고 서울로 이농해온 행렬이 끊임없이 이어져 그들이 청계천, 해방촌, 금호동, 홍은동, 신림동, 봉천동, 사당동 등 판자촌을 형성하고 새로운 도시 이주자 촌(村)을 형성해 살던 시절이었다.

당시만 해도 수리시설과 농경지 정리 사업이 이뤄지기 이전 상태여서 일제강점기 수탈을 위해 개발된 수리조합의 물길에 의존해 농사를 짓던 시절이고, 한국전쟁의 여파로 농지 기반도 파괴됐지만 해방 후 전개된 농지개혁으로 농민들은 다소나마 농지를 소유하고 있어서 산자락의 농지 한 필지나 화전민 밭이라도 농사를 지어 연명하던 시기였다.

농업생산 기반이 갖춰지지 않아 가뭄이나 홍수를 만나면 그 해는 바로 식량의 부족을 경험하던 때여서 보릿고개로 수많은 국민들이 식량부족으로 굶주리던 시기이기도 하다. 1950년대, 1960년대를 거치면서 발생한 만성적인 식량부족, 식량수입으로 인한 국제수지의 악화, 농공 간의 소득 격차 심화에 직면한 정부는 이와 같은 문제들을 해소하기 위한 방법의 하나로 생산자로부터 수매 곡물 가격을 인상하는 것이 필요했다.

그런데 경제발전을 강력하게 추진하기 위해서는 저임금 기조가 필요하고, 또 이를 위해서는 저곡가를 유지하지 않으면 안 되었다. 이런 문제를 해결하기 위해 정부는 1960년대 후반부터 이중 곡가제*를 도입한다. 처음 시작한 해는 1969년으로 식량의 두 축인 보리와 쌀에 대해 이중 곡가제를 실시한 것이다.

이중 곡가제는 곡물 생산자로부터 정부가 수매하는 가격을 산지 가격보다 높게 책정해 증산 의욕을 부추기고 농가 소득을 끌어올리는 반면, 정부 방출 가격은 낮게 책정해서 소비가계의 부담을 경감하고 또한 물가에 주는 영향을 줄이는 데 그 목적이 있는 제도다.

우리나라에서는 1969년산부터 보리와 쌀에 이중 곡가제가 적용됐다. 우선 미곡의 경우를 보면 1969년산에 대한 매입가격은 정곡 80kg 가마당 5,150원인데 방출가격은 이보다 320원이 높은 5,470원으로 책정돼 두 가격간의 격차가 중간경비를 커버하지 못하게 되면서 중간경비의 일부를 양곡관리특별회계에서 부담하는 이른바 광의의 이중 곡가(판매가격 매입가격 중간가격)가 실시됐다. 그리고 1970년산에 대해서는 매입가격이 가마당 7,000원인 데 반해 방출가격은 이보다 500원이 낮은 6,500원으로 책정됐는데 이는 우리나라 양정 사상 처음으로 협의의 이중 곡가(판매가격 매입가격 중간가격)가 실시된 것이다. 그러나 1971년산 추곡에 대해서는 다시 정부 방출가격이 매입가격보다 750원이 높게 결정됨으로써 가마당 738원의 중간경비를 공제하고도 12원의 이익이 발생했다.

실시 초기의 이런 움직임을 거쳐 1972년산부터 본격적으로 협의의 이중 미가제가 시작됐는데 그 후 가격 격차는 점점 확대돼 1975년산의 경우 매입가격이 19,500원인 데 반해 방출가격은 16,730원으로 가마당 2,770원의 가격 격차와 1,996원의 중간경비를 합쳐 가마당 4,766원의 손실을 봤다.

가마당 손실의 판매원가(수매가+중간경비)에 대한 비율을 보면 1972년산의 경우 11%이던 것이 1974년~1984년에는 25%~27%로 정부 부담률이 높아졌으며, 1985년산 이후에는 가격 격차가 더욱 벌어지면서 30% 이상을 정부가 부담하게 됐다. 그러나 1990년산(1991년 미곡 연도)부터 정부방출 가격을 대폭 인상함으로써 정부 부담률은 25% 내외로 떨어졌다.

보리의 경우 이중 가격제 실시 첫해인 1969년산에 대해 매입 가격은 가마당 3,348원인 데 비해 방출가격은 이보다 598원이 낮은 2,750원으로 책정되어 중간경비 430원을 합하면 가마당 1,037원의 손실이 발생한 것이다. 이후 수매가와 판매가의 가격격차는 점점 커져 가마당 손실의 판매원가(수매가+중간경비)에 대한 비율은 1970년산의 겨우 27%였던 것이 그 후 가격격차가 계속 커지면서 1980년산의 경우 52%, 1990년산에 대해서는 41%, 그리고 1996년산의 경우는 61%나 되어 보리 값의 반 이상을 정부가 보조해 주는 상황이 된 것이다.

보리에 대한 이중 가격제 실시는 그 목적이 곡가 안정이나 소비자 보호에 있다기보다는 보리 소비를 증대시키고 대신 쌀의 소비절약을 유도하는 한편 토지이용 면에서 증산 잠재력이 큰 보리의 증산의욕을 고취하자는 정책적 의도에서 실시된 것이다.

이처럼 이중 곡가제는 정부가 시장가격보다 높은 가격으로 매입하고 시장가격 또는 매출원가보다 낮은 가격으로 방출하는 제도이기 때문에 필연적으로 재정적자를 발생시키는데 이것은 한국은행으로부터의 차입금이나 양곡증권 발행을 통해 조달됐으며 이중 곡가제 실시로 인한 양곡관리기금의 적자액이 크게 늘어나 1990년에는 4조 5천억 원에 달했다.

쌀이 부족했던 1970년대 이중 곡가제 실시는 식량증산, 농가소득증대, 소비자 가계보호, 물가안정이라는 정책 목표를 비교적 효과적으로 달성하였다고 평가되고 있다. 그러나 이중 곡가제로 인한 재정적자 누증은 고곡가 정책의 계속적 실시에 제약요인으로 인식되기 시작됐다. 더욱이 여기에 우루과이 라운드 농업협정이 타결돼 농산물시장이 관세화 내지 개방해야 하고 농업에 대한 각종 보조와 쌀 가격 지지를 축소하지 않으면 안 되게 됐다.

결국 이런 상황 변화 속에서 정부는 1990년대 초부터 수매가격을 동결 내지 소폭 인상에 그치는 한편 정부정가수매량을 감축함으로써 양곡시장에 대한 정부개입을 낮추고 대신 양곡유통을 자유 시장 기능에 맡기는 방향으로 정책 전환을 모색하게 됐고, 결국에는 UR 쌀 개방과 수매제도(이중 곡가제) 폐지에 이르게 된다.

산업화 농정에서는 무슨 일이 있었나?

1945년 광복 이후 1960년대까지만 해도 대한민국은 '3농(農), 다시 말해 농민, 농업, 농촌 중심의 전형적인 농경국가였다. 전체 인구의 약 7~80%가 농촌에서 농업을 생업(生業)으로 살고 있었고, 국민의 절대 다수가 농민이었다. 농업은 나라경제의 기본이었고 보편적인 국민들의 삶의 양식(樣式)이었다.

우리는 해방과 함께 찾아온 분단과 6.25 전쟁이 남긴 폐허의 절망을 딛고 다시 일어나 초근목피(草根木皮)로 허기진 배를 채우던 1950년대의 보릿고개를 넘었다. 1960~70년대에는 산업화를 급속히 추진하던 시기다. 우리는 서구가 1500년대부터 500여 년에 걸쳐 이룩한 산업화와 개방화, 민주화를 50년으로 압축해 추진했다.

대한민국 70년사를 보면 우리 농정에 대한 이야기는 여기저기 두서없는 단편적 몇 줄 기록으로 나와 있을 뿐 3농은 광복 70년사에서 어떠한 존재였는지, 어떠한 의미와 비중을 가지고 있는지 찾아볼 수가 없다. 그마저도 농(農)에 대한 몰이해로 사실 파악이 제대로 안 되어 있을 뿐만 아니라 역사적 왜곡도 여기저기 눈에 띈다.

대한민국 70년사는 그 자체가 '탈농화(脫農化, deagriculturaliza-tion)'의 역사이며 3농의 변천사요 수난사이기도 하다. 다시 말하면 농경국가였던 대한민국이 어떻게 도시산업국가, 통상무역국가, 자유민주국가, 지식정보국가가 되었는가를 기록한 것이 대한민국 현대사라고 한다면 농정의 역사는 화려한 현대사에 가려 잘 보이지 않지만 질풍노도와 같이 밀려온 문명전환의 충격과 역사의 수레바퀴에 깔려 붕괴되고 해체되고 재편되어 온 또 하나의 아픈 3농(農)의 역사이기 때문이다.

1945~1960년의 시기는 농경시대의 '수탈농정의 시기'다. 해방 이후 미군정 3년과 1948년 대한민국정부 출범 이후 이승만 정부에 의해 농지개혁이 단행됐지만 6.25 전쟁 수행과 복구를 위해 부족한 식량을 메우기 위해 농(農)에 대한 수탈이 진행됐다. 3농은 대한민국 정치경제사회의 중심부를 형성하고 있었다.

이 시기를 지나 1960~70년대는 급격한 산업화로 농경사회의 해체가 진행되는 가운데 관(官) 주도의 강제적 증산정책과 새마을 운동이 추진된 '증산농정의 시기'다. 1961년 박정희 군사정부의 등장에서 1979년경까지 공업우선의 불균형성장으로 도농 간 발전 격차가 심화되면서 농촌사회가 동요하고 급격한 '탈농·이촌(脫農·離村)'으로 농업노동력 등 농촌자원의 도시유출이 진행됐다. 박정희 정부는 지지 기반인 농촌사회의 정치적 동요를 막고 공업화를 위한 주곡생산을 위해 농촌진흥청과 '관제농협' 설립 등 농정 추진 기구를 재정비하고 증산 농정과 새마을운동을 추진했다. 3농은 대한민국 중심부에서 밀려나기 시작했다.

1960~70년대의 농업은 몇 가지 특징이 있다. 전후 농업생산 기반의 부족과 보릿고개라는 식량부족 현상을 극복해야 하는 과제를 안고 있을 뿐만 아니라 산업발전을 위해 농업을 희생해야 했다는 점이다. 이를 위해 정부는 모든 식량의 자급률 제고에는 한계가 있었으므로 가장 중요한 곡물인 쌀에 집중해 자급을 실천해갔다.

쌀의 자급을 위해 농촌진흥청은 다수확 품종을 개발하고 농진청 내 농촌지도기관은 다수확품종으로 개발한 통일벼를 전국적으로 확산하기 위해 지도사를 대거 직원으로 뽑아 통일벼가 아닌 종자를 논에 심은 경우 이를 뽑아버리는 등 통일벼 확산에 노력했다. 밥맛은 떨어지더라도 자급만을 위한 목표로 통일벼 재배를 강제한 것이다. 이런 흐름 속에서 다른 작물의 연구와 생산 확대는 등한시했다. 모든 농정의 목표가 통일벼 증산이었다.

이렇게 쌀 증산에 노력한 것은 보릿고개를 극복하기 위해 부족한 식량을 증산하려는 목적도 있었지만 산업화에 박차를 가했던 시기여서 공장을 가동하고 운영하기 위해 필요한 인력을 농촌에서 충당해야 하는데 이를 위해서는 낮은 인건비와 이들의 생계를 위해 저렴한 농산물 값이 필수적이었던 것이다. 그래서 당시 농정의 기저에는 '농산물 저가정책*'이 자리 잡고 있었다. 겉으로는 식량의 자급을 위한 정책을 펼치는 것 같으면서도 실제로는 농산물 저가정책으로 농민들의 경제적인 자립은 점점 멀어져 갔다.

*농산물 저가정책이란?
1960년대부터 펼친 '수출 위주의 산업화 정책'은 공산품의 경쟁력 있는 수출가격을 유지하기 위하여 노동임금의 상승을 억제해 왔다. 이러한 노동자에 대한 저임금 정책을 유지하기 위해서 필요한 것이 농산물 저가정책이다. 노동자가 기본적으로 반드시 필요한 소비가 먹거리이므로 농산물 값을 최대한 억제해 묶어두면 산업체에서는 인건비가 오르지 않고, 농업생산으로 수입이 줄어든 농민의 이농으로 값싼 노동력을 이용하려는 수단으로도 활용됐다.

농산물 값은 정부의 억제로 오르지 않게 됐으나 이에 따른 농가의 경제는 더욱 망가져 갔다. 이 때문에 농가부채는 점점 부풀어갔고, 벼농사로는 수지를 맞추지 못해 채소나 축산으로 전환하는 농가가 많았는데, 채소농사는 투기적 성격이 점점 강해져 갔다. 매번 적자이면서도 자연재해라도 나면 폭등해 이때를 맞춘 농가는 잠시 경제가 돌아가지만 대부분의 농가는 빚을 얻어 살아야만 했다.

더구나 당시에 정부는 농산물이 시장개방이 되기 이전 시기임에도 재해로 농산물 값이 폭등하면 농산물 물가를 잡기 위해 마늘, 양파, 고추 등 양념류를 수입해 농가는 소득을 올리기가 쉽지 않은 상황으로 몰렸다. 이런 흐름은 품목별로 폭락하는 물가파동을 경험하게 된다. 예를 들어 5년 정도에 한 번씩 경험하는 배추·무 파동, 소 파동, 돼지 파동, 마늘 파동, 양파 파동 등 수없이 많은 품목이 몇 년 주기로 폭락을 겪으면서 농가경제는 파산지경으로 몰린다.

당시 농촌에서는 부채를 견디지 못하고 야반도주하여 도시로 이전하는 농가들이 수없이 많았다. 매일 서울역에는 짐 싸들고 올라오는 이농의 행렬이 계속 이어진다. 1960년대 이후 이농으로 해방촌, 금호동, 신림동, 봉천동, 사당동 등 판자촌을 형성하고 살던 시절을 회상해보면 그 모습이 그려진다. 공업화 정책으로 농가부채가 급등해 이농(離農)하거나 야반도주로 도시의 야산으로 판자촌을 형성해 살고 있던 그 시절의 모습은 중국의 농민공의 초기 모습과 너무도 비슷하다.

몇 년 주기로 폭락을 하던 당시의 한 사례를 보면 당시 전두환 대통령의 동생인 전경환 새마을운동본부 회장이 1984~1985년 호주 등 외국으로부터 무계획적으로 소를 수입해 국내 소 값이 폭락한 적이 있다. 1970년대까지 경제품목이던 축산을 권장하면서 수요와 공급은 전혀 고려하지 않은 채 무리하게 소를 과잉 수입했던 것이다. 농축산물의 유통과 산업적 특성을 전혀 모르는 인사가 무대포로 소를 수입해 소 파동을 겪게 된 것이다.

이런 사례는 돼지 수입에서도 나타나 돼지파동을 1980년대에 두 번이나 겪었고, 자연재해로 생산량이 부족해져 농산물 값이 오르자 물가를 조절한다며 무리하게 많은 물량을 수입해 마늘, 양파 등 양념류와 무, 배추 등 김치용 농산물의 폭락사태를 경험하기도 한다.

약 5년 만에 찾아오는 소·돼지 파동, 추곡수매제도의 도입으로 쌀값의 저가격 유지, 3~4년에 한 번 찾아오는 원예농산물의 폭등(원예 농산물의 투기화) 등으로 농산물 값이 오르면 물가조절이라며 중국 등 외국 농산물을 수입해 값이 폭락하는 악순환을 거듭하게 된 것이다.

이런 파동의 바탕에는 도시 공장의 저임금 노동력의 기반이 될 농산물 저가정책이 자리 잡고 있는 것이다. 이런 정책은 결국 농가 부채의 증가와 연대보증으로 마을이 공동으로 파산하는 경우도 발생한다(1989년 농가부채 경감특별법 제정 가동). 이런 야반도주에 따른 이농 현상의 급증으로 수도권 공장의 부족한 노동력을 흡수하게 되는데 수도권 판자촌 증가는 이것을 상징하는 것이다.

우루과이라운드(UR, 다자간 무역협상) 협상과 그 이후

이런 가운데 농민 스스로의 자성이 일어나게 되고, 농어촌을 지키고 있던 농어민 후계자들이 전국적으로 조직화하게 된다. 그동안 관변단체의 성격으로 정부를 옹호하며 활동하던 농어민 후계자들이 1987년 전국농어민후계자협의회를 결성해 전국 조직으로 만들어진다. 이와는 별도로 한국가톨릭농민회, 기독교농민회, 전국농민협회 등으로 있던 진보적 농민단체들은 전국농민회총연맹으로 1988년 단일 조직화하게 된다.

이와 함께 낙농육우협회, 대한양계협회, 대한양돈협회 등 축산조직과 한국포도회 등 품목단체, 전국적으로 바닥조직이 미비하고 도와 중앙조직만 있었던 농촌지도자, 4-H 조직들도 함께 뭉쳐 1989년경 농민단체협의회를 구성했다. 당시는 우루과이라운드협상의 초기상태여서 농민들의 위기감이 상당히 고조되었던 시기다. 그래서 이들 조직의 회원들은 스스로 "농어민후계자는 누구인가?", "UR 협상이 우리 농업에 미치는 영향은 무엇인가?" 등으로 자기반성을 하면서 우루과이라운드협상 반대 집회를 이어갔다.

그런 가운데 1992년 당시 김영삼 대통령 후보는 "UR 쌀 개방 반대-대통령직을 걸고 지키겠다."는 농업공약을 내걸었다. 그러나 이런 농업 공약은 지켜지지 않았다. 1994년 봄 취임 후 1년이 조금 지난 시기에 언론을 통해 국민들에게 알려졌다. 쌀 개방이 알려지자 당시 임명된 김양원 농림부 장관은 3주일 만에 농민 여론의 악화를 우려해 사퇴했다. 사실 쌀 개방은 당시에 이뤄진 것이 아니라 1993년 12월에 합의가 이뤄진 것이나 그 내용이 감춰졌고, 이듬해 WTO가 정식 출범하고 그동안 감춰졌던 협상내용이 알려졌기 때문이다.

그런 과정에 정부는 경쟁력 제고를 위한 농업구조조정 사업에 돌입했다. 당시 10년간 42조 예산사업과 농특위 사업 15조 원을 투자하겠다고 발표했다. 당시의 예산을 분석해보면 총예산의 절반이 넘게 경지정리사업, 수로정비사업, 지하수개발사업 등 농업기반사업 예산이 차지하고 있었다. 그리고 농업기술센터를 새로 짓는다든지, 농업기술개발사업과 식품가공연구사업 등 R&D 등이 10% 가깝게 차지하고 있는 반면 실제 경쟁력 제고를 위해 농민들에게 직접 투자되는 예산은 30%에도 미치지 못하는 상황이었다.

IMF와 FTA

한국경제는 1980년대 중반부터 1990년대 중반까지 해방 후 최대 호황기를 누리고 있었다. 그러나 당시 경상수지는 급감하고 있었으며, 나랏빚은 1,500억 달러가 넘어서고 있었다. 1997년 여름을 강타한 말레이시아, 인도네시아, 태국, 필리핀, 홍콩 등 동남아시아 국가들의 연쇄적인 외환위기는 그해 가을 한국에까지 영향을 미쳤다. 1997년 12월부터 1998년 1월 사이에 약 3,000여 기업들이 도산했으며, 실업률은 3.1%에서 4.5%로 폭등하는 등 최악의 경제위기가 찾아왔다. 결국 1997년 11월 21일 정부는 국제통화기금(IMF)의 구제금융을 신청했다.

외환위기가 발생하게 된 주요한 원인 중 하나는 고정 환율제도였다. 고정 환율제도는 환율을 고정시켜 운용하는 제도로, 정부가 수출을 증대시키고 비교적 쉬운 물가정책을 펴기 위해 추진됐다.

당시 김영삼 정부는 OECD에 가입하기 위해 원화가치를 고평가해 국민소득을 10,000달러로 유지하고자 했고, 환율시장에 개입하면서 다량의 외화를 방출했다. 이 결과 1996년 330억 달러였던 외환보유액은, 1997년 204억 달러로 급감했다. 이밖에도 기업들의 무분별한 차입 경영과 금융기관의 부실화는 상황을 더욱 악화시키는 요인으로 작용했다.

그런 가운데 우리나라는 IMF로부터 구제금융을 지원받기 위해서는 IMF가 요구하는 전제조건을 이행해야만 했다. 그 조건은 자본시장의 완전개방과 양자 간 무역협상(FTA)의 추진, 공기업의 민영화, 외환 빚이 있는 기업들에 대한 구조조정 등 우리로서는 받아들이기 어려운 여러 가지가 있었다. 1997년 12월 18일에 치러진 대한민국 제15대 대통령 선거에서 야당 후보였던 김대중 후보가 당선되면서 정권교체가 이뤄졌다. 김대중 대통령은 취임 이후 IMF로부터 자금을 지원받으면서 IMF가 요구하는 경제개혁에 착수했다.

IMF 체제에서 시중은행의 금리는 연 29.5%로 상승했고, 공기업들이 민영화되면서 공공부문의 전체 인력 20%가 감원됐다. 일반 기업들도 이에 따라 명예퇴직과 희망퇴직 제도를 시행해 대규모 해고를 단행했다. 농민들의 반대에도 불구하고 FTA가 추진됐다.

산업계도 수많은 구조조정과 해고도 있지만 농업계도 엄청난 물가상승으로 농자재 값이 급등하면서 농산물 생산비가 급증해 농가소득은 반 토막이 났고, 이에 따른 농가부채도 급증했다. 더구나 처음에는 칠레와의 FTA를 추진했지만 이어 농업에 영향이 큰 미국과 EU, 중국을 비롯한 50여 개의 국가와 FTA도 확대해 추진했다.

물론 민간에서는 대부분의 국민들이 금모으기 운동에 동참했다. 1998년 12월, IMF 긴급보관금융에 18억 달러를 상환하면서 점차 금융위기로부터 벗어나게 됐고, 2000년 12월 4일 대통령은 외환위기로부터 완전히 벗어났다고 공식석상에서 발표했다. 이후 2001년 8월 23일 195억 달러를 조기 상환하면서 IMF의 관리 체제가 완전히 종료됐다.

그러나 IMF의 졸업보다 그 과정에서 한국경제와 농업에 미친 악영향은 엄청났다. 1993년 12월 쌀 개방과 모든 농산물에 대한 관세화에 이어 경쟁력 제고를 목표로 한 농어촌구조개선사업*으로 벌어진 농가 간 소득 격차, 수입개방 확대에 따른 전체 농산물 가격의 폭락 등 위기가 농촌을 덮쳤다.

*농어촌구조개선사업이란?
농어촌구조개선사업은 우루과이라운드협상과 세계무역기구(WTO) 출범에 따른 시장개방에 대응한 경쟁력 강화를 위해 농지를 규모화하고, 경쟁력이 없는 농가는 퇴출시키는 한편, 경쟁력 있는 전업농을 중심으로 농어촌의 구조를 개편하려는 사업이다. 이 사업에는 농업기반의 정비를 위해 경지정리, 저수지개발, 도매시장건설, 농어촌도로포장 등 농촌간접시설투자와 물류센터 등의 기반조성사업과 함께 경쟁력 강화를 위한 미곡종합처리장, 포장센터, 농기계, 축사, 온실 등을 추진하는 한편, 복지정책의 일환으로 농어촌주택 및 하수도정비, 농어촌 의료지원 사업 등을 펼쳤다. 이런 경쟁력 제고를 위한 사업은 시행한 지 30년이 되어가는 지금 도농 소득격차와 농민 간의 양극화로 농정 틀의 전환을 요구받고 있다.

이에 따라 2000년 전후에는 농민들이 농가부채를 해결해 달라며 고속도로를 점거하는 사태로 발전했고, 이어 발생한 IMF와 구제금융의 전제조건인 FTA의 추진과 확산으로 농민들은 정신을 차릴 수 없을 정도로 고난의 고랑을 헤매고 있었다.

IMF란 무엇인가?

　그동안 제국주의 침략으로 산업혁명과 식민경제를 중심으로 성장했던 유럽 제국의 여러 나라들이 세계 최강국을 차지하고 있었다. 그러나 세계전쟁을 자기나라에서 한 번도 치르지 않으면서도(일본의 진주만 폭격은 군사시설만 폭격) 식량, 무기, 군복, 보급물품 등 전쟁 관련물자를 유럽으로 수출했던 미국은 1차, 2차 세계대전의 영향으로 국력과 경제력이 세계 최고 수준으로 올라 최강국이 됐다.

　제1차 세계대전 이전까지만 해도 세계의 경제와 금융의 중심은 영국이었다. 국제적으로 금융은 영국 파운드화 기준의 금 본위제를 운영하고 있었다. 그렇지만 1차 세계대전 후 영국의 영향력 상실로 국제 금융질서는 혼란에 빠졌다. 전 세계의 여러 나라들이 경제공황에 빠져 혼돈을 겪었기 때문이다.

　이런 상황에서 세계경제 최강국으로 도약 중에 있는 미국은 세계경제와 금융의 축을 미국 중심으로 재편하기 위한 노력을 벌이게 된다. 이를 위해 미국이 노력했던 방향의 하나는 GATT(관세 및 무역에 관한 협정)이고 또 다른 하나는 IMF(국제통화기금)과 IBRD(세계은행)의 창립이었다.

　GATT의 설립은 다른 나라들의 무역장벽인 관세 장벽을 허물려는 것이었고, IMF의 설립은 경제공황으로 어려움을 겪고 있는 나라들의 최대 약점을 허물어 영원히 미국 중심의 세계경제를 구축하려는 수단을 강구하는 것이었다. 이런 내용이 미국 중심 경제학자들의 이상한 논리로 치장해 협정을 이끌려고 했던 것이 바로 미국의 관료들이다.

　1944년 브레튼우즈 협정(Bretton Woods Agreement)은 이를 세계경제공황을 극복하겠다는 명분으로 세계경제를 미국-영국 중심으로 재편하려는 의도가 깔린 협정으로 회의 결과 내려진 결론은 국제통화기금(IMF) 설립이었다. 국가별 경제공항의 확산 등 혼란에 빠진 국제금융 질서를 위해 추진했다고 하지만 세계를 좌지우지하던 강대국만의 리그였던 것이다.

새로운 국제금융체제를 주제로 1944년 미국 뉴햄프셔 주의 브레튼우즈에서 개최된 45개국 정상들의 회의에서 대공황 재발을 방지하기 위한 국제적인 경제협력기구 설립에 대해 합의가 이뤄졌다. 이 협정 이후 마련된 세계금융 체제를 브레튼우즈 체제(Bretton Woods System)라고 하며, 이 체제를 지원하기 위한 국제금융기구로 국제통화기금과 세계은행(IBRD)이 창설된 것이었다. 2차 세계대전 이후인 1947년 국제통화기금 협정이 발효되면서 업무가 시작됐다.

제2차 세계대전 이후에는 국제거래의 규모가 더욱 확대되고 금융위기가 잇달아 발생함에 따라 국제수지 안정을 위해 쓰일 추가 준비금의 수요가 유발됐다. 이와 같은 배경에서 1969년 10월 국제통화기금 연례회의는 국제유동성 공급을 영구적으로 확대시키는 특별인출권(SDR, Special Drawing Rights) 창설을 승인했다. SDR은 금이나 회원국들의 자국통화를 추가로 출자하지 않고도 사실상 회원국들의 할당액(quota)을 증가시키는 효과를 가져왔다. 1986년 국제통화기금은 세계은행(IBRD)과 함께 세계에서 가장 빈곤한 나라들을 원조하기 위한 수십 억 달러의 공동대출자금(lending pool)을 새롭게 조성해 운영하기 시작했다.

IMF의 설립 목적은 국제적인 통화협력을 보장하고 환율을 안정시키며 현금 전환(轉換) 가능성, 즉 국제유동성을 확대시키기 위한 것이었다. 가맹국들은 질서 있는 통화교환에 대한 협약을 비롯해 국제통화 거래에서 금의 역할을 감소시키고, 기구의 원래 목표를 수행하기 위한 기금의 역량을 증대시킬 것을 서약한다. 국제통화기금은 회원국의 금융당국들 사이에 지속적인 연락사무 기능을 유지해 편리한 자문협력 기구가 됐으며, 국제통화 문제에 대한 뛰어난 연구기관이자 통계정보센터의 역할을 하게 됐다.

<표> 국제통화기금 지분율과 투표권 상위 국가 (2016)

(단위 %)

국가	미국	일본	중국	독일	영국	프랑스	이탈리아
지분율	17.51	6.50	6.43	5.62	4.25	4.25	3.18
투표권	16.58	6.17	6.11	5.34	4.05	4.05	3.03
국가	인도	러시아	캐나다	브라질	사우디	스페인	한국
지분율	2.77	2.72	2.33	2.33	2.11	2.01	1.81
투표권	2.64	2.60	2.23	2.23	2.02	1.93	1.74

운영자금은 각국의 국제무역 규모, 국민소득액, 국제준비금보유량 등에 따라 회원국 정부의 출자로 형성된다. 회원국은 국가별로 배분되어 있는 특별인출권(SDRs)의 지분만큼 투표권을 갖는다. 2016년 기준 미국, 일본, 중국, 독일, 영국, 프랑스, 이탈리아, 인도, 러시아, 캐나다, 브라질, 사우디아라비아, 스페인 등이 2% 이상의 지분을 갖고 있다. 다만 실제 투표권은 지분과 약간 차이가 있다.

IMF의 지분율과 투표권을 보면 확연히 드러나듯이 미국은 17.51%의 세계 최고 지분율을 차지하고 있으면서 투표권도 16.58%를 차지하고 있다.

미국이 유럽의 강대국과 캐나다, 일본만 협조를 받아내도 절반에 가까운 45.65%로 절반에 가까운 지분을 보이고 있으며, 상위 13개국만 연대해도 55.58%로 절반이 넘는 지분을 차지하고 있기 때문에 IMF에서 미국의 영향력은 최고인 것이다.

IMF의 구제금융

IMF의 회원국은 일시적인 국제수지 불균형에 직면할 경우 그들이 필요로 하는 외환을 IMF로부터 자국통화로 구입할 수 있다. 이러한 인출로 인해 발생하는 국제유동성 확대는 인출액을 상환할 때 다시 사라진다. 이밖에도 회원국들의 일시적인 국제수지 불균형을 지원하기 위한 방편들이 추가로 제도화되어 있다.

이와 같은 추가조치로는 첫째, 1952년 도입된 대기성 차관협정(待機性 借款協定 Standby Arrangements)을 들 수 있다. 이는 회원국이 실질적 필요를 예상해서 미리 대출 한도액을 협상할 수 있도록 하는 내용이다. 둘째, 1961년에는 10개국이 대기성 차관(standby credit)을 제공하는 일반차입협정(General Arrangements to Borrow/GAB)을 맺었다. 셋째, 1963년에 도입돼 1966년에 보편화된 장치로서 수출 변동에 대한 보상금융(Compensatory Financing of Export Fluctuations) 제도가 있다. 이 제도는 개발도상국이 갑작스런 수출액 감소에 직면했을 때, 외환을 통제하거나 극심한 불황을 겪지 않고도 이런 사태에 대처할 수 있도록 해주는 방편이다.

국제통화기금은 1980년대 중남미 국가들의 외환위기, 1995년 멕시코 페소화 위기 등을 거치면서 국제금융시장의 위기관리자로서 그 역할이 점차 강화되었고, 업무영역을 확대하여 세계경제의 안정성 확보와 연관된 거시 및 금융정책의 건전성 부문까지 관할하고 있다. 국제통화기금의 회원국 수는 계속 늘고 있으며, 2016년 기준 회원국은 189개국이다. 본부는 미국의 워싱턴DC에 있다. 한국은 1955년 8월에 국제통화기금에 가입했다.

하지만 IMF는 국가경제가 부채로 파탄이 나거나 외환 보유고가 부족한 시기에 불가피한 수단으로 구제금융을 통해 지원을 받지만 그에 대한 대가도 톡톡히 치러야 한다. 더구나 미국이 장악하고 있는 조직의 특성상 IMF의 행위가 미국경제와 밀접하게 관련돼 있다. 특히 미국의 기업사냥 또는 외국투자집단과 눈에 보이지 않는 연계가 있기 때문에 IMF 구제금융의 지원을 받으려면 충족해야 할 전제조건에 자본시장의 완전 개방과 양자 간 무역협상(FTA)의 추진, 외환 빚이 있는 기업들에 대한 구조조정 등 가혹한 요구와 구조조정을 받아들여야 한다.

이에 따라 부실기업뿐만 아니라 정상적인 기업까지 흑자도산 등으로 박살내고 헐값에 재인수하려는 미국 영국 투기세력들의 의도까지 섞여 알짜배기 소중한 기업까지 강탈당하는 경우도 발생하는 것이다.

아이티의 경우 30년간의 독재와 기득권층의 권력 독차지로 국민들의 반대를 무마하기 위해 1970년대 후반 미국의 원조를 받아야만 했다. 당시 미국은 원조에 조건을 붙였는데, 그것은 쌀, 옥수수 같은 작물은 돈이 안 되니 더 이상 농사짓지 말고, 돈이 되는 커피, 사탕수수, 카카오 등을 심어야 한다는 것이었다.

결국 아이티 정부는 미국의 조건을 받아들이고 쌀, 옥수수 대신 그들이 원하는 경제작물을 재배하게 된다. 그러나 얼마 지나지 않아 커피, 사탕수수, 카카오 값의 폭락으로 아이티의 농촌은 경제가 엉망이 되고 파산하는 농민들이 늘어나게 된다. 세계 여러 나라에서 너도나도 이 작물을 재배했기 때문이다.

이런 영향으로 결국 아이티는 1986년 국제통화기금(IMF)에서 쌀시장 개방을 전제조건으로 구제금융의 지원을 받았고, 1995년에는 수입쌀의 관세가 35%에서 3%로 급격히 내렸다. 이에 따라 미국 쌀이 아이티 쌀시장을 지배하게 됐고, 자급률이 100%에 가까웠던 아이티의 벼농사는 몰락하고 말았다.

불행은 여기에서 출발한다. 더 이상 생산하지 않게 된 쌀, 옥수수를 미국으로부터 수입하게 되는데, 곡물회사에서 해마다 값을 올리는 바람에 국민들이 굶주림에 시달리게 된 것이다. 어린아이들은 진흙에 소금과 마가린을 섞어 햇볕에 바짝 말린 진흙쿠키를 먹을 정도였다.

한국의 경우에도 구제금융 지원을 위해 IMF는 혹독한 전제조건을 내걸었다. 그것은 자본시장의 완전개방과 양자 간 무역협상(FTA)의 추진, 공기업의 민영화, 외환 빚이 있는 기업들에 대한 구조조정 등 너무나 가혹한 조건이었던 것이다.

이런 결과 우리나라는 1998년 6월 29일 발표한 대동, 동남, 동화, 경기, 충청은행 등 5개 퇴출 은행은 국민, 주택, 신한, 한미, 하나은행으로 넘어가게 되었다. 이들은 관치금융의 그늘 아래서 부실한 경영을 하였으며 이들에게 연관된 작은 관련 기업들도 연달아 도산의 위기에 빠지게 되었다.

1998년 8월 11일 고려, 국제, 태양, BYC 등 부실한 4개 생명보험사가 영업정지를 발표하고, 각각 알리안츠생명, 삼성생명, 대한생명, 교보생명으로 넘어갔다. 이러한 위기의 근본적인 원인은 허술한 관치금융 체제, 무능한 정부의 예산 낭비, 대기업들의 분식회계와 과도한 차입 부실 경영, 그리고 당시 사회 전체에 만연되었던 경제적 무능력과 부패, 책임의식 실종에 의한 결과였다.

당시 농어촌용 원자재 가격은 휘발유 85%, 등유 1백 23%, 경유 76%나 인상됐고, 축산농가의 사료 값도 평균 35%나 올랐다. 또한 3~4월에나 수요가 생기는 비료 값도 1년 전보다 뛰어 요소비료가 지난해보다 43%나 올랐다고 한다.

이런 변화는 농산물 생산비가 그만큼 오르는데도 불구하고 농산물의 시장 값은 오히려 떨어져 농가소득을 반토막내 농가부채는 회생불능의 상태로 접어들고 있었다.

미국·영국과 IMF

UR협상이 마무리되고 1994년 WTO가 출범하면서 세계 각국은 시장개방 정책을 시작해야만 했다. 당시 아시아의 국가들은 GATT에서 WTO로 바뀐 상황 속에서 처음 시장개방을 맞이하고 이에 따른 정책변화를 모색해야만 했다.

고정환율을 쓰던 태국이 썰물처럼 빠져나가는 외환을 견디지 못해 변동환율로 선회한 것과 같이 다른 아시아 국가들도 정책대응에 혼선을 빚으며 뚜렷한 이유 없이 즉자적인 정책전환으로 변동환율을 받아들였다. 그러는 사이 아시아 국가들로부터 외국자본들이 빠져나가는 것은 당연한 일이었다.

1990년대 중반 WTO가 출범하기 전후 조지 소로스가 운영하던 퀀텀펀드를 비롯한 규모가 큰 미국·영국의 국제금융세력들은 스웨덴, 아르헨티나, 멕시코 등 환율과 외환관리에 약한 국가들을 대상으로 약속한 듯이 동시에 단기 투자금을 회수해 빼내면서 선물환거래를 이용한 주식대량매도와 환투기 공격 등을 감행해 해당국의 경제를 망가뜨리며 기업사냥, 주식 폭리 등을 취한 바 있다.

이런 경험을 바탕으로 미국·영국의 국제금융투기자본은 아시아에 손을 대기 시작했다. 국가개입 위주였던 아시아 국가들은 시장개방 정책을 시작했지만, 외환관리 능력과 외환보유량이 부족하였기 때문에 대외 금융세력의 공격에 무력할 수밖에 없었다. 고정환율이던 아시아 국가들은 썰물처럼 빠져나가는 외환을 견디지 못해 변동환율로 선회했지만 아시아 각국의 외국자본들은 더욱 투자 자본을 빼냈다.

미·영의 투기자본은 약속한 듯이 동시에 단기 투자금을 회수해 빠져나가면서 선물환거래를 이용한 주식대량매도와 환투기 공격 등을 감행해 동아시아 전반에 중앙은행의 외환보유량을 고갈시켰다. 그 후 이들은 달러 구제금융 요청을 받은 IMF가 강요한 가혹한 구조조정 조건을 통해 부실기업뿐만 아니라 정상적인 기업까지 흑자도산 등으로 박살냈다.

미국과 영국 등의 자본으로 헐값에 도산한 기업을 재인수하려는 미국·영국 투기세력들이 미·영의 경제정책과 눈에 보이지 않게 결탁하고 있는 것은 물론, 미·영 정부의 입김에 적극적으로 결탁한 IMF가 이를 보완해주고 있다는 것이 경제학자들의 이야기다.

1997년 말 주변 동남아시아 국가들의 경제가 어려워지자 외국 투자기관들은 한국의 경제도 곧 어려워질 거라고 판단해 투자자금을 대규모로 회수해갔다. 또한 정부는 1997년 9월 이후 계속된 외환시장 불안정 속에서 원화 가치를 지키기 위한 인위적인 환율 방어를 시작했고, 여기에 들어가는 비용이 증가했으며, 아시아에서의 외환부담도 늘어남에 따라 한국의 외환보유고는 급격히 감소하기 시작했다. 한편 만기가 돌아오는 국외 차입금의 규모는 점차 증가하기 시작, 외환지급 불능 사태를 초래하기 직전까지 몰리는 외환 위기가 전면적으로 가시화됐다.

금융기관의 부실

우리나라는 1996년까지 24개의 투자금융회사가 종합금융회사로 전환됐고 이후 30개로 늘어나서 해외업무를 시작했다. 이들은 외채를 끌어와서 어음교환을 시작하게 됐는데, 기업이 부도를 일으키게 되자 외채를 끌어서 어음 할인한 이들 종금사(종합금융회사)들이 연쇄적으로 영향을 받게 됐다.

특히 한보와 기아의 12조 원 가량의 대형 부도 사태는 위기를 결정적으로 악화시키는 결과를 가져오게 됐다. 1998년 6월 29일 발표한 대동, 동남, 동화, 경기, 충청은행 등 5개 퇴출은행이 국민, 주택, 신한, 한미, 하나은행으로 넘어갔다. 이들은 관치 금융의 그늘 아래서 부실한 경영을 했으며 이들에게 연관된 작은 관련 기업들도 연달아 도산의 위기에 빠졌다.

1998년 8월 11일 고려, 국제, 태양, BYC 등 부실한 4개 생명보험
사가 영업정지를 발표하고, 각각 알리안츠생명, 삼성생명, 대한생
명, 교보생명으로 넘어갔다. 이러한 위기의 근본적인 원인은 허술
한 관치금융 체제, 무능한 정부의 예산 낭비, 대기업들의 분식회계
와 과도한 차입 부실 경영 그리고 당시 사회 전체에 만연되었던 경
제적 무능력과 부패, 책임의식 실종에 의한 결과였다.

미국·영국, 한국경제를 타깃으로

국제 투기세력들의 공격과는 별도로 그 무렵 미국 정부의 입장이
상당히 주목되는데, 미 국무부 정보조사국(INR)은 한국에 외환위기
가 발생하기 훨씬 전인 1997년 초부터 한보사태 등 한국의 경제 동
향을 유심히 관찰해왔다. 주한 미 대사관은 한국이 IMF 관리체제에
들어간 1997년 12월부터 아예 'IMF 데일리'라는 제목의 일일보고
서를 작성해 본국으로 전송했다. 1998년 2월 미 국무부에 보낸 비
밀 전문에 담긴 98년도 한국 관련 최우선 정책목표에는 한국이 금
융위기를 헤쳐 나가도록 돕는 동시에 IMF와 미국에 대한 요구를 철
저하게 지켜야 한다는 점을 명시하고 있다.

당시 한국은 IMF 협약뿐 아니라 미국식 정리해고제 도입과 적대
적 M&A 허용도 약속한 상태였다. 또한 IMF 처방의 효과로 1998년
하반기에는 미국의 금융자본과 금융회사들이 대거 한국에 진출함
으로써 한국과의 시장개방 협상에서 좋은 이권을 노릴 수 있을 것
이라고 전망하기까지 한다.

특히 미국정부는 한국이 스스로의 잘못으로 외환위기가 발생했
다고 훈육하고 IMF의 명령에 철저하게 복종하며 미국과 영국 등의

외자유치를 적극 환영하게 하고 그들에게 철저하게 복종하게 하는 점이 중요하다고 강조하고 있다. 특히 외환위기의 원인과 관련해 한국 내부요인에 의해 발생했다는 이른바 내인론(內因論)에 한국 여론이 쏠리는 것을 환영하고 이로 인해 미국과 영국의 금융자본에 철저하게 복종, IMF를 이용해 아시아 국가들에게 한국식 구조조정을 강요하게 할 것을 요구하고 있다.

더구나 이들은 동북아 경제적 이권 확장을 노리며 미국·영국 등 서구 투기자본들의 경제적 식민지화를 IMF와 미국이 노렸던 측면도 강하다. 이는 한국과 한국정부로 하여금 당시 동아시아 전체 외환금융시장의 전반적 상황에 대한 이해보다는 당시 집권정부의 정책 실패와 무능에 대한 부정적 여론을 오래도록 각인시키는 데에 크게 기여하며 그로 인해 IMF와 미국 영국 등 서구 금융자본과 투기세력들이 자신들의 경제적 이권을 챙기는 기회로 한국과 아시아 국가들의 금융위기를 이용한 것이다.

1999년 9월 1일 당시 IMF 외환위기에 대해 미국과 일본의 경제적 이권 다툼에 한국이 희생양이었다는 앤드류 월터 교수의 칼럼이 동아일보, 매일경제에 게재되기도 했다.

FTA(양자 간 무역협상)의 시작

UR이 끝나고 WTO(세계무역기구, 다자간 무역협상)가 출범한 후 WTO는 2차 협상에 들어갔다. 모든 산업제품과 농수산물의 관세화가 WTO 2차 협상을 주도하는 선진국들의 주요 목표다. 그런 와중에 미국과 유럽을 중심으로 WTO의 다자간 협의가 어렵다는 인식 하에 별도로 FTA를 추진하는 움직임이 일었다.

특히 미국은 세계 여러 나라의 시장개방 관련 정책의 미숙에 따라 발생하는 여러 개발도상국 및 후진국들의 경제위기와 외환위기의 상황 속에서 IMF의 구제금융을 요구하는 상황으로 몰리자 IMF의 지분과 투표권이 가장 큰 미국·영국 등 선진국들의 영향으로 IMF 구제금융의 전제조건을 그들 국가에게 유리한 조건을 제시하도록 하는 가운데 양자 간 협상인 FTA를 추진해야 한다는 조건이 달리게 된다. FTA는 WTO 협상에서 규정한 수준보다 더 높은 수준의 상호 개방을 목적으로 하고 있다.

1997년 외환위기 과정에서 FTA는 국제통화기금(IMF)에 의해 구제금융의 지원조건으로 제시된 중요한 조건인 것이다. 우리나라는 국제통화기금이 첫 FTA 대상으로 일본, 칠레, 싱가포르, 뉴질랜드를 제안했고, 이에 칠레와 첫 FTA를 하게 된다. 농민들은 격렬히 반대했으나 이는 철저히 무시되고 삼성경제연구소, 현대경제연구원 등 재벌경제연구소의 적극적인 지지로 추진하게 된다.

IMF 위기 상황 속에서 한국농업은 전술한 바와 같이 농어촌용 원자재 가격이 두 배 이상 오르고, 사료 값이 35%, 비료 값이 43%나 오름에 따라 농산물 생산비가 두 배 가량 올라 농민들의 농업소득은 반 토막이 나면서 농가부채는 더욱 늘어났다. 이에 농민들은 농가부채를 탕감해달라며 고속도로를 점거하고 거센 대정부 투쟁을 벌이는 등 농민들의 여론이 악화됐다.

한·칠레 FTA는 1998년 11월 5일 APEC 정상회의에서 대한민국과 칠레 정상이 합의해 FTA 협상을 개시했다. 4년 3개월만인 2003년 2월 15일 FTA 협상에 타결, 협정문에 서명했다. 칠레에서는 2003년 9월 FTA 비준 안이 칠레 상하원을 모두 통과했으나 한국은 2003년 7월 8일 국회에 비준동의안이 제출되고, 농민단체들의 반대와 길어진 국회 심의를 거쳐 2004년 2월 16일 4번째 만에 비준이 통과됐다.

미국과의 두 번째 FTA 협상

국가예산의 10%를 농어업 예산으로 공약을 했던 노무현 정부에서도 공약은 지켜지지 않았지만 FTA 협상은 계속됐다. 당초 한국은 자유무역협상 순서에서 가장 영향력이 큰 미국과 중국은 마지막 순서로 잡고 있었다. 그러나 노무현 정부 당시 삼성경제연구소의 영향력이 커지면서 가장 나중에 협상하기로 한 미국이 칠레의 다음 순서로 바뀌었다.

2006년 2월 3일, 양국은 FTA 협상을 공식화하면서 대한민국은 김현종 외교통상부 통상교섭본부장을, 미국 측은 로버트 포트만 미국 무역대표부(USTR) 대표를 협상 대표로 선임했다. 실무자 수석대표로 대한민국은 김종훈 대사, 미국은 웬디 커틀러(Wendy Cutler) 미 무역대표부 한국 일본 APEC 대표보가 맡았다.

협상 실무 대표의 경우 우리나라는 협상보다는 외교력에 치중한 외무고시 출신 외교관인 김종훈 대사가 맡았지만 미국 측 협상대표 셋은 모두 실익과 법과 제도적 협상력을 발휘할 미국 변호사다. 이후 2007년 8월 김종훈 대사가 통상교섭본부장으로 승진, 협상 대표가 되었고 이명박 대통령 취임 이후에도 협상의 연속성 등이 감안되어 유임됐다.

한미 FTA는 대한민국과 미합중국이 양국 간 무역 및 투자를 자유화하고 확대할 목적으로 체결한 자유무역협정(FTA)이다. 정식 명칭은 '대한민국과 미합중국 간의 자유무역협정'이다. 또한 1989년 미국 국제무역위원회(USITC)의 보고서 '아태지역 국가들과의 FTA 체결에 대한 검토 보고서'에서 미합중국에게 바람직한 FTA 대상 국가로 싱가포르, 대한민국, 중화민국을 꼽으면서 한-미 FTA 체결에 대한 논의가 시작됐고, 2006년 2월 3일, 양국이 한·미 FTA 협상 출범을 공식 선언한 후 2007년 4월 2일, 14개월간의 긴 협상을 마치고 최종 타결하였다. 이후 2007년 5월 25일에 협정문 내용이 공개되었다. 2011년 11월 22일에 한미 FTA 비준 안이 대한민국 국회 본회의를 통과했다.

2006년 2월 3일, 우리나라의 노무현 16대 대통령은 미국과의 FTA를 본격화하기 위해 야당 및 여론의 반대에도 불구하고 미국측이 요구한 소위 '4대 선결조건'을 수용했다. 하지만 최초에는 이것이 반대파들의 말 지어내기라고 부인했으나 미국 측 대표가 협상중 관련사항을 언급한 후 결국 인정함으로써 소위 '4대 선결조건'은 사실로 드러났다. 4대 선결조건은 미국산 쇠고기 수입 재개, 배출가스 강화 기준 2009년까지 철폐, 스크린 쿼터 축소, 약값 재평가 제도 철폐 등이다.

쌀 관세화

한국은 결국 2015년부터 쌀시장을 관세화로 개방했다. 개발도상국의 특혜원칙에 따라 쌀시장을 계속 묶어야 한다는 농민들의 의견은 묵살됐다. 쌀 관세화를 이행하지 않으면 한국의 국제위상이 추락하고 주력 수출품에 대한 무역보복을 당할 가능성이 매우 크기 때문에 쌀 관세화를 추진해야 한다는 경제계와 산업계의 의견을 받아들인 것이다.

당시 진보적인 언론으로 분류되는 한겨레신문과 경향신문조차도 쌀시장 개방이 필연적이라며 반농업적 보도를 서슴지 않았다. 당시에는 아이티가 미국에 쌀시장을 개방해 국가 식량자급체제가 붕괴된 상태였고, 그래서 당시 우리나라 TV에서도 아이티의 아이들이 먹을 것이 없어서 진흙에 마아가린만 부어 만든 진흙 빵을 먹는 것이 자주 보도되던 시절임에도 우리 TV와 신문매체들은 식량부족으로 이런 사태가 났다는 것을 보도할 뿐 이것이 미국에 쌀시장을 개방해서 일어난 일이라는 것은 한 마디, 한 줄도 보도되지 않았다.

한-미 FTA 자동차 분야 재협상 결과 경제적 효과 분석 비교

자료: 기획재정부, 미국 국제무역위원회 (단위: 달러)

	한국 입장	미국 입장
대미 수출	5억5900만	9억700만
수입	7100만	1억9400만(관세), 4800만~6600만(비관세)
무역수지	4억8800만(흑자)	-6억4700만~-6억6500만(적자)

한-미 FTA 재협상 경제적 효과

자료: 기획재정부

자동차 🚗	한국: 4% 즉시 철폐, 4% 5년차 철폐 미국: 2.5% 5년차 철폐	무역수지 연간 5300만달러(약 573억원) 감소
돼지고기 🐷	관세 25% 철폐 2014년→2016년	생산 감소액 70억원 감소
의약품 💊	의약품 허가-특허제 3년 유예	매출 손실액 44억~97억원 감소

한 번 개방된 아이티는 원래 쌀 자급국가였으나 개방 후 30%이던 쌀 관세가 3%까지 낮아져 쌀 자급은 완전히 붕괴됐고, 다국적 기업인 곡물 메이저들의 폭리로 인해 쌀 조달 자체가 불가능해져 굶주림을 겪고 있었던 것이다. 현재 우리나라도 513%의 관세를 유지하고 있으나 국제적인 협상으로 관세가 더 낮아질 경우 아이티와 같은 사태가 발생할 수 있다는 경각심을 갖고 양곡정책과 먹거리 조달체계를 갖춰야 할 것이다.

이렇게 경제계와 산업계는 농업을 희생양으로 삼는 데 주저하지 않았다. 그들은 농업을 희생해 산업적 이익만 취하면 될 뿐 여기에서 발생하는 농업의 대책에는 무심하고 책임을 회피할 따름이었다.

한·중 FTA

쌀 관세화를 추진했던 시기는 바로 한국과 중국이 2012년부터 FTA 협상을 시작해 마무리를 짓던 시기다. 우리나라는 2012년 5월 2일 협상을 시작한 지 3년 만에 상호 협상을 끝내고 2015년 6월 1일 한·중 자유무역협정(FTA)에 정식 서명했다.

한·중 FTA는 한국이 맺은 여타 FTA에 비해 상대적으로 관세철폐 속도와 개방도를 낮춘 '저강도 자유무역협정'이라는 평가를 받는다. 한국 정부는 국내 농업의 민감성을 최대한 반영하여 주요 농산물 대부분을 개방 대상에서 제외했다고 밝혔고, 중국은 자국의 전략산업 보호를 위해 자동차를 비롯한 일부 핵심 공산품에 대한 관세를 유지하기로 했다.

관세 철폐 품목 기간은 최대 20년까지 잡았다. 한·중 FTA 발효 이후 20년 안에 중국은 한국이 수출하는 품목 수의 90.7%(7,428개)에 대해, 한국은 92.2%(1만 1,272개)에 대해 관세를 철폐하기로 했다. 수입액 기준으로 각각 1417억 달러(85%), 736억 달러(91.2%)가 된다. 향후 10년을 기준으로 보면 중국 정부는 한국이 중국으로 수출하는 품목의 71%(5,846개), 수입액 기준 66%(1,105억 달러)에 대해 관세를 철폐하기로 했으며, 한국은 품목 수 기준 79%(9,690개), 수입액 77%(623억 달러)에 해당하는 중국산 수입품에 관세를 철폐하기로 했다.

한·중 FTA 발효 직후 관세가 철폐되는 대상은 한국 수출품목 1,649개(전체 품목 수 기준 20.1%)와 한국으로 들어오는 중국 수입품 6,108개(49.9%)이다. 현재도 관세가 없는 품목을 포함한 수치로, 한국 수출품의 경우 반도체, 컴퓨터 주변기기 등 기존 무관세 품목 691개에 더해 고주파 의료기기(관세 4%), 변압기(5%), 플라스틱 금형(5%), 밸브 부품(8%), 스위치 부품(7%), 항공 등유(9%) 등 958개 품목이 FTA를 통해 관세가 철폐된다.

한국 쌀을 비롯해 양념 채소류(고추·마늘·양파), 육(肉)고기(쇠고기·돼지고기), 과실류(사과·감귤·배), 수산물(조기·갈치·오징어) 등의 농수산물은 관세 철폐 대상에서 제외했다. 그러나 무 등의 밭작물과 토마토나 인삼의 가공품·김치 등은 양허대상이다.

서비스·투자 부문에서는 금융서비스 규제완화, 금융서비스위원회 설치, 투명성 강화 등을 규정했다. 통신에서는 상대국의 통신망과 서비스에 비차별적인 접근을 보장하고 비차별적인 상호접속을 제공하겠다는 조항을 넣었다. 공연 중개 및 공연장 사업 분야에 한국 기업이 49% 지분을 보유하는 게 허용됐다.

한·중 FTA 발효와 동시에 개성공단 제품에 특혜관세를 부여하고 현재 생산 중인 품목을 포함해 총 310개 품목에 원산지 지위를 부여하기로 했다. 개성공단에서 만든 제품을 '한국산'으로 중국에 수출할 수 있게 된다. 역외가공지역위원회를 통해 추후 북한 내 개성공단과 같은 역외가공지역을 추가로 설치할 수 있는 길도 열어놨다.

쌀 관세화 문제는 대만이나 일본과 같이 일찍 받아들였으면 의무수입물량이 줄었을 것 아니냐는 주장이 있는데 그것은 잘못 생각하는 것이다. 초기에 쌀 관세화를 받아들였으면 513%의 현 관세가 받아들여질지가 의문이고, 실제 가능한 관세는 100% 안팎이었을 것으로 예상된다. 그렇다면 아이티의 과거와 같이 다국저 곡물기업이 장난질을 치면 한국도 쌀 자급체제가 무너지는 결과를 초래했을 것이다. 다만 두 번의 관세화 유예로 의무수입물량이 있는 것은 어쩔 수 없는 선택이었다고 본다.

한·중 FTA 기대효과

당시 정부는 한·중 FTA로 매년 GDP가 7% 이상 성장하는 중국이라는 거대시장을 제2의 내수시장으로 선점할 기회를 확보하게 됐다고 강조했다. 한·중 FTA가 발효되면 발효 후 10년간 GDP는 0.96% 증가하고 소비자 후생은 약 146.26억 달러 증가할 것이며 5만 3,805개의 일자리 창출이 있을 것으로 예상했다.

정부는 대외경제정책연구원, 산업연구원 등 6개 국책연구기관이 합동으로 실시한 '한·중 FTA 영향평가'를 통해 무역수지는 20년간 평균 4억 3,300만 달러가 개선되고 제조업 생산은 정유와 석유화학 제품 중심으로 평균 1조 3,900억 원 늘어날 것이라는 분석을 내놨다.

그러나 이 자료에 따르면 발효 후 10년간 제조업 생산은 오히려 연평균 4,700억 원 감소하는 것으로 나타났다. 발효 후 5년간에는 연평균 7,000억 원의 생산 감소를 예상했다. 한·중 FTA 발효 후 15년에는 연평균 6,000억 원 증가가 예상됐다.

정부가 예상하는 생산 감소 업종은 섬유와 생활용품, 전기전자, 비금속광물, 제약으로, 발효 후 10년간을 기준으로 하면 이들 5개 업종에 철강과 화학, 일반기계도 추가된다.

또 농림업, 수산업에 대해서는 생산 연평균 77억 원과 104억 원 규모로 줄어들 것으로 예상했다.

2019년 기준으로 우리나라가 대외 수출 및 경제의존 비중을 따져 봐도 미국을 훨씬 능가하고 있으며 그 비율도 절반 수준에 이르고 있는 것으로 나타났다.

한·중 FTA 관련 논란

그러나 농업분야에서 보면 한·중 FTA의 파급영향은 엄청난 것이다. 또한 협상과정에서 많은 문제점을 드러냈다고 지적되고 있다. '민주사회를 위한 변호사 모임(민변)' 국제통상위원회는 정부에 제출한 한·중 FTA 결과 의견서에서 한·중 FTA의 문제점을 다수 지적했다. △'48시간 내 상품 반출 규정'으로 중국산 식품이 더 쉽게 들어오는데 중국 현지 식품공장 전반에 대한 검역권을 확보하지 못했고 △ 한·중 FTA 상 44개의 주요 농산물에 대한 WTO 협정상의 특별세이프가드 권한을 포기했으며 △노동권 관련 협정문이 아예 없고 △ 중국 발 미세먼지의 문제가 심각한데도 한·중 FTA 환경 편에는 선언적 규정만 있다는 등이다.

또 중국이 한·중 FTA 협상 타결 이후에 제조업과 전문 서비스업 등에서 외국인에 대한 투자 제한을 상당 부분 철폐·완화하고 화장품·의류 등 수입 생활소비재 관세를 인하하면서 사실상 협상의 실익이 줄었다는 지적도 나왔다.

중국 정부는 한·중 FTA 가서명 후인 2015년 3월 외국자본 도입을 크게 확대한 '외상투자산업지도목록'을 공표해 양로기관 노인복지서비스 등 49개 분야 업종에 외국인 투자 장려 업종으로 새로 지정, 개방했다. 이러한 투자 개방 정책은 한국에도 적용되나 한·중 FTA 성과에 빛이 바랬다는 평가다.

농업 및 수산업이 입게 되는 피해 예상을 두고도 정부와 농림업계의 의견이 갈린다. 정부는 "이제까지 체결한 FTA 중 가장 높은 수준으로 우리 농수산 시장을 보호했다."고 강조하면서 2016년부터 10년 동안 농업 경쟁력 향상에 1,595억 원을 투입하겠다는 중장기 계획을 내놨다. 이에 대해 농민단체 등은 "FTA와 관련 없이 이미 중국산 농산물로 인한 피해가 향후 20년 동안 10조 원, 연평균

5,000억 원 정도로 예상된다."며 "정부의 대책 자금은 턱없이 적은 수준"이라고 반발했다. 실제 UR 협상 후 10년 간 52조 구조개선투자도 실질적으로는 타부서 예산의 흐름과 별로 다른 것이 아니었고, 가장 파급영향이 큰 한·중 FTA에서도 YS정부에서의 10년 간 52조+농특세15조 등의 투자수준에도 미치지 않고, 기존 예산에서 미사여구만 붙여 대책이라고 제시한 꼴이라고 문제를 제기한다.

특히 한·중 FTA의 비준을 앞둔 2015년 말 농민의 반발 여론을 무마하기 위해 농어촌상생기금이라는 것을 1년에 1,000억 원씩 10년 간 1조 원을 조성해 농어촌을 지원하겠으니 한·중FTA 비준을 해달라는 경제 4개 단체의 요구가 있었다. 이를 받아들여 정치권과 정부는 협의를 통해 농어촌상생기금을 조성하기로 하면서 덜컥 한·중 FTA 비준을 해버렸다.

한·중 FTA의 비준과 농어촌상생기금

한·중 FTA로 이득을 본 기업들의 기부를 받아 조성하는 기금. FTA로 피해를 보는 농어촌에 지원하기로 하고 만들어 놓은 것이 농어촌상생기금*이다. 정부가 '한·중 FTA(Free Trade Agreement)' 국회통과를 조건으로 제안한 농어촌 지원대책이다. FTA로 이익을 보는 기업들로부터 매년 1,000억 원씩 자발적 기부를 받아 10년 동안 1조 원을 조성해 농어촌을 지원토록 한다는 것이 이 기금 조성의 목적이다.

*농어촌상생기금이란?
정부가 '한·중 FTA(Free Trade Agreement)' 국회통과를 조건으로 제안한 농어촌 지원 대책이다. FTA로 이익을 보는 기업들에 매년 1,000억 원씩 자발적 기부를 받아 10년 동안 1조 원을 조성해 농어촌을 지원하는 내용이다. FTA로 가장 큰 피해를 보는 농어민에 대한 지원책이라는 점에서 무역이득공유제와 유

사하다. 무역이득공유제란 자유무역 협정으로 '가장 큰 이익을 본 산업'이 '가장 큰 손해를 본 산업'과 이익의 일부를 공유하는 제도다. 2011년 한·미 FTA 이후 10여 개 나라와 연달아 체결된 자유무역 협정으로 농어민의 피해가 커지자 대안으로 등장했다.

이 기금에 대한 논의는 2015년 말 당시 국회에서 여야 정치권과 정부가 한·중 FTA 비준을 앞두고 농민 여론의 반발을 잠재우기 위해 농어촌에 대한 대안으로 마련한 것이다. 당시 농민단체들은 한·중 FTA의 비준을 반대하며 여의도, 시청 앞, 대학로 등지에 모여 격렬히 시위를 벌이고 있었다. 한·중 FTA의 비준을 원하던 경영자총연맹, 대한무역협회, 대한상공회의소, 중소기업중앙회 등 4개 경제단체는 경제단체장의 서명이 담긴 성명서를 발표했다. FTA로 이익을 본 기업이 기부를 해서 농어촌상생기금을 1년에 1000억 원씩 갹출해서 10년간 1조 원을 조성하겠으니 한·중 FTA를 조속히 비준해달라는 내용을 담은 성명서였다.

이후 2015년 11월 30일 국회 한·중 FTA 여야정(與野政) 협의체는 이 기금 조성을 합의했다. 정치권과 정부가 농어촌상생기금의 조성을 전제로 한·중 FTA 비준을 추진한다는 내용으로 협의를 마친 것이다. 협의를 끝낸 국회는 협의 다음날인 2015년 12월 1일 바로 한·중 FTA를 비준했다.

이에 대한 법적 근거를 마련하기 위해 2016년 초반 국회는 '자유무역협정 체결에 따른 농어업인 등의 지원에 관한 특별법 일부 개정 법률안'과 '대·중소기업 상생협력 촉진에 관한 법률 일부 개정 법률안', '조세특례제한법 일부 개정 법률안'이 국회 농림축산식품해양수산위원회, 산업통상자원위원회, 기획재정위원회에 각각 제출됐다.

그러나 19대 국회 관련 3개 위원회는 19대 국회 임기가 종료되는 5월 29일까지 이 3개 법안을 논의는커녕 상정조차 한 적이 없어 자동 폐기됐다. 한·중 FTA의 비준을 위해 농어촌상생기금을 조성한다고 농민을 현혹해놓고 한·중 FTA 비준이 끝나자 나 몰라라 한 것이다. 20대 국회에 들어서서야 농어민의 피해 보전 대책으로 마련된 농어촌상생기금 관련법을 겨우 통과시켰던 것이다.

사기를 친 정치권과 경제계의 농어촌상생협력기금

그러나 문제는 디테일에 있다. 정치권과 정부가 합의한 한·중 FTA의 내용에는 농어촌상생기금을 자발적으로 조성하기로 했지만 기금을 강제하는 조항이 없어 한·중 FTA 비준을 강행하고 기업이 나 몰라라 하면 아무런 대책이 없었던 것이다. 그 결과는 비준을 마치고 2년만 지나도 알 수 있었다. 경제단체가 서명을 해서 약속한 농어촌상생기금이 비준 후 2년 동안 한·중 FTA로 이익을 본 사기업들이 한 푼도 자발적 성금을 내지 않았다. FTA 비준이 목적이었지 농어민을 위한 농어촌상생기금의 조성은 눈곱만치도 관심이 없었던 것이다.

농어촌상생기금은 FTA로 가장 큰 피해를 보는 농어민에 대한 지원책이라는 점에서 무역이득공유제와 유사하다. 무역이득공유제란 자유무역협정(FTA)으로 '가장 큰 이익을 본 산업'이 '가장 큰 손해를 본 산업'과 이익의 일부를 공유하는 제도다. 2011년 한·미 FTA 이후 10여 개 나라와 연달아 체결된 자유무역협정으로 농어민의 피해가 커지자 대안으로 등장했다.

무역이득공유제는 FTA로 이익을 누리는 기업의 이윤 일부를 떼어내 농어촌의 손해를 보전하는 내용을 골자로 한다. 일종의 준조세로 기업이 법인세와 소득세, 부가가치세 중 일부를 농어촌특별세로 납부하도록 하는 식이다. 경제민주주의에 기반을 둔 정책으로 2014년 무렵 농민단체가 중심이 되어 요구한 바 있다. 다만 FTA로 인한 개별기업의 추가 수입 산정이 어렵고, 자유경쟁과 사유재산권을 위협할 수 있다는 재계의 우려로 도입되지 않았다.

농어촌상생기금은 무역이득공유제와 다르게 기부금 형식으로 운용된다. 정부는 자발적으로 기금을 내는 기업에 세액공제와 동반성장 지수 가점, 기부금 손금 산입 등의 인센티브를 제공할 방침이라 밝혔다. 민간 기업을 포함해 공기업과 농·수협에서도 자발적 기부가 가능했다.

그러나 농어촌상생기금은 협의과정에서 모금을 강제하는 규정이 전혀 없어 시작 이전부터 추진이 어려울 것으로 예상됐었다. 경영자총연맹, 대한무역협회, 대한상공회의소, 중소기업중앙회 등 4개 경제단체가 서명으로 농어촌상생기금을 조성할 것처럼 속여서 한·중 FTA의 비준을 얻어내고 농어촌상생기금의 조성은 나 몰라라 했던 것이다. 시쳇말로 경제4개 단체와 대기업들이 농어민을 상대로 사기를 친 것이다.

이런 내용은 농림부장관 출신인 정운천 국회의원이 2018년 국회 농림축산식품해양수산위원회 국정감사를 통해 제기하면서 이슈화됐다. 농어촌상생기금과 관련된 법통과마저도 19대 국회에서 통과되지 않아 시행되지 못하던 것을 20대 국회에 들어와 2016년 겨우 통과됐으나 이의 실행은 2018년 2년 동안 거의 시행되지 않았다. 당시까지 모금한 기금이 목표액의 10%에도 미치지 않아 오죽하면 국회 농해수위 국회의원들이 기업들의 모금을 유인하기 위해 기금을 갹출한 바 있다. 그래서 정운천 의원의 요청으로 대기업 대표이사들을 증인으로 선정해 기금갹출을 요청한 바 있다.

그렇지만 2019년에도 무역으로 엄청난 이익을 본 민간기업 중 지난해 현대자동차가 2억 원을 낸 것을 빼고는 참여가 아예 없다. 현대자동차의 2018년 당기순이익이 4조 5,400억 원인 것을 감안하면 '조족지혈'인 셈이다. 박근혜 정부의 미르재단, K스포츠재단에 수십억 원씩을 기부하던 대기업들이 농어촌상생기금에는 무심한 것이다.

농어촌상생기금, 외국에서는 어떤 사례가 있나?

해외의 경우 지방 공동화 문제 해결을 위해 기업과 지역 주민이 자발적으로 참여하는 민간 기금이 매우 활성화돼 있다. 지역이 발전해야 지역을 근간으로 하는 기업도 생존할 수 있다는 인식이 높아서 기부자와 지역사회 양자가 기금 활용을 위한 다양한 아이디어를 제공하는 경우도 많다.

'프린스 농촌 펀드(The Prince's Countryside Fund)'는 영국의 대표적인 농촌부흥펀드다. 지난 2001년 기업의 자원이나 역량을 농촌지역 활성화에 활용하기 위해 시행된 농촌공헌 프로그램인 RAP(Raul Action Program)을 모태로 하는 이 펀드에는 HSBC, 테스코(TESCO), 스파(SPAR) 등과 같은 대기업들이 참여하고 있다.

이 펀드는 주로 농촌 거주자들의 역량 강화와 농민들이 운영하는 기업들의 회복력 강화에 쓰인다. 그 용도를 살펴보면 △농촌 청년들이 농촌에서 양질의 일자리를 찾을 수 있도록 다양한 직업 및 기술교육 지원 △일선 교사와 학생들이 농촌의 가치를 배울 수 있는 교육 시행 △농민들이 농업 경영 능력을 향상시켜 수익을 증진할 수 있도록 연수 교육 △농촌 커뮤니티에 필요한 서비스 분야 및 기능 발전 △낙농업 종사자들이 생존 능력을 높일 수 있도록 돕는 프린스 낙농업 이니셔티브(The Prince's Dairy Initiative) 등이다.

일본 이시카와 현과 지역 금융기관이 협력해 만든 '이시카와 사토야마 창성 펀드(기금)'는 기업과 지역사회의 상생 노력이 돋보이는 기금이다. 지난 2011년 설립된 이 기금은 지역 인구 감소로 인해 지역 경제가 쇠퇴할 경우 은행 경영도 어려워진다는 경각심에서 비롯됐다. 초기에는 지역 은행들이 주도적으로 펀드에 참여했지만, 이후에는 다른 기업들도 출자에 나서면서 5년간 총 86건을 펀드 사업으로 운영했다. 지역 자원을 활용한 생업 창출, 지역 관광자원 네트워크화, 마을 산과 앞바다 지역을 건강하게 만드는 자원 순환 모델 구축 등 대부분 지역경제 활성화에 초점이 맞춰졌다.

와지마 시의 '카나쿠라 아카리회'는 카나쿠라 마을이 된장을 사용한 가공품을 상품화할 수 있도록 기금을 지원해 약초차, 푸딩과 같은 독특한 카나쿠라 브랜드상품을 특산품으로 만드는 데 성공했다. 아나미즈 마치의 '어머니 학교'는 지역 폐교를 거점으로 지역 농산물을 활용한 식단을 개발함으로써 지역에 활력을 불어넣은 경우다.

농어촌상생기금, 본말이 전도되다

농어촌상생기금 모금은 올해 들어서도 여전히 부진하다. 이것을 억지로 기업의 출연을 요청하며 모금해야 하는지 납득이 가지 않는다. 농어촌상생기금은 정운찬 전 국무총리가 참여한 동반성장위원회에서 무역이익공유제가 제시되면서 WTO와 FTA로 엄청난 손해를 본 농어업에도 무역으로 이익을 본 기업들이 무역이익을 공유하자는 의미에서 시작된 기금이다. 더구나 한·중 FTA의 국회비준을 위해 상생기금이 부각된 것이다.

경제4단체와 기업들은 자신들이 조성하겠다고 약속한 농어촌상생기금을 준조세라며 문제제기 초반부터 반발해왔다. 대·중소기업·농어업협력재단에 따르면 농어촌상생협력기금 운영본부가 2017년 3월 30일 출범한 이후 연말까지 309억 6,000만 원을 모아 목표액 대비 31%를 달성했다. 2018년에도 5월 1일까지의 모금액은 15억 7,960만 원에 불과하다. 목표액 1,000억 원의 1.5%로 아주 미미한 상황이다. 더구나 기부한 조직이 대부분 공기업이다. 총 금액 467억 5,600만원 중 한국전력과 그 자회사가 321억 9,000만 원을 모금해 99%를 차지하고 있다. 무역과 관련 없는 기업이 출연한 것이다.

이로써 자유무역협정(FTA)으로 이득을 본 기업들이 피해를 보는 농어민과 농어업·농어촌을 지원할 수 있도록 하기 위해 만든 상생기금의 취지는 퇴색되고 말았다. 관심도 없는데 소리쳐 봐야 강제규정도 없는 상황에서 허공의 메아리다. 상생기금은 출발 자체가 잘못됐다고 생각한다. UR이나 FTA는 정부가 국가적 경제 활성화를 위해 추진하는 것이라고 밝히고 추진한 것이다. 대외개방을 통해 우리나라가 더 경제적으로 성장한다면 경제발전의 이익은 분산돼야 하는 것이 원칙이다. 이것은 강제성이 없는 기금방식으론 안 된다. 강제성은 세금방식밖에 없다.

8원을 버는 농민, 9원을 버는 기업, 10원을 버는 재벌 등 3개 조직이 국가에 있다고 치자. 시장개방으로 경제의 파이가 늘어나기 때문에 시장을 열어 적극적으로 무역을 해야 한다고 정부가 홍보하고 추진한 결과 8원을 버는 농민은 6원으로 벌이가 줄었고, 9원을 벌던 기업은 9원으로 제자리걸음을 한 반면, 10원을 벌던 재벌은 15원을 벌었다면 총체적으로 국가는 27원에서 29원으로 경제파이가 늘어난 것이다. 그러면 정부는 세금과 무역으로 이익을 본 기업에게 세금을 더 매겨 무역으로 손해를 본 계층에 지원을 늘리는 것이 당연한 것 아닌가? 개방하지 않으면 2원의 손해가 없을 텐데 개방의 결과를 측정해 정책보완을 펼치는 것이 당연한 것 아닌가? 휴대폰 등 IT제품의 수출로 삼성이 수백조의 이익을 감당하지 못해 임직원에게 보너스 잔치를 벌인 최근 10여 년의 발자취는 농민의 고통 위에서 일어난 일 아닐까?

내 생각 같아선 상생기금을 모두 돌려주고 무역으로 이익을 본 업체에게 자기 노력은 **빼고** 시장개방에 따른 판매이익의 일정비율을 과감히 세금으로 거둬 농어민에게 식량안보를 지켜준 대가로 직접 지원하고 싶다. 적어도 20년은 하고 싶다. 그래야 농촌 소멸을 막을 수 있지 않겠는가. 그것이 농민기본소득이다.

계속되는 FTA

FTA(자유무역협정)란 특정 국가 간의 상호 무역증진을 위해 물자나 서비스 이동을 자유화시키는 협정으로, 나라와 나라 사이의 제반 무역장벽을 완화하거나 철폐하고 무역자유화를 실현하기 위해 양국 간 또는 지역 사이에 체결하는 특혜무역협정이다.

세계무역기구(WTO)가 모든 회원국에게 최혜국 대우를 보장해주는 다자주의를 원칙으로 하는 세계무역 체제인 반면, FTA는 양자주의 및 지역주의적인 특혜무역 체제로, 회원국에만 무관세나 낮은 관세를 적용한다. 시장이 크게 확대되어 비교우위에 있는 상품의 수출과 투자가 촉진되고, 동시에 무역창출 효과를 거둘 수 있다는 장점이 있으나, 협정대상국에 비해 경쟁력이 낮은 산업은 문을 닫아야 하는 상황이 발생할 수도 있다는 점이 문제로 지적된다. 특히 농어업 분야에 있어서는 피해가 워낙 커서 국가의 특별지원정책이 없다면 농업이 제대로 설 수 없고, 잘못하면 농업 기반까지 무너질 수 있어 우려되는 점이 많다.

우리나라는 2020년 현재 칠레와의 FTA를 시작으로 미국, 중국, EU 27개국, 캐나다, 호주, 뉴질랜드 등 주요국과는 일찌감치 FTA를 타결했다. 그 이외에도 인도네시아, 베트남 등 아시아 10개국, 콜롬비아, 메르코수르 4개국 등 남미 5개국, 멕시코 등 태평양동맹의 4개국, 이집트 등 북아프라카 6개국, 남아프리카공화국 등 남아프리카 6개국, 터키, 인도, 싱가포르, 이스라엘, 에콰도르, 말레이시아, 필리핀, 러시아, 동유럽 EU, pa등의 국가와 FTA를 맺었다.

한국의 맺은 FTA 발효국을 정리하면 다음과 같다.

FTA체결발효(2020년 5월, 발효기준)

①EFTA(유럽자유무역연합, 4개국) : 스위스·노르웨이·아이슬란드·리히텐슈타인

②ASEAN(10개국) : 브루나이·캄보디아·인도네시아·라오스·말레이시아·미얀마·필리핀·싱가포르·베트남·태국

③EU(27개국) : 오스트리아, 벨기에, 체코, 키프로스, 덴마크, 에스토니아, 핀란드, 프랑스, 독일, 그리스, 헝가리, 아일랜드, 이탈리아, 라트비아, 리투아니아, 룩셈부르크, 몰타, 네덜란드, 폴란드, 포르투갈, 슬로바키아, 슬로베니아, 스페인, 스웨덴, 불가리아, 루마니아, 크로아티아

④중미(5개국) : 파나마, 코스타리카, 온두라스, 엘살바도르, 니카라과

⑤남미(5개국) : 칠레, 페루, 브라질, 아르헨티나, 콜롬비아

구분	상대국	추진현황			의의
		개시	서명	발효	
발효 (16건)	칠레	1999.12	2003.02	2004.04	최초의 FTA 중남미 시장 교두보
	싱가포르	2004.01	2005.08	2006.03	ASEAN 시장 교두보
	EFTA	2005.01	2005.12	2006.09	유럽시장 교두보
	ASEAN	2005.02	2006.08 (상품무역협정) 2007.11 (서비스협정) 2009.06 (투자협정)	2007.06 (상품무역협정) 2009.05 (서비스협정) 2009.09 (투자협정)	거대경제권과 체결한 최초의 FTA
	인도	2006.03	2009.08	2010.01	BRICs국가, 거대시장

발효 (16건)	EU	2007.05	2010.10.06	2011.07.01. (잠정) 2015.12.13. (전체) *2011.07.01 이래 만 4년 5개월 간 잠정 적용	거대 선진경제권
	페루	2009.03	2011.03.21	2011.08.01	자원부국 중남미 진출 교두보
	미국	2006.06 2018.01 (개정협상)	2007.06 2018.09.24. (개정협상)	2012.03.15 2019.01.01. (개정의정서)	세계 최대경제권(GDP기준)
	터키	2010.04	2012.08.01. (기본협정·상품무역협정) 2015.02.26. (서비스·투자협정)	2013.05.01. (기본협정·상품무역협정) 2018.08.01. (서비스·투자협정)	유럽·중앙아 진출 교두보
	호주	2009.05	2014.04.08	2014.12.12	자원부국, 오세아니아 주요시장
	캐나다	2005.07	2014.9.23	2015.1.1	북미 선진시장
	중국	2012.5	2015.06.01	2015.12.20	우리의 제1위 교역대상국('19년 기준)
	뉴질랜드	2009.06	2015.03.23	2015.12.20	오세아니아 주요시장
	베트남	2012.08	2015.05.05	2015.12.20	우리의 제5위 투자대상국('19년 기준)
	콜롬비아	2009.12	2013.02.21	2016.07.15	자원부국, 중남미 신흥시장
	중미5개국	2015.06	2018.02.21	2019.10.01.부분발효 *(10.1)니카라과,온두라스, (11.1)코스타리카, ('20.1.1)엘살바도르	중미 신시장 창출

권역별 FTA

①EFTA(유럽자유무역연합, 4개국) : 스위스·노르웨이·아이슬란드·리히텐슈타인

②ASEAN(10개국) : 브루나이·캄보디아·인도네시아·라오스·말레이시아·미얀마·필리핀·싱가포르·베트남·태국

③EU(27개국) : 오스트리아, 벨기에, 체코, 키프로스, 덴마크, 에스토니아, 핀란드, 프랑스, 독일, 그리스, 헝가리, 아일랜드, 이탈리아, 라트비아, 리투아니아, 룩셈부르크, 몰타, 네덜란드, 폴란드, 포르투갈, 슬로바키아, 슬로베니아, 스페인, 스웨덴, 불가리아, 루마니아, 크로아티아

④중미(5개국) : 파나마, 코스타리카, 온두라스, 엘살바도르, 니카라과

⑤RCEP(역내포괄적경제동반자협정, 한국 제외 15개국) : 한국, 아세안 10개국, 중국, 일본, 인도, 호주, 뉴질랜드

⑥MERCOSUR(남미공동시장, 4개국) : 아르헨티나, 브라질, 파라과이, 우루과이

⑦EAEU(Eurasian Economic Union) : 러시아, 카자흐스탄, 벨라루스, 키르키즈스탄, 아르메니아

⑧PA(Pacific Aliance, 태평양동맹) : 멕시코, 페루, 콜롬비아, 칠레 (총 4개국)

개도국 지위 포기와 정부의 대응

WTO에서는 회원국들이 자기선언 방식으로 농업에 한해 WTO 개도국 지위를 갖고 있다. 그런데 2019년 11월 정부는 WTO 개도국 지위 포기를 천명했다. 우리나라가 원해서 그런 것은 아니지만 미국의 압박이 엄청나게 강해지고 있어서 포기한 것이다. 한국은 선진국 대열에 진입하고 있는 과정이지만 농업분야만큼은 WTO 개도국 지위를 얻기 위해서 중진국 혹은 개도국이라는 명칭을 계속 써오기를 희망했다. 그러나 중국을 압박하고 있는 미국, 더 정확히 말해 트럼프 대통령의 의지에 의해 우리나라도 이젠 개도국 지위

를 포기하고 선진국 대열에 들어섰다고 선언하도록 강권을 당했다.

트럼프 미국 대통령은 2019년 7월 27일 미 무역대표부 USTR에 'WTO 개도국 지위 개혁'이라는 제목의 각서를 보내 이를 개혁할 것을 지시했다. 트럼프는 이 각서의 핵심을 트윗에 올렸는데 그 내용은 다음과 같다. "가장 부유한 국가들이 특별대우를 받기 위해 개도국이라고 주장하고 있다. WTO는 고장 났다. 나는 이들 국가들이 미국을 희생시키면서 이런 행위를 하는 것을 중단시키도록 무역대표부에 지시했다."로 시작한다.

상당부분 중국을 비판하는 데 할애했는데 세계 GDP순위 2위, 하이테크 제품 수출 1위 등 많은 통계를 인용하면서 중국이 개도국이 아닌데 개도국 지위를 받고 있다는 식의 얘기를 늘어났다. 이 각서가 7월 27일 나왔다는 것을 주목하면 다음날부터 북경에서 그동안 중단됐던 미·중 무역협상이 재개될 예정이었다. 그러니까 중국이 더 많은 미국 농산물을 수입하는 등 협상을 앞두고 중국을 압박하기 위해 개도국 지위 문제를 들고 나왔다는 분석이다.

트럼프는 각서에서 개도국 지위를 인정할 수 없다며 다른 나라들도 언급했는데 구매력 기준 1인당 GDP로 봤을 때 세계에서 가장 부유한 10개 국가에 들어가는 브루나이, 홍콩, 쿠웨이트, 마카오, 카타르, 싱가포르, 아랍에미레이트연합 등 7개국과 G20 회원국이자 OECD 회원국인 한국, 멕시코, 터키를 거론했다. 트럼프는 각서에서 90일 안에 개도국 지위 혁신이 이뤄지지 않을 경우 미국이 해당 국가의 개도국 지위를 인정하지 않겠다고 밝혔다.

미국이 중국 등의 개도국 지위 박탈을 주장한 것은 당시가 처음은 아니다. 2019년 1월 WTO 일반이사회에서 자기선언 방식의 개도국 지위 결정에 문제를 제기한 데 이어 같은 해 2월 15일, WTO 협정에서 개도국 우대를 적용하지 않아야 할 네 가지 기준을 제시했다. 그 네 가지 기준은 △현재 OECD 회원국이거나 OECD 가입

절차를 밟고 있는 국가 △G20 국가 △세계은행에서 고소득국가로 분류한 국가(1인당 국민소득 12,056달러) △세계상품무역 기준이 0.5% 이상인 국가 등이다. 이 기준을 따를 경우 WTO에서 개도국으로 포함되던 국가 가운데 우리나라를 포함해 중국, 인도, 대만, 홍콩 등 35개 국가가 개도국 우대를 받지 못하는 국가로 분류된다.

사실 미국이 WTO 개도국 지위에 대해서 문제를 제기한 것은 어제오늘의 이야기가 아니다. 지난 2008년 조지 부시 미 대통령 시절에도 도하 라운드에서 이 문제를 제기했다. 그러나 당시에 미국과 인도가 충돌하면서 도하 라운드 협상이 중단된 경험이 있어서 이를 선뜻 받아들이지 않아도 되는 여건이었다. 특히 개도국 지위 문제는 선진국과 개도국 간 치열한 논란이 있을 것으로 보여 컨센서스에 의한 회원국 간의 합의도출은 어려운 상황이다.

◆'WTO 개도국 지위 유지 관철을 위한 농민공동행동' 소속 농민단체 대표들이 2019년 10월 24일 서울 광화문 정부서울청사 별관 앞에서 정부의 WTO 개발도상국 지위 포기 입장에 항의하며 연좌시위를 벌이고 있다.

하지만 미국 등 선진국들은 개별협상을 통해 개도국 포기선언을 압박하고 있다. 미국은 브라질과 양자협상을 통해 브라질의 개도국 우대 포기를 이끌어낸 바 있다. 브라질의 OECD 가입을 미국이 지원하는 대가로 브라질은 개도국 지위를 포기하게 된 것이다. 반중 성향의 차이잉원 대만 총통은 미국과의 관계 강화를 위한 포석으로 2018년 10월 개도국 지위를 앞장서서 포기했다.

트럼프가 이번 각서를 지시한 이후 싱가포르와 아랍에미레이트연합도 개도국 지위 포기의사를 밝혔다. 브라질은 OECD 가입, 대만은 중국과의 대응을 위한 미국의 협조라는 카드를 받아든 후 개도국 지위를 포기한 것이다. 그러나 트럼프의 개도국 지위 개혁이라는 압박 이후 무조건 그냥 포기선언을 한 국가는 미국이 대상으로 한 35개 국가 중 한국과 싱가포르, 아랍에미레이트연합 등 3개 국밖에 없다. 중국을 비롯한 30개국은 아직도 WTO 개도국 지위를 포기하지 않고 꼼짝하지 않는 것이다. 한국은 바보 국가인가?

개도국 지위 포기는 어떤 영향 미칠까?

그러나 선진국이라고 하는 지금도 우리나라 국민과 농민의 삶은 여전히 팍팍하다. 특히 WTO 개도국 지위를 포기한다는 선언을 한 현 시점에 있어서도 선진국이라고 할 수 있는 유럽의 프랑스, 영국, 독일 그리고 우리나라의 이웃에 있는 일본까지도 개방과 관련된 외교협상에 있어서는 한 치의 양보도 이끌어낼 수 없는 상황이라는 점을 간과해서는 안 된다.

2008년 12월 WTO/DDA에 있어서도 주요 농산물 관세감축 수준을 보면 보리 민간품목의 경우 개도국이 273.6%의 감축을 요구했지만 선진국들은 248.4%의 감축을 요구해 개도국과의 차이가 거의 없는 수준이다. 신선과일 민감 품목의 경우에도 개도국이 39.3%

의 관세감축을 반영한 반면, 선진국은 36.5%를 욕해 선진국으로서의 역할을 다하지 못하고 있는 것이다.

또한 우리나라보다도 GDP가 높은 중국 등 여러 나라들은 WTO 개도국 지위를 절대 포기하지 않으려 하고 있다. 즉 무역에서 우위를 차지하기 위해서 중국이든 미국이든 일본이든 독일이든 그리고 우리나라든 눈에 보이지 않는 명예에 신경을 쓰기보다는 눈에 보이는 이득을 취하기 위해서 광분하는 모습을 보여주는 것이 현실이다. 그런 상황에서 WTO 개도국 지위 포기는 무역과 관련된 외교의 측면에서 바보 같은 짓이 아닐 수 없다.

그리고 그것은 지금의 문재인 정부에게 고스란히 정치적인 부담을 가져올 수밖에 없고, 실질적인 손해는 농업분야에서 농민들이 짊어져야 할 피해일 수밖에 없을 것이다. 그럼에도 불구하고 새로운 도전 혹은 선진국으로서 도약을 위해서는 농업에 대한 총체적 대안 마련이 무엇보다 절실한 상황이다.

개도국 지위 포기는 농산물 개방 폭에 당장 큰 변화가 일어나는 것은 아니지만 WTO가 협상을 본격화해 개도국 지위 포기를 받아들일 경우 외국농산물 수입의 대폭 확대는 필연적이다. 그동안 우리 농업은 개도국 지위를 통해 1조 원이 넘는 쌀 변동직불금과 513%라는 쌀 관세율을 유지할 수 있었다. 개도국 지위가 포기된 상황에서는 지금까지 받아왔던 관세율과 정부 보조금이 대폭 낮아질 것이며, 이로 인해 가뜩이나 어려운 농업에 직격탄을 맞을 것은 자명하게 예상된다.

언론의 위기감 조성

당시 연합뉴스, 매일경제, SBS, 헤럴드경제 등 우리나라의 유수 언론들이 도널드 트럼프 미국 대통령이 한국과 중국을 겨냥해 세계무역기구(WTO)가 개발도상국 지위를 규정하는 방식을 개정해야 한다고 주장, 한국의 통상에 비상이 걸렸다며 위기감을 부추기고 있다. 과다한 농산물 수입으로 농산물 가격이 폭락을 거듭하고 있지만 이에 대해 눈곱만치도 보도하지 않던 언론들이 이같이 보도하는 것을 보면 이례적이라고 할 수 있다. 특히 농산물시장가격이 높아지거나 쌀값이 회복된 것에는 물가 불안을 외치면서 개발도상국 지위 박탈에 대한 과도한 보도를 펼치고 있는 것이다.

외신을 인용한 연합뉴스 보도에 따르면 도널드 트럼프 미국 대통령은 백악관에서 기자간담회를 갖고 기자들의 질문에 답해 WTO가 개발도상국의 지위를 규정하는 방식을 바꿔야 한다고 밝혔다. 개발도상국에 대한 특별대우의 철회를 요구하면서 개발도상국으로 분류된 우리나라에도 위기감이 조성되고 있다는 내용이 보도의 핵심이다.

그러면 미국 대통령이 WTO에 개발도상국의 지위에 관한 규정 개정을 요구하면 그대로 개정되는 것인가? 이에 대해 농림축산식품부는 입장문을 통해 "미국은 그간 개도국 지위 관련, WTO 회원국들이 현재 누리고 있는 특혜를 포기하라는 것은 아니라는 입장을 밝혀왔다."며 한국과는 관련이 없다는 점을 밝히고 있다.

특히 WTO는 현재 농업분야를 포함한 WTO/DDA 협상이 회원국별 입장차가 상당함에 따라 10여 년 넘게 중단상태에 있으며 특히 농산물 관세 감축, 개도국 특별품목, 농업 보조금 감축 등에 대해서는 2008년 WTO 문서로 논의됐으나 농업협상이 사실상 중단된 상태다.

이를 보도한 언론은 미국이 분류하는 개도국 불인정 국가에 대해 우리나라가 모두 속해 있다며 긴장감을 부각하고 있다. 또 이들은 대외경제정책연구원의 자료를 이용해 평균관세율을 4.3%로 낮춰야 하며 농산물 관세율을 5년간 최대 70%까지 낮춰야 함은 물론, 농업보조금도 8,196억 원으로 절반 수준까지 낮춰야하는 등 현재 선진국이 세계무역시장에서 펼치고 있는 것을 실천해야 한다며 호들갑을 떨고 있다. 이 때문에 현재 수입쌀의 관세율이 513%인 것을 154%로 낮추는 것이 대책인 양 발표하고 있다.

이들의 보도는 아직도 농업에서 개방의 여지가 있으므로 수출시장의 확대를 위해 농업을 더 희생할 수 있다는 태도를 보여주는 것이다. WTO은 다자간 합의된 절차에 따라 시행되는 것이지 미국이 주장한다고 이뤄지는 것이 아니다. 균등한 시각으로 산업을 포함해 모든 계층의 권익을 반영해 보도해야 하는 것이 언론의 의무이자 방향이지 위기감을 부추겨 상업적 이익을 도모하거나 광고의 확대를 위해 대기업 경제연구소의 시각에 맞춰 보도하는 것은 문제가 있다는 것이 농민들의 시각이다.

물론 미국 등 선진국들이 연합해 개도국 지위에 대한 조정을 요구한다면 장기적으로 규정을 개정할 수는 있다. 그러나 WTO가 이에 대한 논의를 주요 안건으로 다루기도 전에 이같이 공포 분위기를 조성하는 것은 농업을 또 다시 다른 수출산업을 위해 이용하려는 것 아니냐는 의구심을 받을 수 있다. 설령 그렇더라도 내부적으로 개도국에 대한 새로운 기준에 대해 탄탄하게 논의를 마치고 그때 가서 대응할 일이지 국민을 대상으로 위기감을 조성할 일은 아니다.

이런 논리는 농민만의 논리 아닌가?

우루과이라운드협상에서부터 정치권과 행정, 경제계는 물론 일반 언론, 특히 경제지 등을 통해 1980년대부터 일관되게 주장해오던 논리가 있다. 수출로 먹고사는 나라가 시장개방을 해야지 이를 틀어막으려 하면 안 된다는 것이다. 또 식량자급률이란 수입해서라도 식량을 충당하면 식량자급을 달성한 것이라는 주장도 펼쳤다. 그런 가운데 정부의 통상교섭본부 등 대외 통상협상을 주도해온 관료들은 WTO가 출범하기 전 쌀까지 개방했고, 다른 품목들도 채소는 물론 축산 부문도 5~15년의 기간을 두고 관세율을 0으로 하는 개방협상을 단행했다.

이것으로도 모자라 정부는 IMF 구제금융을 받아들일 때 요구사항인 FTA 협상의 추진 조건도 받아들여 2000년대에 들어서서 칠레를 시작으로 미국, 중국, EU 등 전 세계에서 아프리카 일부, 남미 일부, 소비에트연방공화국에서 독립한 서북아시아 일부 국가를 제외하고는 대부분 FTA를 체결했다. 이것도 부족했던지 쌀 관세화를 추진했고, 결국에 가서는 WTO 개도국 지위까지 포기해 향후 세계적인 통상에 있어서 농업부문은 더 이상 개방할 영역이 없는 상태다.

그렇다고 정부가 농업 회생을 위한 정책마련에 적극적으로 노력을 했는가? 우루과이라운드협상이 진행되는 과정에 농어촌구조 개선사업이 추진됐으나 10년간 정부예산 42조와 농특세예산 15조를 포함해 57조를 투자한다고 발표했다. 그러나 그것을 분석해보면 1년에 평균 5조7,000억 원을 투입한다는 계획이며, 이것은 당시 보건복지부, 환경부, 내무부, 법무부, 산업부 등 기존 부서의 예산배정에 따른 증가율을 감안해 10년을 합쳐서 계산한 것에 불과하다. 다만 농특세를 신설해 10년간 15조 원의 추가예산까지 합쳐서 농어촌구조개선예산에 투입하기는 했지만 농업의 시장개방을 앞둔 구조개선 예산으로서는 결코 획기적인 규모는 아니었다.

특히 당시의 예산구조를 분석해 보면 경지정리, 지하수개발, 수로정비 등 농업기반조성예산이 절반에 가까운 것을 감안하면 나머지 예산에서도 실제 농어민이 혜택을 받는 예산의 비율은 15%를 약간 상회하는 구조였던 것이다. 더구나 농어촌구조개선사업의 일환으로 추진된 것이기 때문에 전업농 중심의 농민후계자 중심으로 예산이 배정돼 지원조차 일부에 치우치는 불평등 지원이 대부분이었다.

이후 한국은 IMF 구제금융 지원을 받으면서 농가부채는 엄청난 비율로 높아져 농민들이 농가부채 탕감을 주장하며 고속도로 점거 시위를 벌이는 일까지 발생했다. 그렇지만 정부는 FTA라는 양자 간 협상으로 농업의 시장개방을 더욱 가속화했다. 그렇지만 정부는 이에 상응한 대책을 마련한 것이 아니라 YS, DJ정부보다 못한 농업예산 규모로 농업을 방기했다.

농업부문 예산이 전체 국가예산의 9%가량을 차지하던 노무현 정부에서 이명박 정부에 들어서는 4% 아래로 떨어졌고, 박근혜 정부에 들어서는 2% 아래로, 특히 2016년의 경우에는 전년 대비 마이너스예산까지 수립했던 경험을 가지고 있다. 농업을 팔아먹고 전자, 핸드폰, 자동차 등을 팔아 수출시장을 넓혔으면 이에 상응하도록 농업에 투자를 강화했어야 하는 것 아닌가? 그러나 정부의 기재부와 정치권, 경제계 등은 농업에 투자하는 예산이 아까워 이를 계속방해하고 딴지를 걸고 있다.

특히 쌀 관세화 이후 한·중 FTA 비준을 위해 정치권과 경제계가 농민에게 벌인 사기행각은 다시 한 번 지적하지 않을 수 없다. 그것은 2015년 11월 중순 대한상공회의소 회장, 경영자총연합회장, 대한무역협회 회장, 중소기업중앙회 회장 등 경제 4개 단체 대표가 연서명한 성명서에서 수출로 이익을 본 기업이 1년에 1,000억 원씩 갹출해 10년간 1조 원을 조성하는 농어촌상생기금을 경제단체가 앞장서서 만들 테니 한·중 FTA를 비준해달라는 요구를 했다.

이후 2015년 11월 30일 국회 한·중 FTA 여야정(與野政) 협의체는 이 기금 조성에 대해 합의했다. 정치권과 정부가 농어촌상생기금의 조성을 전제로 한·중 FTA 비준을 추진한다는 내용으로 협의를 마친 것이다. 협의를 끝낸 국회는 협의 다음날인 2015년 12월 1일 바로 한·중FTA을 비준했다.

　그러나 2016년에 들어서서 국회는 농어촌상생기금의 조성에 필요한 법적 장치인 '자유무역협정 체결에 따른 농어업인 등의 지원에 관한 특별법 일부 개정 법률안'과 '대·중소기업 상생협력 촉진에 관한 법률 일부 개정 법률안', '조세특례제한법 일부 개정 법률안'을 국회 농림축산식품해양수산위원회, 산업통상자원위원회, 기획재정위원회에 각각 제출했다.

지역별 농가 및 농가 인구(2019년 기준)

구분	전체인구	농민수			농지(ha)		
		농가(천가구)	인구(천명)	비율(%)	2019년	1990년	비율(%P)
전국	51849	1007	2245	4.3	158만957	210만8812	-52만7855(25)
서울	9729	3	8	0.08	347	2574	-2227(86.5)
부산	3413	7	17	0.5	5408	8995	-3587(39.9)
대구	2438	16	39	1.6	7472	6857	615(8.9)
인천	2957	11	27	0.9	18244	6729	1만1515(171.1)
광주	1456	10	24	1.6	9252	1만7922	-8670(48.4)
대전	1474	9	21	1.4	3742	8788	-5046(57.4)
울산	1148	11	27	2.4	9977	-	-
세종	340	6	14	4.1	7588	-	-
경기	13239	109	282	2.1	16만181	27만6031	-11만5850(42)
강원	1541	67	149	9.7	100만756	14만1343	-4만587(28.7)
충북	1600	71	162	10.1	10만1900	15만2655	-5만755(33.2)
충남	2123	120	263	12.4	21만428	27만5794	-6만5366(23.7)
전북	1818	95	204	11.2	19만5191	24만610	-4만5419(18.9)
전남	1868	144	298	16	28만8249	33만741	-4만2492(12.8)
경북	2665	175	369	13.8	26만237	34만4965	-8만4728(24.6)
경남	3362	122	259	7.7	14만2946	23만6020	-9만3074(39.4)
제주	670	31	83	124	5만9039	5만4788	4251(7.8)

그러나 19대 국회 관련 3개 위원회는 19대 국회 임기가 종료되는 5월 29일까지 이 3개 법안을 논의는커녕 상정조차 한 적이 없어 자동 폐기됐다. 일간지, 경제지, 방송 등 언론도 재벌관계자의 말만을 빌려 준조세 운운하며 기금조성에 대해 훼방을 놓았다.

지금 농민들은 도시민의 소득과 격차가 40% 정도 난다. 그런 가운데 전업농 중심의 정부지원정책을 20년이 넘게 끌어왔기 때문에 농민들 가운데에서도 소득격차가 2~3배가 나고 있다는 점을 농업학자들은 지적하고 있다. 연간 소득이 1,000만 원 수준인 농민들이 절반 정도를 차지하고 있다는 점은 농촌에 기초생활보호자가 그만큼 많다는 이야기고 농업으로 삶을 영위하는 것이 매우 어렵다는 점을 지적하지 않을 수 없다.

아래의 표에서 보는 것과 같이 우리나라 인구가 5,184만여 명이지만 농가의 인구는 전체의 4.3%인 224만여 명에 불과하다. 농가수로 보면 100만 가구뿐이다. 농가수를 보면 농민으로 살아가기 이렇게 어려운 것을 단적으로 보여주는 것이다. 개방해야 산다며 개방하니 산업계와 정부는 농업-농촌-농민을 이용만 해먹고 외면해버린 것이다.

농민이 못사는 것은 기득권의 욕망 때문

고려시대든 조선시대든 농민이 못 사는 것은 통치자와 기득권 세력의 욕망 때문이었다. 조선시대 삼정의 문란 시기 농민들의 아픔은 국가 세금 제도를 권력자들이 악용했기 때문이고, 농가부채의 증가와 연대보증에 따른 야반도주로 이야기되는 현대사회 농민의 아픔은 통치자와 권력자, 기득권자들의 양보 없고 도움 없는 이해타산이 농업을 이런 상태로 만든 것이다.

삼정의 문란 시기, 모든 땅을 양반 등 지주계급에게 **빼**앗기고 과도한 세금과 고리대금으로 농민들이 살 수 없는 지경에 이르자 민란의 시대를 거쳐 동학혁명이 일어났듯이, 현대의 농촌도 부동산 투기로 부자와 기업, 고위공직자, 정치인 등 기득권 세력들이 헌법 경자유전(耕者有田)의 원칙을 어기고 투기하기 위해 농지를 소유하며 농업직불금을 강탈해 가는 상황은 거의 유사한 현상이다. 그러면서 농업은 개방해 수출산업만 키우는 바람에 농업소득은 일반 산업소득의 절반에 불과한 상태로 나락에 떨어지는 것이다.

농민운동의 변화와 먹거리운동

해방 후 농민단체

일제강점기 농민운동의 주축이었던 농민조합운동 세력들은 수리조합 반대운동 등을 전개하다가 1930년대 중반 이후에 일제의 강력한 탄압 때문에 활동을 중지하고 잠적했다. 그 후 이들은 1945년 광복 직후 각 지방에서 자연발생적으로 농민조합을 만들어 활동하다가, 1945년 12월 8일 전국적인 농민조합 연합체로서 남북한 지역의 대표 576명이 참석하여 전국농민조합총연맹을 결성하고 활동에 들어간다.

전국농민조합총연맹은 13개도에 도(道)연맹, 군(郡)단위에 188개 지부, 면(面)단위에 1,745개 지부를 두고 조합원 약 330만 명으로 구성됐다. 1946년 1월 31일 북한에도 전농 북조선연맹이 결성됐고, 같은 해 5월부터는 '북조선농민동맹'으로 개칭하여 전농으로부터 분리·독립됐는데 북한은 남한과 달리 정권의 비호를 받고 있었고, 남한은 이승만 정권의 탄압으로 어려운 상황으로 몰렸다.

전농은 결성대회에서 위원장, 부위원장 이하 6개 부장을 선출했는데 여기서 채택된 28개 당면 요구조건 중 중요한 것은 토지개혁과 3:7제 소작료 운동, 양곡수집령 반대 등이다. 그리고 결성대회에서는 다음과 같은 조직원칙을 결정했다.

①빈농을 중심으로 농민의 계급적 대중단체로 구성할 것 ②농민 조합의 강령을 승인하는 자로서 조직된다는 원칙을 기계적으로 인

식하지 말고 봉건지주와 싸우며, 또는 싸울 수 있는 농민이면 모두 가입시켜 어디까지나 광범한 대중조직이 돼야 할 것 ③동리(洞里) 분회를 기초조직으로 할 것 ④지역별 조직이 될 것 ⑤민주주의적 중앙집권제일 것 ⑥튼튼한 규율을 가질 것 ⑦다른 진보적 계급층과 진보적 단체와 협동하는 조직일 것 등이었다.

전농의 주된 활동내역은 3:7제 소작료 운동과 미군정의 양곡수집령 반대, 그리고 토지개혁 등이었다. 3:7제 소작료 운동은 미군정이 3:1제 소작령을 공포함으로써 사실상 3:7제 소작제 주장과 일치하게 됐다. 가장 기본적인 과제로 다뤘던 것은 토지개혁 문제였으나 처음부터 토지개혁운동을 본격적으로 전개한 것은 아니다. 가장 많이 전개하였던 운동은 양곡수집령 반대투쟁이었으며, 일제하 공출 제도와 같다며 전면적인 싸움을 전개했다. 1946년 10월 추수폭동도 이러한 맥락에서 나타난 것이다.

그러나 미군정이 들어서고 미군정의 지원을 받는 이승만이 1947년 8월 31일 이승만을 초대 총재로 하는 극우 농민조직인 대한독립촉성농민총연맹을 결성하고 전농 파괴 활동을 전개했다. 대한독립촉성농민총연맹은 대한독립촉성노동총연맹* 산하의 농민총국이 확대·발전되어 결성된 우익 농민운동조직이다.

*대한독립촉성노동총연맹(이하 대한노총)이란?
대한독립촉성노동총연맹은 조선노동조합전국평의회(이하 전평)이 주도하는 노동계를 와해시키기 위해 전진한(錢鎭漢) 중심의 대한독립촉성전국청년총연맹(이하 독청) 맹원들 주도로 1946년 3월 10일 결성됐다. "모든 번잡한 이론을 타파한다."고 한 선언문은 반공 의지를, 강령은 노자협조주의를 표명했다. 결성 당시 임원은 위원장 홍윤옥(洪允玉), 부위원장 김구(金龜)·이일청(李一靑), 서북사무국 권영빈(權寧彬), 총무부장 김종율(金鍾律), 조직부장 배창우(裵昌禹), 후생부장 김제희(金濟禧) 등이었고, 고문으로 이승만(李承晩), 김구(金九), 김규식(金奎植), 안재홍(安在鴻), 조소앙(趙素昻)을 추대했다.

대한노총에는 한국독립당계, 구국민당계, 이승만·한국민주당계 등 다양한 세력이 존재했지만 1946년 9월 총파업을 계기로 전진한 체제가 들어서면서 이승만·한국민주당계가 주도권을 장악했다. 지역별 체제를 근간으로 한 대한노총 조직체계는 지역별로 조직된 청년단과의 협력관계를 원활히 하는 데 효과적이었다. 정치적 목적에서 출발한 대한노총은 미군정, 우익정치인, 우익청년단, 경찰 등의 적극적인 지원을 받았다. 특히 좌익세력 파괴·와해 공작에서 대한노총과 경찰은 공조체제를 유지했다. 미군정은 법령 제97호(1946년 7월 23일)를 통해 대한노총 육성 의도를 명확히 했다. 전평이 주도한 1946년 9월 총파업과 1947년 3.22 총파업을 계기로 대한노총은 급속하게 세력을 확장했고, 1947년 후반부터는 좌익 소탕을 위한 건설대 활약으로 조직 확장에 박차를 가할 수 있었다.

이 과정에서 전평은 급속도로 와해되어 갔지만 1947년 말까지만 해도 대한노총 조합원은 아직 84,363명에 불과했다. 공산주의와 전평 타도라는 정치노선에 충실한 조직이었던 대한노총은 정부 수립 후 1948년 8월 26~27일 사이에 개최된 임시대의원대회에서 대한노동총연맹으로 개칭됐다.

이들은 ①대(對)공산당 투쟁 : 전국 좌익계의 농민운동조직인 '전국농민조합총연맹'의 파괴활동 ②소작쟁의 및 조정 : 전국에서 제기된 지주와 농민 사이의 소작쟁의, 미군정의 추곡수집과 관련한 분쟁, 신한공사(新韓公社)의 폐해를 둘러싼 갈등에 대한 조정과 해결 ③선거운동 : 각급 조직망을 통해 5.10 총선거에 농민들을 동원하여 투표에 참가하게 하고, 조직 간부 27명을 초대 제헌국회의원에 당선시킴 ④농지개혁의 추진 : 농지개혁에 대하여 좌익과 다른 대안의 제시 및 추진 ⑤농민계몽 : 농민계몽과 증산의욕 고취 ⑥농학촌(農學村)건설 운동 : 농촌지도자를 양성할 계획으로 각종 농민 교육기구를 조직, 농촌청년들을 훈련 ⑦농업도서출판 : 기관지 〈새농민〉등 간행·배포 ⑧초기 협동조합 운동 : 농민후생조합을 조직하고 비누 등 생활필수품을 직접 구입, 농촌에 싼값으로 배급 등의 활동을 전개했다.

대한독립촉성농민총연맹의 실질적인 활동은 대(對)공산당 투쟁을 명분으로 한 전국농민조합총연맹 파괴 활동과 소작쟁의 및 조정을 한다는 명목으로 미군정의 양곡정책을 지원하는 한편, 이승만의 선거조직원으로 활동하면서 조직 간부 27명을 제헌의회 의원으로 당선시키는 등 자신의 위상을 강화하기 위한 정치적 활동이 중심이었다. 이후 전농 등 실질적 농민단체 조직과 운동은 이승만과 군경의 지원을 받는 서북청년단, 대한독립촉성농민총연맹의 파괴공작으로 일제강점기와 같이 지하세계로 잠적하게 된다.

당시 전국농민조합총연맹을 인민위원회, 공산당 조직 등으로 왜곡하는 경우가 있으나 실질적으로 전농은 일제강점기 수리조합 반대운동과 물세 거부운동 등과 여기에서 발전한 독립운동까지 지하에서 벌인 지역조직의 일환으로 해방과정에서 농촌지역의 건국준비위원회 활동을 하던 여운형·조동호·최근우 등의 조선건국동맹 계열, 안재홍·이규갑·권태석 등의 신간회(新幹會) 계열, 정백 등의 장안파(長安派) 조선공산당 계열 등이 구분 없이 함께 활동하던 혼란의 시기라 조선공산당 계열로만 진단하는 것은 역사 왜곡이다.

한국전쟁 이후 농민단체

대한민국의 자생적 농민조직은 해방 후 이승만의 공작과 조직적인 파괴 작업으로 붕괴되어 갔고, 한국전쟁을 거치면서 멸족됐다고 볼 수 있다. 미군정 과정과 이승만 초대 대통령이 취임한 이후 일반적인 사회운동 조직과 함께 반공을 내세우지 않는 조직은 모두 파괴되었다.

독립운동 세력인 김구 선생을 암살한 것으로 추정되고, 노덕술을 통해 김원봉에게 살해 위협을 가했던 이승만은 그 선생들과 함께 활동했던 독립운동가들을 대부분 빨갱이로 몰아 살해하는 등의 폐해도 있었지만, 극우 농민조직인 대한독립촉성농민총연맹과 서북청년단 등 일종의 깡패조직을 통해 지역의 전농 조직원들에게 테러를 가하고 보도연맹 가입을 유도하는 등의 방식으로 결국에는 전쟁의 와중에 학살하는 과정도 있었던 것으로 2005년부터 활동했던 '진실·화해를 위한 과거사 정리위원회'의 조사를 통해 알려지고 있다.

◆4-H 조직은 1947년 미군정 시기 경기도지사 고문 앤더슨(Charles A. Anderson) 대령의 소개로 만들어진 관변단체로 출발한다.

반면 관변조직은 상황이 매우 다르다. 1947년 미군정 시기 경기도지사 고문 앤더슨(Charles A. Anderson) 대령이 도지사·군수 및 도내 유지들을 통해 소개해 만들어진 친미적 관변조직이 바로 미국 4-H 조직을 모방한 농촌청년구락부다. 이들 조직이 바로 1948년부터 '흥농회(興農會)', '농촌청년구락부(農村靑年俱樂部)' 등의 명칭으로 조직되기 시작했고, '경기도 농촌청년구락부연합회'가 결성되기까지 했다.

1950년 6.25 전쟁 직전

에는 경기도 내 구락부 수가 1,900여 개, 회원 수가 5만 명에 달했다. 그 뒤 6.25전쟁으로 인해 조직 작업이 중단됐다가, 1952년부터 당시 농림부와 내무부가 협력하여 이 운동을 전국적으로 보급했고, '한국4-H연맹'이 조직되기도 했다. 1954년에는 '전국4-H구락부중앙위원회'가 민간 주도로 결성됐다. 1956년에는 농림부와 각 도에 교도과를 두고 주로 4-H구락부를 육성하는 농촌청소년 행정이 시작됐다.

1957년 농촌진흥청의 전신인 농사원이 발족되었고, 농사원 교도국 청소년과에서 4-H를 관장했다. 박정희 쿠데타 이후 1962년에는 농촌진흥청이 발족되고, 1963년에는 '4-H 국제기술 교환훈련'에 처음 참가하게 된다. 1971년에는 제9차 아시아4-H지도자 세미나가 개최됐고, 박정희 정부 유신헌법 개정 이후인 1972년 새마을운동을 추진한다는 명목으로 4-H구락부를 새마을4-H구락부로 개칭했다. 1974년에는 한국4-H구락부중앙위원회가 한국4-H연맹으로 개편됐고, 1979년 새마을4-H후원회로 개칭됐다.

10.26으로 정권을 잡은 전두환은 새마을운동 조직을 분리해 나갔다. 정권 장악 초기 새마을운동 조직과는 별도로 정부 친위조직인 바르게살기운동본부를 조직화하면서 새마을운동중앙본부의 회장은 자신의 동생인 전경환에게 맡기고, 학생-청소년 조직은 1981년 새마을 청소년중앙연합회로 묶어 결성했으며, 지도자그룹(현 농촌지도자중앙연합회)은 1988년 한국4-H후원회로 편입시켜 조직화했다.

그런 과정에 과거 새마을청소년중앙연합회로 청년그룹이 분리되자 4-H 지도자 조직은 공중으로 붕 뜬 상태에서 몇 년간 방치되다가 일부는 4-H지도자협의회라는 명칭으로 남아 있었고, 일부는 1988년이 돼서야 4-H후원회로 편입된다. 박정희의 유신 정권 시절 4-H지도자협의회가 새마을지도자협의회로 편입됐으나 전두환 정부 시절 새마을운동지도자협의회와 4-H후원회로 갈라진 것이다.

당시 수원 농민회관은 박정희 정부에서 새마을지도자 교육을 하던 곳인데 갑자기 사망하는 바람에 수원 농민회관의 재산권이나 관할하던 조직이 어떤 곳인지 법적으로 규명이 안 된 상태다. 그러나 지금은 4-H 지도자 조직이 농촌지도자로 변신해 전두환 정권에서 새마을 지도자 교육을 하던 수원의 농민회관의 소유 단체가 되어 있다.

1987년 개헌 이후 4-H 조직은 청년조직인 4-H연합회와 4-H후원회 등으로 양립했다. 1990년 한국4-H회관이 건립됐고, 1991년 행정구역 단위 4-H회를 직능단위로 조직개편, 1997년 농촌청소년문화연구소 발족, 1999년 한국4-H지도교사협의회 발족, 2001년 한국4-H본부로 개칭하는 등의 역사를 가지고 있다.

민간 농업연구소의 부침

이런 과정에 민간에서는 진보적인 농업연구 민간조직이 결성되는데 그것은 바로 지금은 한국농어촌사회연구소로 알려진 '한국농업문제연구소'다. 1956년 설립된 한국농업문제연구소는 1958년 진보당 사건으로 해체된다. 일부 진보 세력 중심으로 농업에 대한 민간연구가 이뤄진 농업문제연구소는 해체됐으나 1960년대 초반, 중반, 1970년대 초반 한국농촌근대화연구소, 한국농어촌사회연구소 등 여러 이름으로 창립과 해체가 반복되다 지금에 이르고 있다.

한국농어촌사회연구소는 한국민족민주운동의 산실이라 할 수 있다. 1956년 '한국농업문제연구회'로 첫 걸음을 떼었으나 1958년 진보당 사건, 1964년 인혁당 사건, 1968년 통혁당 사건, 1979년 남민전 사건을 거치면서 연구소 간판을 여러 번 내려야 했다.

한국 민주화 운동의 큰 사건에는 항상 농어연이 있었다. 연구소의 공채 1기로 들어왔던 분이 『민족경제론』을 주창하셨던 박현채 선생님이다. 여러 과정을 거치면서 1965년에 '한국농업근대화연구회'로 개명했고, 1985년부터 현재의 '한국농어촌사회연구소'로 자리 잡았다.

◆'민족경제론'을 주창했고, 책으로도 펴냈던 경제학자 박현채 선생.

연구소는 단순히 '농업'만이 아니라 농사라는 행위를 둘러싼 환경과 생태, 건강, 소비자와 생산자의 관계, 농촌사회에 대한 문제까지 종합적으로 다루고 있었다. 연구 결과는 계간지 <농민과 사회>와 월간지 <흙내>로 발간되며 그 외에 단행본도 꾸준히 발간하고 있다. 또한 현장과 연결된 실천적 연구를 중요하게 여겨 실제 농촌 현장에 들어가 대안을 만들고, 농민과 소비자를 대상으로 하는 강좌도 진행하고 있다.

UR 과정의 농민단체 구성과 투쟁

1986년 9월 우루과이 푼타델에스테에서는 GATT(관세 및 무역에 관한 협정) 각료회담이 열렸다. 이 회담에서는 미국 등 선진국들의 요구로 국제교역에서의 시장개방 확대, GATT 체제 및 규율 강화, 농산물 서비스와 지적 재산권 분야에 대한 국제규범 제정을 통해 새로운 세계교역 질서를 창설할 목적으로 협상을 시작하자는 주장이 통과됐다. UR 협상은 1940년대부터 미국, 영국 등 강대국들이 서서히 추진해 오던 시장개방의 압력을 더욱 강하게 밀어붙이겠다는 의도가 반영된 것이다.

당시는 1980년 전두환이 대통령이 된 후 농촌의 민심을 잡기 위해 부정 축재자들의 자금을 환수해서 농어민후계자를 육성하겠다는 정책이 시작된 지 8년 정도 된 상태였지만 박정희 정부부터 5공화국까지 시행하던 농산물 저가 정책으로 이농은 급격히 늘어나고 농가의 부채는 늘어 농가 인구가 급속히 줄던 시기다. 전두환의 동생 전경환이 호주에서 무리하게 소를 과잉 수입해 소 값 폭락이 오는 등 소, 돼지, 버섯, 채소 등은 3~5년 주기로 폭락을 거듭하고 야반도주로 공장에 취업하기 위해 도시의 판자촌으로 이농이 이어지던 시기이기도 하다.

당시 농어민후계자 지원 자금으로 700만~800만 원의 지원을 받아 영농을 규모화하던 농어민후계자들은 UR 협상으로 시장이 개방된다는 소식에 농업을 농사 잘 짓는 것만으로는 안 된다는 사실을 깨달은 것이다. 이에 이들은 1987년 농어민후계자들의 전국 조직화를 추진했다.

함평 고구마 사건으로 농민운동의 성과를 거둔 바 있는 한국가톨릭농민회와 오원춘 사건으로 농민운동의 가치를 깨달은 기독교농민회와 전국농민협회 등 분산된 민간 농민단체들도 이 상태로 UR

의 파고를 막는다는 것은 한계가 있다는 점을 느끼고 민간 농민운동조직의 통합을 추진했다. 그래서 통합된 조직이 바로 1988년 전국농민회총연맹이다.

품목별 농민조직으로 느슨한 형태의 농민단체 연합조직의 결성에 나섰다. 1988년 축산조직인 대한양계협회, 한국종축개량협회, 한국낙농육우협회, 대한양돈협회 등과 품목조직인 포도협회 한국화훼협회, 과수협회 등과 전국농업기술자협회, 농촌지도자중앙연합회 등 중앙조직만 있던 품목조직들이 연합형태의 한국농민단체협의회를 구성해 의견을 모아나갔다.

농민단체의 전환

1987년 12월 9일, 전국농어민후계자협의회(현 한국농업경영인중앙연합회)가 창립총회를 열어 출범했고, 1990년 4월 24일에는 전국농민협회, 한국가톨릭농민회, 한국기독교농민회 등을 통합해 전국농민회총연맹을 결성했다. 1990년 후반에는 품목조직과 한농연, 전농 등을 포괄하는 농민단체의 연대조직으로 전국농민단체협의회가 결성됐다. 명실상부한 농민들의 단일대오가 형성된 것이다.

이런 과정에 이경해 전후협(한농연) 2대 회장은 1990년 가을 제네바 GATT 앞에서 단식투쟁을 벌이다가 "UR 협상에서 농업을 빼라. 아니면 협상을 중단하라."며 할복을 했다. 이 사건은 정부에 크게 영향을 미쳤고 예산을 반영해 농업구조 개선사업을 추진하게 하는 계기를 만들었다. 당시 전후협과 전농은 회장단은 물론, 사무국까지 모두 함께 연대해 집회나 토론회를 공동으로 개최하는 등 활발한 연대활동을 벌였다.

특히 1990~1997년까지는 한농연과 전농 중심으로 UR 및 쌀 개방 반대투쟁, 농촌회생대책수립 요구 집회 등을 전개했다. 1998~2001년에도 강력한 농민단체의 집회가 계속되는데 IMF의 영향으로 진행되는 FTA 반대 투쟁과 IMF로 급증하는 농가부채 탕감을 요구하는 집회도 연대로 이뤄지게 된다.

더구나 제2차 다자간 협상인 WTO/DDA(도하개발협상)이 진행되는 상황이어서 농민단체들은 더욱 강력한 조직 강화가 요구되는 시기였고, 합숙토론과 해외집회 참석까지 추진하는 전국농민연대로 농민단체 조직을 더욱 공고히 다진다.

그리고 2003년 3월 WTO/DDA 협상과 FTA 저지를 위한 강력한 전국농민연대를 조직화한 것이다.

한국가톨릭농민회 회장 송남수, 전국농업기술자협회 회장 강춘성, 전국농민회총연맹 의장 정현찬, 전국여성농민회총연합 회장 윤금순, 한국여성농업인중앙연합회 회장 김인호, 한국농업경영인중앙연합회 회장 서정의 등이 여기에 동참했다. 이후 전국농민연대는 홍콩, 시애틀, 칸쿤 등 WTO 각료회의 저지를 위한 원정 투쟁단을 구성해 파견했다.

2003년 9월 멕시코 칸쿤의 WTO 각료회의장 앞에서 이경해 열사가 자결하는 사건이 발생한다. 이후 브릭스 5개국(러시아, 인도, 중국, 남아공, 브라질)과 세계 농민연대조직의 활동이 강화되자 WTO/DDA 협상은 지리멸렬해졌다. 그러자 미국 등 선진국들은 다자간(WTO)에서 양자간(FTA) 협상으로 방향을 전환해 버린다. 그런 와중에 2011년 3월 농민연대는 농단협 단체까지 통합한 강력한 한국농민연대를 결성한다.

농민단체의 분열

우리는 2013년~2017년 4월까지 박근혜 정부를 경험한다. 박근
혜 대통령은 2016년 말부터 국정농단에 대한 탄핵 과정이 시작돼
대통령직을 물러나게 된다. 2017년 5월 선거를 통해 19대 대통령
에 문재인 후보가 당선돼 현재에 이르고 있다.

그런데 정권교체 후 국정농단을 파헤치기 위해 조사한 내용에 따
르면 문화체육관광부에서는 각종 블랙리스트로 국민을 차별하고
음성적으로 수사하는 것은 물론, 개인적인 불이익까지 줬다. 문화·
예술계는 물론 방송계, 체육계 등 여러 영역에서 블랙리스트를 만
들어 그들을 뒷조사하고 불이익을 줬다.

노동계도 전교조를 불법화하고 사회 각계를 종북 세력으로 몰아
사회에서 격리시키는 조치를 취했다.

그런 가운데 농업계도 비슷한 일이 발생했다. 2012년 말~2013
년 초 보수적인 일부 농민단체 대표들이 전체 농민단체들이 단일
대오로 모인 농민연대 회의에서 진보적 농민단체를 '빨갱이'로 공
격하고, 탈퇴를 요구하는 사건이 발생한 것이다. 박근혜 정부 초기
의 상황이었다.

2013년은 쌀 관세화와 한·중 FTA의 비준이 필요한 시기이고, 이
런 상황에서 농민들의 데모는 상당히 격화될 것이 예상되는 상황이
었다. 그런 중요한 시기에 한농연중앙연합회 K모씨, 전국농업기술
자협회 Y모씨, 한국화훼협회 L모씨 등 일부 농민단체 대표자들은
WTO/DDA 협상의 반대를 위해 해외 원정 집회까지 강행하는 단
단한 농민단체의 연합체로 결성된 농민연대에서 진보적 농민단체
를 쫓아내려 했다.

하지만 몇 차례의 회의에도 전농, 전여농, 가농, 친농연 등 농민
단체들이 탈퇴하지 않자 당시 회장을 맡고 있던 L모씨가 해체를 선

언하게 된 것이다. 당시 이를 뒤에서 조정하던 정부의 일부 관료는 농민단체 블랙리스트를 갖고 있으면서 이를 조정했다는 후일담을 '농민의 길' 관계자인 P모씨는 이야기하고 있다.

이를 주도했던 한농연중앙연합회의 K모 회장은 2011년 12월초 1면에 실린 조선일보 기자와의 인터뷰에서 "우리나라는 통상(通商)으로 먹고사는 나라인데 (FTA를) 안 할 수 없다."고 주장하면서 "지금은 머리띠 두른다고 될 문제가 아니다."라고 밝혀 전국 농민들의 공분을 산 일이 있는 인사다.

이렇게 전국농민연대가 해체되면서 5개 진보적 농민단체를 뺀 나머지 농민단체들로 2013년 11월 한국농축산연합회를 결성했고, 전국농민회총연맹, 전국여성농민총연합, 한국가톨릭농민회, 친환경농업인연합회 등 5개 단체는 2014년 9월 '국민과 함께하는 농민의 길(약칭 농민의 길)'로 새로운 연대조직을 꾸렸다. 보수와 진보를 떠나 20년이 넘도록 함께 단결해온 농민단체들이 분열된 것이다.

분열의 원인은?

당시 정부가 일부 보수적인 농민단체 대표들을 이용해 농민조직의 분열을 모색한 것은 통합진보당 해산보다 훨씬 이전의 일이다. 통합진보당을 종북 세력이란 명분으로 정부가 해산을 청구한 2013년 11월, 헌법재판소에 제기한 것을 보면 농민단체의 종북 논란으로 빚어진 농민단체 분열 사태는 농민단체 일부 대표자들의 잘못뿐만 아니라 정부의 일련의 움직임에 대해서 지금이라도 그 경위를 조사해야 할 필요가 있다. 통합진보당은 2014년 12월 헌재의 판결이 나서 바로 해체됐다.

농민단체의 분열 이후 2020년 9월 현재의 상황을 보면 '농민의 길' 농민단체가 더욱 농정대안에 적극적이며, 정치적 영향력도 더 크다.

농민연대가 분열된 원인은 무엇인가?

그것은 우선 ①농민단체 일부 극우 성향 회장단의 일탈에 있다고 볼 수 있다. 당시 한농연 등 대다수의 농민단체 대표들은 진보적이고 똑똑한 회원들이 대부분 회장단으로 활동을 거쳐 간 상황이어서 명석한 회장 자원의 부족으로 지역 브로커나 지역 깡패 수준의 왈패가 지역회장을 거쳐 도(道)와 중앙의 임원으로 상당히 많은 수가 올라오고 있던 시절이다. 농기협, 지도자연합회 등도 극우 성향 인사들의 회장 진입이 많았던 때다. 또 ②전농 일부 회원의 민노당-통합진보당 활동 등으로 정치적 성향이 선거와 직접 맞닿아 있고, 이 정당의 강령과는 다르게 움직일 수 없었던 상황인 점도 전농 등 농민단체들이 교조적으로 움직일 수밖에 없어서 보수적 단체와 갈등을 빚을 수 있는 상황이었다. 아울러 윗선의 지시였는지는 모르지만 농림축산식품부의 일부 관료들의 일탈로 ③정부의 종북 세력 블랙리스트까지 작용했다는 농민의 길 관계자들의 의견도 있다.

특히 농민단체의 부정선거와 부정부패로 농민단체 회원들의 정서를 모으는 여론수렴 시스템이 고장 난 것도 원인으로 지적된다. 농민단체는 ④농민단체 운영과 선거의 부패(회장단 선거에 돈 선거 만연) 등으로 단체에 따라 다르기는 하지만 인성과 능력이 제대로 된 농민단체장들의 선발에 어려움을 겪고 있다. 이런 원인이 농민단체 분열의 원인으로 분석된다. 이를 개선(개혁)하기 위해서는 시민사회단체들의 농민단체 선거 감시가 절실하다.

농민단체도 개혁해야

농민단체는 분야별, 영역별, 계층별 농민을 대표하는 대의적 기능을 하는 조직이기에 정부와 정책 협의를 하든, 대정부 투쟁을 하든 현장 농민들의 여론을 담아 활동을 해야 한다.

그러나 언제부터인가 농민단체들도 정치화되고 계급화되어 현장 농민들의 목소리를 담아내는 것이 아니라 조직의 임원으로 진출한 그 신분을 이용해 조합장, 기초·광역의회 등에 도전하거나 해당 조직의 예산만 축내는 등 브로커와 같은 역할을 하는 인사들이 많아져 농민운동에 역행하는 경우가 많이 발생하고 있다.

물론 능력이 있어서 농협 조합장이나 지방의회 의원으로 당선돼 농정을 견인하고 농민의 권익을 잘 대변하는 선출직 당선자들도 있지만 세월이 흐를수록 출마자나 농민단체 대표들의 수준이 떨어지고 사익만 추구하는 것을 볼 수 있다.

농민단체의 적폐라고 불릴 만한 이런 현상은 점차 확산되고 있다. 농민단체가 그런 데는 몇 가지 원인이 있다. 우선 농민단체장 선거가 흙탕물이다. 농민단체장 선거도 과거 농협 선거와 마찬가지로 돈 선거인 것은 농민단체 관계자들이면 누구나 아는 상황이다. 돈으로 당선됐기에 재임하면서 그 돈을 다시 채우려는 의도가 있다는 것이 일반적인 분석이다.

농협과 관련된 선거를 선거관리위원회에 위탁했던 것은 농협 선거가 돈 선거로 전락했다는 비판을 받게 되자 이를 개선하기 위해 결정한 고육지책이었듯이 농민단체장 선거도 이젠 바로잡아야 할 때다.

또 농민의 인구에서 후계세대는 점점 줄어들고 있다. 그 가운데 농민단체의 대표자들로 참여하는 사람들이 과거 4-H조직을 통해 농업경영인 조직으로, 또 다시 농촌지도자 조직으로 갈아타고 정치적 성향의 사람들이 조직 대표로 몰리면서 브로커 역할을 하거나 사익만을 추구하는 경우가 많아졌다는 것이다. 일부이지만 품목별 조직도 마찬가지라는 것이 농민단체 관계자들의 이야기다.

농협 조합장 선거가 3당(當)2락(落)이라고, 조합원에게 3억 원을 뿌리면 당선되고 2억 원을 뿌리면 떨어진다고 공식화된 것처럼 회자되던 이야기는 결국 이를 선관위 위탁으로 바꾸게 된 계기가 된 것이다.

이와 함께 한농연, 전농, 농촌지도자, 4-H본부, 생활개선회 등 큰 농민단체들은 대부분 신문사 등의 대주주로 엄청난 특권을 행사하고 있다. 건전하게 운영되는 상당수 조직도 있지만 자산이 많은 이들 농민단체들은 대표자의 일부가 단체의 자산을 불법으로 활용한 사례도 있고, 일부는 이 때문에 검찰에 고발돼 재판에까지 회부된 적도 있다.

또 어떤 경우에는 단체의 대표자이면서도 농민운동이 아니라 그 직위를 이용해 관련 조직의 직원 월급을 주지 않거나 출장비를 지불하지 않는 등 노동법을 어기는 경우가 있기도 하고, 조직의 예산으로 기준도 없이 외유성 해외연수를 떠나는 것은 물론 이사와 감사 출몰수당을 올려 사익만 챙기는 경우도 허다하다.

농민단체가 교조화된 것도 문제다. 어느 농민단체 전(前) 대표자는 전농과 전여농 등 일부단체를 종북 세력으로 몰아 농민연대로 뭉친 농민단체의 연대조직을 깨고 친정부적 농민연대조직으로 탈바꿈한 경력도 있다. 농민연대의 와해 때문인지는 모르지만 농민회와 여성농민회 등도 민주노동당에 참여한 이후 정치노선에서 중도적 농민층을 배제하는 성향이 강해졌다.

1990년대만 하더라도 농민조직이 가톨릭계열, 기독교계열, 민간계열이 뭉쳐 전국농민회총연맹이 출범하고, 농민후계자 조직이 전국 조직으로 성장하면서 전농과 한농연이 공동전선을 구축해 농민운동을 함께 벌여왔지만 최근 들어서는 대안농정그룹, 행복농정연대 등을 통해 연대는 하면서도 농어업회의소, 유통개혁 등에서는 서로 다른 입장을 보이며 갈등하고 있다.

현재는 이슈별로 농민단체가 연대하고 있지만 실질적으로 한 목소리를 내야 농정 당국에 개혁을 요구할 수 있다. 농민조직의 개혁과 연대는 가장 필요한 과제다. 농민단체의 총체적인 혁신이 중요한 때다. 최근에는 상당수의 농민단체들이 농업 언론을 소유하고 있다. 농업 전문지가 일정 부분의 수익을 올리고 있는 것이 현실이고, 농민단체 대표자들로 소양이 부족한 회장단이 올라오면서 농업 전문지의 방향을 왜곡하는 문제도 발생한다.

농민단체 임원이면서 농업 전문지의 임원도 겸하고 있기 때문에 이들이 농업 전문지의 경영을 훼손하는 것은 물론, 신문사 예산으로 수천만 원이나 들여 해외연수를 떠나기도 하고, 이사·감사들은 예산을 흥청망청 쓴다. 뿐만 아니다. 신문을 통해 지역에서 억지 성격의 농자재 사고를 만들어 농자재 회사에게 협박을 가하기도 하고, 신문사의 기사 기조를 해치는 것은 물론 인사에 개입해 물의를 빚기도 한다. 심할 경우에는 기자들을 마음대로 부리면서도 자신의 마음에 들지 않는다고 징계를 하거나 10년 동안 승진도 시키지 않고, 봉급도 마음대로 깎는 등 노동법 위반도 서슴지 않는 사례가 매우 많다. 회장만 바뀌면 편집국장이 바뀌기도 한다. 어떤 경우에는 3년간 월급을 주지 않아 노동위원회에 제소해서 기자가 승소한 사례도 있다.

농민단체 임원들 중에는 자신의 사익을 위해 이쪽 농민단체에서 활동하다가 퇴임하면 다른 농민단체로 가서 다시 임원으로 활동하는 경우가 더러 있다. 한농연중앙연합회 임원을 거치면 농촌지도자연합회 임원으로 옮겨가거나 도(道)단위 농업단체협의회의 임원을 맡는 사례가 많다. 그런데 그들 중에는 한 농민단체에서 임원으로

누려왔던 단맛(나쁜 관행)을 버리지 못하고 또 다른 농민단체로 와서 다시 조직을 망가뜨리는 인사들도 존재한다.

물론 몇 개의 농민단체를 거치면서도 물의 없이 농민운동을 전개하는 인사도 있다. 그러나 여러 농민단체를 거치는 상당수의 인사들이 이사·감사로서 기자들을 괴롭히거나 신문사의 거머리가 되는 경우가 많다. A씨는 한농연 지역 임원을 거쳐 지도자 회장을 했는데 조직의 농지를 팔아 임원들끼리 나눠 먹은 것이 발각돼 법의 심판을 받은 바 있고, B씨는 한농연 지역 임원이었다가 지도자 회장으로 갔으나 직무 정리를 받은 바 있고, 한농연 감사를 했던 C씨는 지도자연합회 지역 회장을 맡아 조직을 흔들었다.

농민단체에서 악행이 검증된 브로커 농민 대표들은 다른 농민단체의 물을 흐리지 않도록 건실한 시민사회단체를 통한 조직 개혁의 노력이 절실하다.

농민운동의 전환기를 맞아

2013년을 전후해서 농민단체들이 분열됐지만 농업을 둘러싼 민간조직은 새로운 전기를 맞고 있었다. 1960년대부터 결성과 해체를 거듭해온 한국농어촌사회연구소의 현장 연구가 1980년대까지 돋보였지만 1980년 설립된 한국농축수산유통연구원*은 2000년대 초반까지 한국농업에서 유통의 연구로 한국 농업유통의 한 획을 그었던 민간연구소다.

*한국농축산유통연구원은?
1980년 4월 28일에 설립한 전국농업기술자협회 부설 농산물유통연구소에서 출발한다. 당시 고(故) 류달영 박사가 전국농업기술자협회 총재로서 농산물유통연구소장을 겸하고 있었고, 김병태 교수, 김성훈 교수가 연구위원으로 참여했다. 농산물유통연구소는 농산물유통정보지를 발간했는데 그 정보지가 현재

한국농어민신문의 모태다. 농산물 유통정보가 없던 당시로서는 시장에서 일일이 도매시장 유통가격을 조사해 연구했고, 경매 전환 후에는 경매가격을 그대로 정보지에 게재해 농민들에게 획기적인 자료를 제공했다. 우리나라 유통 연구의 시발점으로 볼 수 있다. 1984년 농산물유통연구소는 전국농업기술자협회 부설에서 한국농축수산유통연구원으로 사단법인을 만들어 확대 개편됐다. 이후 연구원은 전국농어민후계자협의회(현 한농연)와 공동출자를 통해 1990년 4월 한국농어민신문을 재창간해 활동해 왔으나 2002년경 해체됐다.

이후 2000년을 전후로 해서 민간 연구조직이 많이 탄생하는데 전환기 시대 농정과 지방농정, 지역정책 등을 주제로 한 조직들이 많이 나타난다. 우루과이라운드협상이 끝나고 WTO시대를 맞아 새로운 전환기 농정의 필요성이 대두되고 지역 특성에 맞는 자주적 농정의 필요성이 제기되면서 이를 논의하려던 흐름이었는데 지금까지 지속되고 있으며 농정의 새로운 아이디어를 제공하고 있다.

그 사례를 보면 UR 협상이 끝날 무렵 정영일 서울대 교수 등 중견 및 소장학자들이 WTO 시대에 변화되는 시장개방의 파고 속에 1992년 11월 새로운 농정에 대한 공동의 연구를 해보자는 뜻을 모았고, 1993년 6월 봉천동에서 첫 토론회가 시작된 농정연구포럼이 그것의 출발이라고 볼 수 있다.

이 포럼은 1993년 12월 '농정연구센터'라는 이름으로 농림축산식품부 산하 사단법인으로 등록했다. 농정연구센터는 농정의 전환을 비롯하여 농어촌 기반사업, 시설원예사업의 변화, 농지법 제정 관련 논의 등 당시 전환기 농정의 방향을 제시했다.

1998년 9월에 설립한 지역농업네트워크도 새로운 농정의 전환을 모색하는 데 많은 아이디어를 제공했을 뿐만 아니라 지역재단 등 다양한 민간 농업조직의 연대를 통해 대안농정에 대한 논의를 시작하는 등 기여한 바가 크다. 지금은 전국적으로 권역별 지역농업네트워크협동조합을 형성하고 이들이 연합회의 성격으로 뭉치는 협동조합 조직으로 활동을 하고 있다.

2003년 10월 13일 설립 허가된 대한민국 농림축산식품부 소관의 지역재단도 민간 농업연구조직으로서 다양한 활동을 벌이고 있다. 1998년 지역문제를 연구하는 학자들과 실천하는 현장 활동가들이 '지역을 생각하는 모임'을 만든 것이 모태가 됐다. '지역을 생각하는 모임'은 전국의 지역발전 우수 현장들을 견학하며 지역 리더들과 폭넓은 토론의 기회를 가져 매년 지역 리더상을 수여하며 지역 리더를 양성함은 물론, 동시에 주요 선진국의 지역발전정책을 연구하고 현지를 직접 답사함으로써 현장성 높은 정책의 발굴을 위해 노력하고 있다. 이후 2004년 보다 더 많은 사람들과 지역을 활성화시키고자 하는 마음으로 '지역재단'을 창립했다. 지역재단은 '지역이 주체적인 힘으로 미래를 개척해나갈 수 있도록 올바른 발전전략을 제시하고, 이를 주도할 지역 리더의 역량 강화를 지원하는 것'에 목표를 두고 있다.

　이제 농업문제는 농민의 문제로만 풀 수 없으므로 농업문제를 소비자, 노동계, 시민사회 활동가, 급식 관련 교육계, 먹거리 폐기와 관련된 환경전문가, 안전성과 관련된 보건계 등 다양한 국민계층이 함께해야 한다는 목적으로 2008년 6월 출범된 국민농업포럼도 농업계에 많은 영향을 미쳤다.

　이밖에 프랑스 리더스 프로그램의 한국형을 추구하기 위해 농촌 어메니티를 통한 농촌의 가치를 살려 농촌을 개발하자는 내용을 추진하는 지역아카데미(1999년 설립), 지역활성화센터(2002년 설립), 생생협동조합(1998년 설립) 등도 2000년대 초반에 생겨 국민농업과 지역농업에 대한 다양한 고민을 연구했던 민간 조직이다.

민간 농업연구조직의 대안농정 운동

이런 조직들이 개별적 움직임만 보이는 것이 아니라 연대를 통해 전환기 시대 대안농정을 함께 고민하는 지방농정과 먹거리운동의 새로운 움직임이 등장한다.

지역재단, 지역아카데미, 지역재단, 지역농업네트워크, 지역활성화센터, 한국협동조합연구소 등의 활동가들이 등장하면서 지역 특성에 맞는 자주적 농정의 필요성이 제기된다.

이를 통해 무상급식을 통한 먹거리선순환 운동이 제기된다. 그동안 농민단체 중심의 농정개혁 요구의 운동에서 민간 농업연구조직의 중재로 농민단체와 한살림, 생협, 먹거리운동단체 등과 함께 먹거리운동의 새로운 전기가 마련된다.

전농 산하연구원 격인 녀름, 한농연과 농촌지도자 정책실 등 농민단체 정책실을 포함해 이들 조직은 2011년부터 매년 대안농정대토론회를 개최하고 정부와 국책연구기관이 미처 쫓아오지 못하고 있는 정책대안을 모색해 왔다. 대안농정대토론회는 2017년까지 이어져 정부와 대통령 후보에게 대안농정을 농정공약에 반영하도록 제안해 왔다.

이런 노력의 결과 친환경무상급식국민연대, 한살림, 아이쿱생협, 희망먹거리네트워크, 식생활교육국민네트워크 등의 생협과 시민사회단체가 농민단체와 함께하는 운동으로 발전하기도 했다.

2019년 11월에는 농민단체, 생협단체, 시민사회단체 등 26개 단체가 함께하는 '전국먹거리연대'가 출범해 지역푸드플랜의 정책화를 운동 목표로 삼았다. 농정+지역정책+먹거리안전관리+식량 환경개선 등을 통합적으로 다룰 수 있도록 ▲푸드플랜의 올바른 정착 및 확대 ▲건강한 먹거리의 공공화·사회화 ▲도시와 농촌 연대와 상생을 통한 지속 가능한 지역사회 건설 추진을 선언하는 등의 활동도 전개했다. 최근에는 차홍도 목사를 상임대표로 하는 농민기본소득추진운동본부가 활동을 벌이고 있다.

푸드플랜 운동과 정책 반영 등에 참여한 단체는 가톨릭농민회, 국제슬로푸드한국협회, 두레생협, 로컬푸드전국네트워크, 시민방사능감시센터, 식생활교육전국네트워크, 우리밀살리기운동본부, 전국여성농민회총연합, 전국친환경농업인연합회, 지역상생포럼(준), 지역재단, 토종씨드림, 청년농업인연합회, 친환경무상급식풀뿌리국민연대, 한국농업경영인중앙연합회, 한국친환경농업협회, 한국친환경가공생산자연합회, 한살림연합, 행복중심생협, 환경농업단체연합회, 희망먹거리네트워크, GMO반대전국행동, 전북먹거리연대(준), 충남먹거리연대(준) 등 엄청난 규모다. 민간연구조직과 농민단체, 소비자 및 생협 조직, 먹거리 관련 조직, 기본운동 조직 등이 참여하고 있다.

이런 대안농정운동은 시민사회단체와 정치권에 영향을 미쳐 농민운동과 농업정책의 대전환을 모색하는 계기가 됐다.

특히 2017년 대선에서는 여러 후보 진영에서 대안농정을 대선공약으로 받아들이는 효과까지 생겨 농정 틀의 전환과 공익형직불제와 먹거리 정책을 반영한 시민사회의 운동방향 전환과 정치권의 움직임이 가시화됐다.

무상급식 운동의 격랑과 지역푸드플랜

지역푸드플랜 운동이 범국민적으로 확산되기까지 다양한 과거 경험이 있다. 2012년 김상곤 경기도 교육감이 학교 무상급식 도입을 발표했다. 그러나 2011년 8월에는 당시 오세훈 서울시장이 무상급식에 대한 주민투표를 붙이는 정치공세로 파국을 겪었고, 2013

년에는 홍준표 경남도지사와 김문수 경기도지사가 무상급식 예산을 전액 삭감하는 사태도 있었다.

이에 따라 영남과 경기도에서 학교 급식이 중단되는 사태를 맞았고, 이에 따른 광역자치단체와 무상급식을 추진하는 사민사회단체와의 갈등이 심화되는 때를 맞기도 한다. 이에 전국의 먹거리운동가들은 일제히 무상급식의 추진을 요구했다.

유럽과 미국 등 선진국들은 공공급식을 국가비용으로 치르며 먹거리선순환을 이뤄 중소농의 소득증대와 더불어 소비자들의 안전과 건강을 이루려는 정책이 추진되고 있는데 우리나라는 정치 문제로 희화화된 것이다.

세계적 흐름을 반영한 급식 정책이 정치 이슈화되고 쓸데없는 소모전으로 국력을 낭비하는 일이 발생했던 것이다.

당시 전 세계는 2006~2007년의 세계적인 흉작으로 식량의 부족 사태가 발생해 37개국에서 폭동이 일어나고 심할 경우 정권까지 무너지는 사태가 발생한 후 유엔에서 식량주권과 인간의 먹거리 기본권 선언이 있었던 시절이었다.

식량문제는 인간의 기본권으로 시작되는 것이어서 국가와 지방자치단체가 이를 지켜줘야 한다는 취지로 당시 세계의 여러 국가들은 학교급식 등 공공급식의 강화를 통해 식량지원정책을 확대하던 시기였다. 세계 117개 도시가 참여해 먹거리정책을 중심으로 2015년 체결한 도시간의 약속인 밀라노협약은 당시의 세계적인 정서를 반영하는 것이었다.

이런 무지한 정치적 공방이 있던 시기, 민간에서는 친환경무상급식운동이 발화되는 시점이 됐다. 당시의 친환경무상급식운동은 무상급식이 전국적으로 퍼지는 계기가 됐으며 나중에는 건강먹거리를 위한 총체적 운동으로 승화됐다.

당시의 영향으로 친환경무상급식은 영남지방을 제외하고 전국으로 확산됐으며, 현재도 영남지역은 공공급식시스템이 미비한 상황으로 그만큼 지역푸드플랜 정책의 접근이 뒤지고 있다. 울산광역시만 해도 북구가 무상급식을 넘어 공공급식을 추진하고 있지만 영남은 복지로 다뤄야 할 급식문제를 정치 쟁점화해서 정책이 그만큼 뒤지고 있는 것이다.

지방자치단체의 지역푸드플랜 추진

지난 2008년 완주군은 농촌활력과를 신설해 지역의 활로를 모색하는 과정에 로컬푸드와 공공급식을 연계한 커다란 먹거리종합계획의 필요성을 찾게 된다.

특히 완주군은 전주시라는 도청소재지를 큰 먹거리시장으로 주변에 두고 있어서 지역농산물의 판로도 확보할 수 있었기에 로컬푸드 매장을 완주와 전주시에 두게 된다. 뿐만 아니라 완주군의 학교급식을 포함한 공공급식시장을 확인하고 로컬푸드와 공공먹거리시스템을 종합적으로 추진할 계획을 세우게 되면서 완주군은 푸드마일리지가 짧은 먹거리순환체계를 갖추게 됐다.

2017년 6월 박원순 서울시장은 '서울시 먹거리 마스터플랜*'을 발표했다. 2015년 12월 지역푸드플랜을 마련한 전주시는 '전주푸드 2025 푸드플랜**'이라는 제목으로 전주 푸드 직매장 운영 및 확대, 직매장 참여농가 소규모 비닐하우스 지원, (재)전주푸드통합지원센터 설립 등의 과정을 밟아 추진했다.

서울, 완주, 전주 등 로컬푸드를 통한 지역푸드플랜을 수립해 먹거리선순환시스템을 구축한 지방자치단체들이 선도하면서 2020년 현재는 전국의 70여 개 지방자치단체들이 지역푸드플랜을 통한 종합계획을 마련하고 이를 추진 중에 있다. 특히 전주시·완주군

의 먹거리 시스템을 살펴보면 로컬푸드 매장-시민식당-먹거리통
합지원센터-가공센터-먹거리위원회 등을 갖춘 먹거리선순환체계
가 가동 중이다.

*서울시의 먹거리 마스터플랜
박원순 서울시장은 2017년 6월 '시민과 함께하는 서울 먹거리 선언' 행사를 열
고 서울시가 '시민 먹거리 기본권' 개념을 전국 최초로 내놓으며 친환경 식재
료 공공조달 등 먹거리 정책을 추진하는 내용을 담은 '서울 먹거리 마스터플
랜'을 발표했다.
친환경 식자재를 70% 이상 사용하는 '친환경 급식'을 서울시 전역 어린이집
6,380곳으로 확대하고, 영양 상태가 나쁜 노인에게는 '영양 꾸러미(고영양 식
품 패키지)'를 배달하는 등의 정책을 펼치겠다는 것이다. 박 시장은 "먹는 문제
는 먹거리 주권 회복의 문제"라며 "전국 최초 친환경 무상급식을 시작했던 서
울시가 선도적으로 도농상생 먹거리 모델을 만들겠다."고 밝혔다.
친환경 무상급식은 현재 초·중학교 위주로 시행 중이지만, 시는 2020년까지
서울 전역 어린이집 6,380곳을 포함해 아동·노인시설 7,338곳에 친환경 급식
을 도입할 계획이다. 이를 위해 25개 자치구에 '공공급식센터'가 설립된다. 자
치구·농촌이 1대 1 계약을 맺고 '산지 생산자~공공급식센터~서울시민'으로 이
어지는 직거래 시스템을 구축하는 방식이다. 공공급식센터는 친환경 식자재
를 유통해 관할 어린이집에 배송해 준다. 친환경 식자재라 원가가 비싸지는 문
제를 해결하기 위해 시는 각 어린이집에 한 끼에 500원씩 보조금을 지급할 계
획이다.
영양 상태가 불량한 65세 이상 노인에게는 고(高)영양 식품 패키지를 지원한
다. 쌀·김치 위주 양적 지원에서 질적 지원으로 전환하자는 취지다. 중위소득
80% 이하 2만 가구는 내년부터 식료품을 구매할 수 있는 식품 바우처를 지원
받는다. 시는 과일·채소 자판기 50대를 2020년까지 지하철역, 구청 등 공공시
설에 들여놓는다.
박 시장은 이날 행사 후 '서울 먹거리 기본권'을 선언했다. 먹거리 기본권은 시
민 누구도 경제·사회·문화적인 문제로 굶거나 안전 먹거리에 접근하는 데 어려
움을 겪어선 안 된다는 개념이다. 박 시장은 "먹거리 문제를 상생·환경 등 사회
적 관계망으로 확장하고, 생산·유통·소비 전 단계를 아우르는 방향으로 먹거리
정책의 패러다임을 바꾸겠다."고 말했다.

**전주푸드 2025 플랜
전라북도 전주시의 '전주푸드플랜'은, 전주시 관내 지역에서 생산된 농축산물
을 지역에서 소비하는 선순환 구조를 만드는 사업이다. 이를 위해 전주시는,
2016년부터 매해 50억 원씩 10년간 총 500억 원을 투입해 1,000여 농가가 재
배한 농축산물을 판매할 수 있는 3곳의 직매장을 시내에 개설하고, 2025년까
지 전주시내 총 7,000여 농가 중 5,000여 농가가 전주푸드플랜에 참여하도록
했다. 이 사업은 '시민의 밥상에 직접 지역의 먹거리를 공급하자!'는 슬로건 아
래, 지속 가능한 농업 실현과 식량자급도시를 목표로 한다.
전주시는 지역 먹거리 생산에서부터 유통, 소비 단계까지 안정화시키기 위해,

다음해 중 전주월드컵경기장 내에 공공급식센터 등 물류기반을 갖춘 '전주 푸드 허브'를 구축하고, 국립농산물품질관리원 전북지부 및 지역 대학의 협조를 구한다. 아울러 지역에서 생산되는 원료를 쓰되 착색제와 보존제, GMO(유전자변형 농산물)를 쓰지 않는 믿을 수 있는 가공식품도 만들어 시민의 밥상에 공급할 수 있도록 하고 있다.

이를 통해, 지역생산과 지역소비의 '선순환 경제' 기틀을 다져, 5% 수준인 전주산(産) 먹거리 제품의 비중을 20%까지 끌어올려 2,000억 원이 지역 안에서 순환하도록 한다는 것이 전주시의 계획이었다.

농정 틀의 전환

2017년 3~5월 제19대 대통령선거를 앞두고 전국농민회총연맹, 한국농업경영인중앙연합회, 한살림, 지역재단, 부산귀농학교 등 66개 시민, 소비자, 농민단체로 구성된 '농민행복·국민행복을 위한 농정과제 공동제안연대(국민행복연대)'는 '농정 대개혁 3대 목표, 10대 과제'를 선정해 19대 대선에서의 농업정책 과제로 제안했다. 당시 이 발표장에는 여야를 떠나 전체 정당의 관계자들이 참석해 대선공약 요구사항을 청취했다.

이후 제19대 대통령에 당선된 문재인 후보는 당시 한농연이 개최한 대선후보 토론회에서 "농업·농촌은 공공재, 농민은 준공무원"이라고 밝히며, 국민행복연대가 제안한 농정요구사항을 정책공약으로 채택할 것을 약속했다. 이를 제도적으로 실천하기 위한 농특위의 구성, 공익형직불제의 실시, 로컬푸드를 활용한 국가 및 지역푸드플랜의 실시, 마을 살리기를 위한 농촌정책 마련 등을 공약으로 천명했다. 그동안 여러 대통령을 거치면서 농민단체-시민사회단체의 농정 요구사항을 최초로 받아들인 대통령 후보였다.

▲국민의 먹거리 보장을 위한 도농공생과 남북농업협력 ▲지속가능한 농업농촌을 위한 주체육성과 지역재생 ▲대통령이 책임지는 재정개혁과 추진체계 등이 당시 국민행복연대가 요구했던 3대

목표였으며, 공익형직불제의 실시, 지역푸드플랜의 실시, 농업예산체제의 개편, 농업의 공익적가치의 실현, 농촌 융·복합 산업 육성 및 일자리 창출 등과 이의 실천을 위한 농정 틀의 전환과 농특위의 구성 등 10대 과제를 받아들였다.

농민들의 단식농성

그러나 제19대 대통령이 취임한 지 1년 4개월이 넘어서서 2018년 9월 10일 농업 및 시민사회 인사 4명(국민농성단)*이 청와대 앞 분수공원 인근에서 무기한 단식농성에 들어갔다. 이들은 풍전등화의

◆국민농성단의 단식농성. 당시 직접 농성에 들어간 인사는 진헌극 전국친환경무상급식풀뿌리시민연대 대표를 비롯하여 유영훈 우리밀살리기운동본부 이사장, 김영규 GMO반대전국행동 조직위원장, 채성석 전 동군산농협 조합장 등 농업계 인사 4명이다.

농업 위기 앞에 취임이 1년이 넘었는데도 농특위가 구성되지 못한 것은 물론, 공익형직불제 등 대선공약이 하나도 지켜진 것이 없는 데 대한 항의의 표시로 단식투쟁에 들어갔던 것이다.

*국민농성단 기자회견문
△대통령 직속 농어업특별위원회를 민간 중심으로 조속히 설치하라.
△밥 한 공기 300원으로 쌀 목표가격 실현해 쌀 농업의 안정적 기반을 마련하라.
△스마트 팜 밸리, PLS, 미허가 축사 등 현장과 소통 없는 일방적 정책을 즉각 중단하라.
△식품 대기업 대변하는 식약처를 전면 개혁하고 식품 업무를 농식품부로 이관하라.
△모든 농민에게 농민수당을 지급하고, 직불제 중심으로 농정을 전환하라.
△20만 국민들이 청원한 GMO 완전표시제를 즉각 실시하라.
△지속 가능한 농업환경과 국민의 건강한 먹거리를 위해 친환경생태농업으로 농정을 전면 전환하라.
기자회견문에서 이런 요구들을 표명했다.

9월 20일 국민농성단 지지 기자회견을 통해 농업 및 시민사회, 먹거리 진영이 합류한 데 이어 각계의 응원이 더해져 '국민농성단'이라는 이름으로 전환했고, 추석을 거쳐 9월 28일 촛불문화제를 여는 등 힘겹게 단식농성을 벌였다.

단식농성 참가자들의 건강상 문제가 발생하기 시작하자 10월 1일 농민단체 대표자들로 국민농성단을 구성하고 국회 정론관에서 농특위 설치와 농정개혁을 요구하며 기자회견을 가진 데 이어 같은 달 6일부터는 국민농성단이 함께 합류해 릴레이 농성을 펼치기도 했다.

이들이 주장한 핵심은 "여·야는 농정대개혁에 동참하고, 대통령 직속 농어업·농어촌특별위원회 설치 관련 법안을 조속히 통과시켜라."는 것이다. 야당의 물고 늘어지기 식 무조건 반대와 비협조, 그리고 여당의 적극성 부족을 지적한 것이다.

우리 농업을 살리기 위해 더 이상 지체할 시간이 없는 만큼 2017년 8월 발의돼 계류 중인 대통령 직속 농특위(농어업특별위원회) 설치 법안을 조속히 통과시켜 농업·농촌을 살리기 위한 특단을 마련해야 한다고 주문한 것이다.

농어업·농어촌특별위원회의 구성과 타운홀 미팅

농민들의 청와대 앞 단식과 농민단체 회원들의 릴레이 집회는 여당과 청와대뿐만 아니라 야당에도 크게 영향을 미쳤다. 집회의 핵심 주장이 농특위의 구성과 조속한 농정개혁인데 야당이 조직적으로 훼방을 놓고 있다는 비판도 함께 제기된 탓에 야당도 농민들의 민심에 나 몰라라 할 수 없는 여건이었기 때문이다. 이에 따라 국회는 농특위 설치를 위해 필요한 농특위법을 2018년 12월 중순 정부 출범 20개월 만에 통과시켰다.

◆국민농성단의 단식농성에 힘입어 국회에서 2018년 12월 농특위법이 통과돼 2019년 4월말 정식 출범하게 된다. 오른쪽 사진은 농특위 출범 후 전국 농촌지역도를 돌면서 농정 여론수렴을 위해 타운홀 미팅을 하는 장면.

농특위법 규정상 농특위는 법이 통과되고 4개월 후에나 출범할 수 있기 때문에 '대통령 직속 '농어업·농어촌특별위원회(이하 농특위)'는 2018년 4월 25일 출범했다. 농특위는 과거 김영삼 정부 시절 1기(농어촌발전위원회, 1994년 1~7월)와 김대중 정부시절 2기(2002년 1월 ~2008년 2월)에 이어 10여 년 만에 다시 설립돼 운영되고 있다.

농특위는 대통령이 선임한 위원장과 부총리 겸 기획재정부장관 등 정부의 당연직 위원 5명, 그리고 24명의 농어업계 대표·전문가 등 총 30명을 위원으로 구성되어 있다. 농특위가 하는 일은 ①농어업과 농어촌의 지속 가능한 발전과 공익적 기능 실현을 위한 중장기 정책방향에 관한 사항 ②농어촌 지역발전 및 복지 증진에 관한 사항 ③농어촌 생태·환경·자원의 체계적 보전 및 효율적 이용에 관한 사항 ④지방자치와 지방분권에 기초한 자율 농정 수립에 관한 사항 ⑤농식품의 안정적 공급을 통한 국민의 먹거리에 관한 사항 ⑥농어업과 농어촌의 다원적 가치 실현을 위한 조사·연구에 관한 사항 ⑦위원장 또는 재적위원 4분의 1 이상이 요청한 사항 ⑧ 제1호부터 제7호까지의 실천계획과 추진상황 점검·평가에 관한 사항 ⑨그 밖에 대통령이 자문을 요청한 사항 등이다. 손쉽게 풀어보면 농정과 관련된 범부서적인 일을 총괄해 정책의 방향과 틀을 전환하는 것이다. 그 내용의 핵심은 농어민의 소득구조 개선과 더불어 삶의 질을 높이며 대접받는 농어촌을 만드는 일이다.

농특위의 활동

농특위는 2019년 6월 18일 열린 첫 회의에서 농특위 비전, 목표 및 핵심과제별 주요 운영방향을 보고하고 청취했다. 구체적으로 그 내용은 ①농정 틀 전환 개혁의제 중심 운영 ②민관 및 범정부 거버넌스 구축 ③농어업계 내·외부의 소통 활성화로 국민 공감대 형성 등으로 활동에 대한 방향을 정립했다.

이후 농특위는 경기도에서 제주도에 이르기까지 농촌지역 광역지방자치단체를 순회하며 '농정 틀 전환을 위한 2019 전국 순회 타운홀 미팅'을 가졌다. 또한 지방자치단체 농어촌정책의 민관 협치

형 추진체계 구축(안)과 지역자원 기반 경축순환농업 활성화 방안(안)을 마련해 청와대로 보고하는 한편, 지속 가능한 저탄소사회를 위한 산림자원순환 형 임업 실현 방안(안)을 제안했다. 또한 '지속 가능한 농어업·농어촌 비전과 전략'을 마련했고, 농지개혁과 관련된 방안을 내부 토론회를 통해 모색 중이다.

타운홀 미팅 대통령 보고대회

농특위는 가진 '농정 틀 전환을 위한 2019 전국 순회 타운홀 미팅'의 결과를 대통령께 보고하는 타운홀 미팅 보고대회를 2019년 12월 12일 농수산대학 교정에서 개최했다.

이 행사에 참석한 문재인 대통령은 농정 틀 전환을 위해 9개도를 거쳐 지역민 100여 명을 초청해 지역여론을 수렴해 현장여론을 보고한 것을 경청했다.

지역여론을 전달한 발표자들은 지역의 민심이 ▲들어주고 말할 기회를 줘서 고맙다 ▲대통령과 국민이 관심을 갖게 전달해 달라 ▲농어민이 살기 좋게, 국민이 행복하게 농정 틀을 바꿔 달라 ▲농정 틀 전환을 통한 공익 형 직불을 약속해 달라 등이었다.

이에 대해 문 대통령은 정부의 농어업 정책은 농어민의 정직함과 숭고함에 대답해야 한다며 이를 위해 지속 가능한 농정을 실현하면서 혁신과 성장의 혜택이 고루 돌아가도록 농정의 틀을 과감히 전환하겠다고 밝혔다. 또한 사람과 환경 중심의 농정을 구현하는 지속 가능한 핵심은 공익형직불제이기 때문에 쌀에 편중된 직불제를 개편해 논농사와 밭농사 모두 직불제 혜택을 받도록 하고, 중소농민을 더욱 배려해 영농규모에 따른 격차를 줄이겠다고 말했다. 이를 위해 문 대통령은 국가와 시민사회는 농수산물 가격안정

과 농어업, 농어촌 공익적 가치를 지불하도록 하겠다는 사회협약을
맺자고 강조했다.

◆문재인 대통령이 한국농수산대학에서 개최한 타운홀 미팅 대통령 보고대회에
참석해 "농정 틀을 전환하고 농업-농촌의 가치를 반영한 공익형직불제를 실시하
겠다."고 밝혔다.

　여기에서 강조된 정책은 공익형직불제와 함께 살고 싶은 농어촌
만들기, 농수산물 수급관리와 가격 시스템 선진화, 스마트한 농어
업 만들기, 푸드플랜을 통한 안전한 먹거리 제공 등이다. 이런 약속
은 지켜야만 하는 것이다. 과거의 정부와 같이 약속만 있고, 실천이
없다면 현 정부의 농정도 결국 비판받을 것이다. 농민들이 이야기
하는 것도 약속을 지켜달라는 것이다.

제 **2** 장

코로나 대창궐(팬데믹)

인간 문명의 환경파괴

인간 문명을 바꾼 바이러스

제2차 세계대전을 전후로 미국과 유럽 선진국 중심으로 추진되던 세계 단일시장 추진을 위한 시장개방, 즉 세계화-신자유주의가 중단의 상황을 맞고 있다.

선진국 중심의 세계시장 장악을 목표로 한 이런 움직임이 저지되는 것은 다른 국가들의 국력 신장이나 후진국 또는 개발도상국의 연대강화가 아니라 엉뚱한 요인에서 비롯된다.

2019년 12월 31일 중국 후베이(湖北)성 우한(武漢)시에서 원인 미상 폐렴의 집단 발생 사실이 WHO에 보고됐다. 이 증상이 초기에는 원인을 알 수 없는 호흡기 전염병으로만 알려졌으나 2003년 유행했던 사스(SARS, 중증급성호흡기증후군) 및 2012년 유행했던 메르스(MERS, 중동호흡기증후군)과 같은 코로나바이러스의 신종인 것으로 2020년 1월 7일 밝혀졌다. 세계보건기구(WHO)에서는 코로나바이러스감염증-19(이하 코로나19)가 세계 여러 나라로 확산이 되자 1월 30일 '국제 공중보건 비상사태(PHEIC)'를 선포했으며, 3월 11일에는 팬데믹(감염병 세계 유행)을 선언했다.

코로나19는 2019년 12월 12일 중국 우한시의 화난(華南)수산시장의 야생동물 판매상점에서 발원한 것으로 추정된다. 그러나 코로나19는 전염성이 높아 매우 빠른 속도로 전 세계로 전파돼 2020년 9월 25일 오전 10시 기준(한국시간) 세계 실시간 통계인 월드오

미터 코로나19 확진자 현황에 따르면 누적 확진자 수는 3천 240만 1,655명으로 집계됐다. 총 사망자는 98만 7,156명으로 나타났다.

세계 최다 감염국인 미국은 총 718만 5,444명의 감염자가 발생했다. 누적 사망자는 20만 7,538명이다. 이어 인도에서는 총 581만 6,103명의 확진자가 발생했으며, 사망자는 9만 2,317명으로 집계됐다. 유럽 최다 감염국인 러시아는 누적 확진자 112만 8,836명, 사망자는 1만 9,948명을 기록했다. 러시아에 이어 10만 명 이상의 유럽 국가는 스페인 70만 4,209명, 프랑스 49만 7,237명, 영국 41만 6,363명, 이탈리아 30만 4,323명, 독일 28만 1,345명, 우크라이나 18만 8,106명, 루마니아 11만 8,054명, 벨기에 10만 6,887명, 네덜란드 10만 3,141명 등으로 집계됐다.

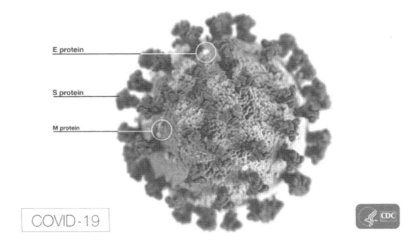

◆미국 질병통제예방센터(CDC)에서 제작한 코로나바이러스감염증을 일으키는 COVID19의 병원체인 2019 신종 코로나 바이러스의 개념도

남미 대륙에서는 브라질이 누적 확진자 465만 9,909명, 사망자 13만 9,883명을 기록했다. 페루에서도 78만 8천 명이 넘는 확진자가 나왔으며, 칠레도 45만 1천 명을 돌파했다. 중동 상황은 이란이

43만 6천 명을 넘어섰으며, 사우디아라비아도 33만 1천 명이 넘는 확진자를 기록했다.

이런 코로나19의 확산으로 다른 나라 여행은 물론, 국내에서도 접촉자가 발생하는 영업을 제한하는 등 접촉단절의 시대를 맞이하고 있다. 꼭 필요한 볼일을 위해서 출국한 경우에도 적어도 2주간은 방역체계를 지키기 위해 일단 격리해야 하는 등 제한이 많아 출국은 엄두도 내기 어렵다. 국내 이동의 경우에도 나이트클럽, 교회, 식당, 사무실 등 무차별적으로 전파되고 있는 상황이어서 방역지침에 따라 접촉이 상당히 어려운 시절을 보내고 있는 것이다. 현대문명이 중단상태에 이르른 것이다.

*코로나바이러스감염증-19(COVID-19)
2019년 12월 중국 후베이(湖北)성 우한(武漢)시에서 발병한 유행성 질환으로 초기에는 '우한 폐렴'으로 불렸으나 WHO의 병명 통일로 '신종코로나바이러스감염증'으로 불리고, '코로나19'라고도 한다. 이 병은 코로나바이러스의 변종에 의한 바이러스성 질환이다. 초기에는 원인을 알 수 없는 호흡기 전염병으로만 알려졌으나 2003년 유행했던 사스(SARS, 중증급성호흡기증후군) 및 2012년 유행했던 메르스(MERS, 중동호흡기증후군)와 같은 코로나바이러스의 신종인 것으로 2020년 1월 7일 밝혀졌다. 세계보건기구(WHO)에서는 코로나바이러스감염증-19가 세계 여러 나라로 확산되자 1월 30일 '국제 공중보건 비상사태(PHEIC)'를 선포했으며, 3월 11일에는 팬데믹(감염병 세계 유행)을 선언했다.
이 질환은 초기 '우한 폐렴', '신종코로나바이러스감염증' 등으로 통용됐으나 세계보건기구(WHO)에서 신종 바이러스 이름을 붙일 때, 편견을 유도할 수 있는 특정 지명이나 동물 이름을 피하도록 한 원칙에 따라 2월 11일 'Corona Virus Disease 2019'를 줄인 'COVID-19'로 명명했으며, 한국 질병관리본부에서는 한글 명칭을 '코로나바이러스감염증-19(약칭 '코로나19')'로 정한다고 발표했다.

전파력이 남다른 병원체

이 질환의 병원체인 바이러스의 정식 이름은 'SARS_CoV-2'이다. 코로나바이러스는 야생동물 사이에서 전염되는 바이러스성 질병의 병원체로, 우한에서 발원된 신종 코로나바이러스는 박쥐목이나 설치목 동물들을 자연숙주로 하는 코로나바이러스가 우한시 시장에서 거래된 야생동물을 중간숙주로 변이형이 발생된 것으로 추정된다. 코로나바이러스는 사스(SARS, Severe Acute Respiratory Syndrome, 중증급성호흡기증후군)와 메르스(MERS, Middle East Respiratory Syndrome, 중동호흡기증후군)의 병원체이기도 하다. 사스의 병원체는 'SARS-CoV', 메르스의 병원체는 'MERS-CoV'라고 불리는데, 코로나바이러스감염증19의 바이러스는 사스 바이러스의 변종으로 분류된다.

2002년 중국 광둥성에서 발생한 사스는 박쥐의 코로나바이러스가 사향고양이를 거쳐 변이되어 인간에게 감염된 것으로 홍콩, 타이완, 싱가포르, 베트남, 필리핀 등 동남아시아 지역과 캐나다, 미국 등으로 전파되면서 세계보건기구(WHO) 기준 8천여 명의 감염자와 775명의 사망자가 발생하여 9.6%의 치사율을 보였다. 이 당시 사스는 한국에서도 4명의 감염자가 발생했으나 사망자는 없었다.

2012년 사우디아라비아에서 발생한 메르스는 박쥐의 코로나바이러스가 낙타를 거쳐 변이되어 인간에게 감염된 것으로, 중동지역뿐 아니라 전 세계로 전파되어 1,599명의 감염자가 발생했으며 574명이 사망하여 35.9%의 치사율을 보였다. 메르스는 2015년 한국에서도 집단적으로 유행하여 186명이 감염되고 38명이 사망한 바 있다. 코로나19의 병원체로 밝혀진 신종 코로나바이러스는 게놈 분석 결과 사스의 병원체와 89.1%의 유사성을 보이는 것으로 밝혀졌다.

세계보건기구(WHO)는 코로나19의 병원체 바이러스를 유전자 염기서열에 따라 S, V, L, G, GH, GR, O 등 7가지 그룹으로 분류했다. S그룹은 발생 초기 중국 후베이성 우한을 중심으로 확산이 됐으며,

한국 대구의 종교단체를 중심으로 확산된 것은 V그룹으로 알려졌다. G유형(G, GH, GR)은 유럽에서 발원해 미국을 거쳐 전 세계로 가장 널리 유행하고 있는 그룹으로, 특히 GH그룹의 바이러스가 한국 서울 이태원을 중심으로 집단 감염을 통해 확산이 됐으며, 다른 그룹보다 전파력이 6배 정도 높은 것으로 보고됐다.

코로나19

코로나19는 주로 호흡기로 전염된다. 감염되었을 경우 바이러스는 폐를 침범하여 고열과 기침, 호흡곤란 등의 증상이 발생하고 폐렴과 유사한 증상을 보인 끝에 심한 경우 폐포가 손상돼 호흡 부전으로 사망에 이르기도 한다. 잠복기는 3~7일이지만 최장 14일까지 이어진다고 한다. 2020년 1월 30일 중국에서는 잠복기가 23일까지 늘어난 사례가 있다. 코로나19는 증상이 나타나지 않는 잠복기 중에도 전염되는 사례도 있다.

코로나19는 사스나 메르스와 같이 1단계에서 동물의 바이러스가 인간에게 전염되고, 2단계에서 인간 사이의 전염으로 발전했으며, 3단계에서 감염자를 통해 접촉자나 가족·의료진에게 전파되면서 대규모로 확산되는 4단계에 이른 것으로 추정된다. 한국의 질병관리본부는 2020년 1월 23일 코로나19의 전파력이 사스와 메르스의 중간 정도이며 재생산지수(감염자 1명이 감염시킬 수 있는 사람의 수)는 약 2.5~3인 것으로 추정했다. 사스는 4.0, 메르스는 0.4~0.9로 알려져 있다.

코로나19는 환자가 기침이나 재채기를 할 때 공기 중으로 방출되는 침이나 체액뿐 아니라 문손잡이 등 다른 물체에 내려앉은 바이러스가 손을 통해 전파되기도 하고, 분변을 통해 배출되는 바이러스를 통해 전파되기도 한다. 이 질환의 바이러스가 인체 세포에 침투하는 경로인 세포막 수용체가 장내 상피세포에도 존재하기 때문에 감염되었을 경우 장내 상피세포에서 형성된 바이러스가 분변을 통해서도 배출된다. 사스는 환자가 기침이나 재채기를 할 때 공기중으로 방출되는 침이나 체액에 의해 전파됐으며, 메르스는 환자와의 직접 접촉을 통해 전파된 바 있다.

코로나19의 병원체는 기침이나 재채기를 할 때 2m 이상 날아가며, 공기 중에서는 3~4시간이 지나야 완전히 사라지는 것으로 밝혀졌다. 배출되어 스테인레스나 플라스틱, 유리, 지폐 표면에 내려앉은 바이러스는 3~4일까지도 생존하며, 구리에서는 4시간 정도 생존한다. 신발 바닥에서는 실내로 옮겨질 수도 있는데, 고무와 가죽 같은 신발 밑창에서는 5일까지도 생존하는 것으로 알려졌다.

7월 4일 전 세계 32개국 239명의 과학자가 세계보건기구(WHO)에 코로나19의 공기감염 가능성을 제시하고 예방 수칙을 수정할 것을 촉구했다고 보도됐다. 공기감염은 감염자의 기침이나 재채기로 분출된 바이러스가 5μm 이하의 에어로졸(Aerosol, 연무질) 형태로 공기 중에 분출, 수분이 증발한 후 비말핵(Droplet nuclei)으로 부유하다가 감염되는 것을 말하며, '비말핵감염'이라고도 한다. 비말핵의 이동거리는 약 2m에서 48m 이상이며, 공기감염 방식은 비말감염보다 전염성이 높다. 한국 질병관리본부에서는 이에 대해 추가연구가 필요하다고 발표했다.

대책은 없는가?

코로나19에 대한 직접 치료 방법이 없으므로 예방이 필수다. 질병관리본부는 호흡기를 통해 전염되는 이 질환의 특성을 바탕으로 외출 전후 흐르는 물에 비누로 30초 이상 손을 자주 씻고 말릴 것과 외출 시 위생 마스크를 착용, 호흡을 통한 전염을 예방하도록 권고했다.

사람이 밀집한 지역을 피하고, 기침이나 재채기를 하는 호흡기 질환자에게서 속히 멀어져야 하며, 바이러스가 잠복할 수 있는 지하철이나 건물 등 공용 공간의 손잡이나 시설물에 접촉했을 때는 즉시 손을 씻거나 손 소독제로 소독을 하고, 귀가 후에는 외출 시의 복장을 벗어 세탁해야 한다. 바이러스는 비누로 씻거나 70%에탄올 소독제로 소독하면 5분 이내에 사멸된다.

특히 감염지역인 중국의 우한시와 후베이성 일대 및 감염이 확산 중인 해외 지역으로의 여행을 자제하며, 현지를 방문해야 할 경우 가금류를 포함한 동물과의 접촉을 피하고, 2차 감염을 방지하기 위해 불가피한 경우를 제외하고는 의료기관의 방문도 자제해야 한다.

이런 전염병 팬데믹의 상황은 왜 일어나는가?

전염병 팬데믹은 결론적으로 말해 인간이 지구를 오염시켜서 발생하는 일이다. 인간 문명의 환경파괴적 성향이 지구와 생명의 역습으로 다가오는 것이다.

인간의 지구환경 파괴가 기상이변이 아닌 기상위기로 다가오고 있고, 이런 기상위기는 새로운 생태계의 변화를 일으켜 상당히 많은 생명의 종들이 멸종에 몰리는 것도 모자라 이를 극복하려는 생명체들이 새로운 변이를 일으켜 그동안 지구상에는 없던 새로운 생태계가 조성되면서 고등생명체는 멸종 위기로 세균이나 바이러스 등 미생물은 빠른 변이 등으로 새롭게 적응하고 있다.

인간의 환경파괴로 발생하는 현상은 몇 가지로 요약된다.

우선 기상 위기를 들 수 있다. 2019년 3월 이란과 2020년 7월 중국에서는 엄청난 규모로 집중호우가 쏟아져 수천만 명의 수재민이 발생했다. 우리나라도 피해가지 않고 전국적으로 엄청난 농지와 주택, 공장지대를 파괴했다.

고온건조에 의한 산불 피해도 막심하다. 2019년 인도네시아에서는 약 31만 8,000㎢의 산림에서 산불이 발생했다. 이에 따른 경제적 손실은 무려 6조 원 가량 되는 것으로 추정하고 있다. 2019년 브라질은 8만 건의 화재가 발생했다. 같은 해 가을에 발생한 호주 산불은 5개월이 넘게 지속되면서 우리 한반도 면적을 넘어서는 숲과 초원을 태웠다. 2020년 최근에도 미국 캘리포니아주의 로키산맥에서는 고온건조에 따른 엄청난 산불 발생으로 대기권 일산화탄소 과잉현상을 나타내는 등 전 지구적인 재앙을 예고하고 있다.

자연과학자들은 지구상의 건조 현상을 지구온난화와 온실가스 과잉에 따라 식물이 기공을 덜 열기 때문으로 진단하고 있다. 온실

가스란 탄산가스(이산화탄소)를 말하는데 식물이 탄소동화작용을 통해 엽록소에서 필요로 하는 탄산가스를 흡수하고 이에 상응하여 기공을 통해 사용이 끝난 수분을 배출하는 기능을 한다는 것이다.

그런데 공기 중의 탄산가스가 과잉이라 조금만 기공을 열어도 탄소동화작용에 필요한 양을 흡수할 수 있기 때문에 기공을 조금만 열어서 결국 기공을 통해 배출되는 수분이 공기 중으로 적게 배출된다는 것이다.

이런 기상변화는 여러 가지 현상으로 나타나는데 잦은 엘리뇨-라니냐 현상과 인도양 쌍극자현상, 남방진동, 오존층 파괴 등이 일어나는 것은 물론, 남극과 북극이 뜨거워지면서 각극을 감싸며 지구를 도는 회전풍이 극에서부터 멀어져 여름철은 더 덥게, 겨울은 더 춥게 계절의 변화를 점칠 수 없을 정도가 됐다.

인간사회의 변화

세계화의 후퇴, 비대면 산업 성장

코로나19의 창궐은 무역과 국가 간 교역에 있어서 전 세계적인 변화를 가져오고 있다. 코로나 발생 이후 국경 폐쇄가 단행되는 경우도 발생하고 국가별로 사회적 거리두기가 강조되면서 글로벌 기업들의 생산라인이 중단되거나 자영업이 폐쇄돼 경제의 흐름이 중단되는 경우가 발생했다. 여행은 물론이고 학교조차 갈 수 없는 상황이 닥치는 경우도 많았다.

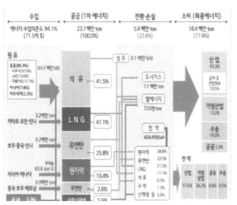

한국, 기후 깡패? 기후 바보

- 신재생 에너지 약 3%
- 탄소 배출량 세계 7위
- 2007~2017년 탄소 배출량
  ○ OECD 평균 8.7% ↓
  ○ 한국 25% ↑

국경 폐쇄와 함께 글로벌기업이 생산라인을 중단하면서 미국이나 일본과 같이 해외에 있던 자국기업의 국내 U턴을 지원하는 리쇼어링정책 도입이 확대되는 동시에 효율성보다 산업의 다른 나라 종속 위험을 줄이는 방향으로의 정책 선택이 예상되면서 보호무역주의로 회귀하게 될 것이란 전망도 제기되고 있다.

다시 말해 글로벌 가치사슬(GVC)이 붕괴될 수도 있다는 우려까지 나오고 있는 것이다.

특히 전염병의 전파를 우려해 식량수출을 중단하거나 통제하려는 국가적 움직임도 만만치 않다. 결국 우리나라도 독자적 식량정책을 수립해야 하며, 먹거리주권을 강화하기 위해 품목별 자급률을 높여야 함은 물론, 먹거리선순환을 도모하는 지역 및 국가푸드플랜을 주요정책으로 수립해야 한다는 견해가 힘을 받고 있다.

식량통제와 국제 쌀값	• 인도와 태국에 이은 세계 3위 쌀 수출국인 베트남은 3월 24일부터 쌀 수출을 중단. 세계 30여개국 식량수출 통제. • 러시아는 3월 20일부터 밀과 쌀, 보리 등 모든 곡물에 대한 수출중단. 세르비아와 카자흐스탄, 파키스탄 등도 주요 작물의 수출을 금지. • 로이터통신에 따르면 지난 4월 2일 국제 쌀 가격 기준인 '태국 백미(白米)'가 1톤 당 560-570달러에 거래되면서, 2013년 4월 이후 최고가를 경신.

디지털경제로의 전환 가속화

코로나 창궐 시대를 맞아 기존산업이 완전히 위축되고 비대변 산업이 활성화되고 있다. 항공업은 적자로 헤매면서 직원을 무차별 해고하고 있으며, 여행업은 아예 모든 것이 중단된 상태여서 종사자들이 배달업, 막노동 등 다른 업종에 종사하고 있다. 자영업도 임대료를 내지 못해 근근히 살아가고 있어서 세계 각국은 긴급예산을 편성해 재난지원금 형태로 생계비 지원을 하는 등 나서고 있으나 사태가 장기화되고 있어 어려운 상황이다.

반면 마이크로소프트(MS), 페이스북 등 미국 정보기술(IT) 기업은 2020년 1분기 신종 코로나바이러스 감염증(코로나19)의 위기 속에도 매출이 크게 성장하고 있다. IT기술을 활용한 비대면 기술의 활용도가 높아지기 때문이다. 인간 생존의 기본조건인 먹거리와 관련된 유통과 거래가 포스트 코로나 시대에는 비대면으로 이뤄지는 원격 유통시대가 열릴 것으로 전망된다.

앞으로는 사회적 격리가 보편화될 것으로 전망돼 원격의료, 원격교육, 온라인 비즈니스 등 비대면 산업(untact industry)이 크게 성장할 것으로 예상된다. 문재인 대통령도 최근 디지털 인프라, 빅데이터를 강화해야 한다는 점을 강조한 바 있다.

농업 생산에서도 드론을 활용한 농약 방제가 확대될 것으로 보이고, 유통도 기존 시장중심이 아닌 지역 내 먹거리선순환시스템의 도입을 통한 공공급식 체계가 더욱 확대될 전망이다. 요식업에서도 방문 판매보다는 드라이브 스루(drive-through, drive-thru)와 같은 식단판매가 더욱 확대되며, 농산물 교역의 어려움을 감안한 국내산 먹거리의 유통망 확보가 무엇보다 중요해질 것으로 예측된다. 다시 말해 국내산 농산물의 중요성이 더욱 높아질 것이다.

기후변화와 관련된 산업 생태계 변화

2020년 4월 7일 국회 입법조사처의 '코로나19 대응 종합보고서'에 따르면 "기후변화로 극단적 기상현상이 자주 발생하고, 생태계 파괴로 서식지를 잃은 야생동물이 사람이 거주하는 지역으로 이동해 사람들이 인수(人獸)공통 전염병에 노출될 가능성이 높아지고 있다."고 지적하고 있다.

홍콩독감, 사스, 메르스, 코로나 등 세계적인 감염병의 창궐이 과거에는 10년 정도를 주기로 발생하고 있었으나 10년 전부터는 5년 정도로 줄어들었고, 최근에는 그것조차 더욱 단축돼 전염병 팬데믹이 찾아올 것으로 전망하고 있는 것이다.

이에 따라 기후변화 대책의 강화를 요구하는 목소리는 더욱 커질 것으로 예상된다. 이는 곧 신재생 에너지와 에너지 절약 산업, 스마트그리드 등 에너지 신산업이 대두될 것으로 예측되며, 에너지 비소모형인 로컬푸드·친환경농업은 훨씬 강화될 것이다.

농업에서도 생태계가 완전히 바뀔 것으로 전망하고 있다. 유통 분야에서는 IT기술을 활용한 물류의 혁신과 비대면 유통이 확대될 것이다. 또한 작물 생산에 있어서도 데이터분석기술을 활용한 작물 관리가 이뤄질 것이며, 급식이나 가공 분야에서도 현지식을 위한 레시피 강화와 이의 종합관리시스템이 도입될 전망이다. 농민 여론 수렴이나 토론회, 세미나, 교육사업 등에서도 쌍방간 비대면 동영상 시스템이 보편화될 것으로 예측된다.

국가의 역할 강화

신자유주의 시대는 작은 국가론과 자유의 보이지 않는 선에 의해 자동 제어되는 세상을 상정하고 있다. 아담 스미스가 주장했던 보이지 않는 손이 프리드리히 하이에크에 의해 1970년대에 다시 제기돼 이를 영국의 대처와 미국의 레이건이 받아들이면서 전 세계에 시장주의를 확산시킨 것이다. 그것의 결과물이 우루과이라운드 협상이며 FTA와 세계 단일시장화이며, 그것에 따른 빈부격차와 농어업의 추락과 산업의 국내 U턴을 지원하는 리쇼어링 정책이다. 있는 자 중심에서 개인과 조직의 생존이 더욱 소중해진 것이다.

1970년대 이후 장기불황의 문제를 해결하지 못한 케인스주의 경제정책의 무능력과 초국가적 자본의 세계화에 따른 민족국가 형태의 제한성을 비판하며 등장한 것이 신자유주의다. 신자유주의자들은 당시의 경제위기가 무리한 복지정책과 공공부문의 확대, 자본에 있어서 정부의 지나친 개입으로 초래되었다고 보았지만 신자유주의는 결국 부익부빈익빈, 전 세계에 걸친 식량부족을 양산했으며, 영국의 브렉시트, 미국 트럼프 정부의 미국우선주의 정책(America First)를 낳았다.

국가의 역할 강화

- 자유방임주의·신자유주의→복지국가론·국가주도형 : 사회적 거리두기, 강제적 영업 및 집회 정지 등
- 국방 중심의 안보론에서 인간안보론으로의 전환→1994년 유엔개발계획(UNDP) '인간개발보고서'에서 인간 안보를 '기아, 질병, 억압과 같은 만성적 위협으로부터의 안전은 물론 일상생활의 붕괴로부터의 보호'라고 정의
- 국가푸드플랜 수립과 국가주도의 정책
- 국가우선주의, 각자 도생의 시대→먹거리 자립의 시대

그런 가운데 코로나 사태는 감염의 방지를 위해 국가 간 교역이 더욱 단절됐다. 최근 미래학자들은 자유방임주의·신자유주의에서 복지국가론·국가주도형으로 바뀔 것으로 예측하고 있다. 국가의 역할이 사회적 거리두기, 강제적 영업과 집회 정지 등 과거 개인의 권익을 중요하게 여겨 통제하지 않던 것을 강제함은 물론 국가주도형 복지국가의 역할이 강화되고 있다.

세계의 안보관도 바뀌고 있다. 국방 중심의 안보론에서 인간 안보론으로 전환되고 있다. 1994년 유엔개발계획(UNDP) '인간개발보고서'에 따르면 인간 안보를 '기아, 질병, 억압과 같은 만성적 위협

으로부터의 안전은 물론 일상생활의 붕괴로부터의 보호'라고 정의하면서 이를 국가가 적용해야 할 시기라고 강조한 것이다.

UNDP는 안보 개념을 경제 안보(economic security), 식량안보(food security), 건강 안보(health security), 환경 안보(environment security), 개인 안보(personal security), 공동체 안보(community security), 정치 안보(political security) 등 7가지로 규정하고 있다. 이는 국가가 먹거리의 국가적 개입을 강화해 국가푸드플랜 수립과 국가 주도의 먹거리 정책 추진을 강조하는 추세와 상통한다.

경제정책의 변화
- 자유방임주의 · 신자유주의→복지국가론 · 국가주도형
- 사회적 거리두기, 강제적 영업 및 집회 정지 등

국방 중심의 안보론에서 인간안보론으로의 전환
- 1994년 유엔개발계획(UNDP)'인간개발보고서'에서 인간 안보를 '기아, 질병, 억압 등 만성적 위협의 안전은 물론 일상생활의 붕괴로부터의 보호'라고 정의.
- 안보개념의 강화 : 경제 안보(economic security), 식량 안보(food security), 건강 안보(health security), 환경 안보(environment security), 개인 안보(personal security), 공동체 안보(community security), 정치 안보(political security) 등 7가지

미국 트럼프 대통령이 선거철이든, 정치적 혼란기든 항상 강조하던 네이션 퍼스트(국가우선주의)는 이제 각자도생(各自圖生)의 시대가 도래했다는 사실을 강조하는 것이며, 이는 곧 '먹거리 자립의 시대'를 맞이했다는 사실을 의미하는 셈이다.

코로나 시대 사회적 조류의 변화

코로나 사태가 장기화되면서 거리의 자영업자들은 물론 산업의

불황이 확대되고 있다. 여행업은 중단 상태이고, 비행기회사는 적자를 넘어 도산 직전이다. 유통업은 사람의 밀집을 막기위해 드라이브쓰루 판매를 실시하고, 인터넷 배달로 전환되고 있다. 사람이 모이는 교회나 병원, 학원과 교육장, 나이트클럽 등의 사교장은 물론 심하게는 식당까지 몹시 영업에 어려움을 겪고 있다.

그러나 하늘은 지난해보다 짙고 파랗다. 맑은 하늘인 것이다. 코로나 사태에 따른 자연의 회복으로 지구가 깨끗해졌다. 그만큼 환경의 역할이 강조되고 있는 것이다. 산업 또한 이런 추세를 반영해 친환경산업으로 전환될 전망이다.

2020년 6월경 미국은 재난지원금을 성인에게 1인당 1,200달러(약 145만 원), 자녀 1인당 500달러(약 61만 원)를 수표나 온라인 송금 방식으로 지급한다고 발표했다. 미국뿐만 아니라 상당히 많은 국가가 코로나 불황을 극복하기 위해 복지를 강화하고 있다.

국가가 재난 극복을 위해 재난지원금을 지원하는 등 보편적 복지에 대한 인식이 이젠 달라지고 있다. 코로나로 교역과 집합이 줄어들고 공장 가동이 줄자 자연은 역습을 중단하고 깨끗해진 지구로 환원되고 있는 것이다. 이런 현상이 암시하는 것은 코로나도 결국 자연의 역습으로 닥친 피해이고, 환경이 그만큼 중요하다는 사실이다. 향후 환경을 지키기 위한 친환경산업으로의 전환은 매우 중요하다는 사실을 깨달아야 한다. 이런 측면에서 농민 기본소득제에 대한 진전도 예상할 수 있다.

지금의 지구는 세계화가 아닌 반(反)세계화, 신자유주의의 강대국이 아닌 개발도상국 중심의 유엔, 개인주의보다는 신공동체 의식이 강조되는 시기다. 각자도생(各自圖生, 지역화)하면서도 저개발국·개발도상국에 의료지원을 하지 않을 경우 이들 국가에 코로나19가 확산해 선진국에 재유입될 가능성도 커지기 때문에 국제사회의 협력과 연대가 강화될 것으로 전망된다.

신천지교회 사태에서 느끼듯이 사회적 위기를 극복하기 위해 자원봉사, 기부 등 새로운 공동체의식이 고양되는 신공동체주의가 확산될 것으로 보인다. 이를 위해서는 생태적 삶의 일상화가 매우 소중한 과제로 떠오를 것이며, 집단지성과 전문가 진단의 조화가 이뤄진 협동의 사회가 되어야만 한다. 또한 환경과 생태계의 보존을 위한 인간의 개인적인 도덕률이 제기될 것이며, 이를 통한 문명의 다이어트가 지구 차원으로 이뤄져야 할 것이다. 이의 추진을 위한 농업 분야에서의 인간의 탐욕을 제거하기 위한 농업과학정책의 대전환도 요구된다.

우리는 그동안 농정 틀의 전환은 이야기했지만, 농업과학정책의 전환을 이야기한 사람은 없다. 이제는 농업도 반(反)환경적이어서는 지속 가능성을 이야기할 수 없다. 농업과학 속에 배어 있는 인간의 탐욕을 찾아내 개선하고 진정한 환경주의 농업과학을 새롭게 수립해야 할 때다. 이것이 바로 문명의 다이어트, 농업의 다이어트다.

글로벌 파워의 재편

그동안 국가경쟁력이란 경제 수준, 산업발전 정도, 1인당 국내총생산량(GDP) 등 양적 지표에 따라 세운 기준이지만 앞으로는 위기대응력, 사회 안전망 확보, 보건의료 수준, 비대면 기술 등의 국가역량이 새로운 경쟁력 지표로 떠오르고 있다.

우리나라가 K-방역 때문에 국제적으로 위상이 높아진 것처럼 국가경쟁력에서도 새로운 기준이 설정돼야 한다는 의견이 제기되는 등 국가경쟁력 평가가 재정의(再定義) 되는 시대를 맞고 있다. 선도국(leading country)이란 새 개념이 주목을 받는 것은 돈과 경제로만 경쟁력을 평가하는 시기가 지나고 있다는 것을 의미한다.

최근 코로나 팬데믹으로 G2와 선진국이 리더십에 큰 상처를 입고 있는 상황을 넘어서 탈G2시대가 도래하고 있다는 점을 미래학자는 강조하고 있다. 헨리 키신저 전 미국 국무장관이 월스트리트저널(WSJ) 기고문에서 "자유질서가 가고 과거의 성곽시대(wall city)가 다시 도래할 수 있다."고 전망하는 것은 코로나 이후의 시대가 과거로 회귀한 점도 있지만 새로운 기준에 따른 국가의 성장전략이 필요하다는 사실을 강조하는 셈이다.

팬데믹(Pandemic)이란?

　　세계보건기구(WHO)는 전염병의 위험도에 따라 전염병 경보 등급을 1~6등급으로 나누는데, 이 가운데 최고 경보 단계인 6등급을 의미하는 말이다. 대량 살상 전염병이 생겨날 때 이를 '팬데믹'이라고 표현한다. 우리말로 하자면 '대창궐'이라 할 수 있겠다. 중세 유럽을 휩쓸었던 흑사병이나 20세기 초 수백만 명의 생명을 앗아간 홍콩 독감이 팬데믹의 대표적 사례다.

　　그리스의 역사가 투키디데스는 『펠로폰네소스 전쟁사』에서 기원전 430년경에 아테네에 발생한 역병으로 인구의 4분의 1이 숨졌다고 기록했는데, 이는 팬데믹에 대한 최초의 기록물로 추정된다.

　　전쟁의 승패를 가르고, 유럽에서 옮겨온 전염병으로 적지 않은 아메리카 원주민들이 사망하는 등 팬데믹은 인류 역사에 큰 영향을 미쳤다. WHO는 21세기를 '전염병의 시대'라 규정했다. 21세기 들어 신종플루와 에볼라 바이러스가 WHO에서 분류한 전염병 5단계인 에피데믹(Epidemic) 등급까지 가는 등 인류를 위협하는 전염병이 자주 창궐한 데 따른 것이다. 2015년 5월 한국에서 발생한 메르스로 인해 3차 감염자까지 등장하면서 메르스가 팬데믹으로 발전하는 것 아니냐는 우려가 나오기도 했다.

팬데믹은 국제정치, 국제안보에서도 주목받는 개념이다.

팬데믹이 '비전통 안보 위협(Non-Traditional Security Threat)'이기 때문이다. 비전통 안보 위협이란 군사적으로 국가안보에 위협을 가하는 전통 안보 위협이 아닌 불법 이민, 사이버 위협, 마약 거래, 초국경 인신매매, 불법 소형무기 거래, 해적, 테러리즘 등을 일컫는 말이다.

이와 관련 서울대학교 국제대학원 교수이자 싱크탱크 미래지 원장 이근은 2015년 6월 "이미 미국은 컴퓨터 해킹을 통해서 국가의 정보기관이나 기간산업을 마비시키고, 금융시장과 지적재산권을 교란시키는 사이버 안보 위협을 가장 중요한 안보 위협으로 인식하며, 유럽은 불법 이민이나 난민의 유입으로 정치적, 경제적, 사회적으로 골머리를 앓고 있다."고 했다.

역사적으로 대표적인 팬데믹은 14세기 중세 유럽에 발생한 흑사병이나 20세기에 유행한 스페인 독감 등이다. 세계보건기구는 1968년 홍콩 독감과 2009년 인플루엔자 범유행(신종플루)을 일으킨 신종인플루엔자A(H1N1)에 대해 팬데믹을 선언하기도 했다. 2020년 2월 26일 미국 질병통제예방센터(CDC)에서는 중국 우한에서 발생하여 세계적으로 확산되는 코로나바이러스감염증-19에 대한 팬데믹의 가능성을 예고했으며, 이 질환이 3월 들어 전 세계로 확산되어 심각한 양상을 보이자 WHO는 3월 11일 사상 세 번째로 코로나바이러스감염증-19에 대하여 팬데믹을 선언했다.

산업 유형-비대면 산업, 4차산업으로 급격히 변화

코로나의 창궐은 사회적으로 많은 변화를 가져왔다. 특히 산업의 급속한 변화는 재택근무가 늘어나는 등 기업문화의 혁신과 함께 넷플릭스, 유튜브 등 온라인 동영상서비스(OTT)의 사용이 늘어났고, 5G네트워크 등 ICT와 이를 활용한 비대면 산업이 활기를 띠지만 전통적인 기존의 산업은 사회적 거리두기의 영향으로 급속히 줄어들어 불황을 맞고 있다.

이에 따라 시장 중심의 오프라인 중심 유통에서 배달과 ICT를 활용한 유통으로 변화해 배달업과 인터넷쇼핑이 강화되고 있다. 또한 싼 노동력을 활용하기 위해 외국으로 떠난 기업이 국내로 되돌아오는 기업 유턴(리쇼어링, Reshoring)이 본격화되고 있으며, 생산기지 다변화 등을 모색하는 기업이 늘고 있다.

국가도 코로나의 파급 영향으로 교역의 어려움과 봉쇄에 따른 식량부족을 염려하여 식량수출을 차단하는 등 먹거리를 통제하려는 움직임도 늘어나고 있다. 이에 따른 민간의 식량 지역자급운동과 인근 지자체와의 연계·협동을 강화하는 조치들도 내려지고 있다.

코로나 발생 이후 국경 폐쇄가 단행되고, 글로벌 기업들의 생산라인이 중단되는 것은 물론, 식량의 수출 중단 등 조치가 발생하는데 포스트 코로나 시대의 농업은 어떻게 변화할지 종합적인 검토와 대책 마련이 요구되고 있다.

코로나를 계기로 재난지원금 형태의 보편적 복지지원이 세계적으로 확대됨에 따라 보편적 복지에 대한 세계인들의 인식이 전환되고 있다. 이에 따른 농민 기본소득제에 대해 국민들의 사고에는 변화가 없는지 여론의 추세를 확인해야 할 것이다.

아울러 농산물 유통에도 큰 변혁기가 올 것으로 전망돼 산지(産地) 유통 기능에서부터 ICT를 활용한 물류 시스템의 대대적 변혁이 요구되고 있다. 또한 농업의 디지털 생산, 유통, 먹거리 지역 선순환 체계 도입 등을 위해 정책적으로 세세한 대응책이 요구되고 있다.

구체적 농업 변화의 추세

사회적 거리두기가 강화되고 대면(對面)사업이 전면적으로 통제되는 상황에서 우리의 농업도 많은 변화를 체험하고 있다. 우선 외식산업이 줄어들고 배달업이 늘어나는 추세를 보이고 있다. 그러나 배달업 폭리가 상존하면서 이에 따른 공공배달의 정책화가 새로운 이슈로 등장하고 있다. 농산물의 소비형태도 변화하고 있는데 농산물보다는 요리나 농산물 가공품의 소비와 배달이 폭증하고 있다.

이에 따라 공공급식의 공공배달이 새로운 시장으로 창출돼 2013년 87만 명이던 배달앱 이용자 수는 2018년 2,500만 명으로 증가했으나 독과점에 따른 폭리도 증가해 공공배달에 대한 요구가 높아지고 있다.

친환경·국내산·식(食)재료나 농업·농촌의 가치를 우선시하는 소비도 늘어나고 있다. 초록마을, 주민생협마트, 한살림마트 등 친환경농산물을 주로 판매하는 업종의 성장이 두드러지고 있다. 다만 코로나의 영향으로 등교일수가 줄어들어 여기로 납품하는 친환경농가의 친환경농산물 판매가 매우 줄어 이에 대한 유통과 소비 대책이 요구되고 있다.

외식시장에서의 카드 수수료 제로페이 등 공공영역으로 대체되는 현상이 벌어지고 있다. 카드업체의 폭리에 따른 지방자치단체의 대응 차원에서 마련된 것으로 카드나 배달업 등 시장에서 아무리 자본주의 국가라고 하더라도 폭리가 과하면 공공의 영역으로 대체된다는 것을 교훈으로 삼아야 한다.

국민의 먹거리 안전과 건강 개선을 위한 외식산업의 프로젝트와 정책의 도입을 국민과 소비자들은 요구하고 있다. 특히 코로나의 영향으로 국민이 함께하는 농업의 시대가 더욱 빨리 도래해 국민의 기본권인 먹거리주권이 보장되는 농정의 체계가 될 것으로 전망한다. 식량주권을 포기하면 농업도 없다는 점을 인식해야 할 것이다.

미래학자들이 얘기하는 스마트유통 시대의 도래는 물론이고, 먹거리 공영화가 이뤄질 것으로 전망된다. 이에 따라 정부 18개 부처와 산하청을 비롯하여 지방공공기관 등 공공기관의 먹거리통합시스템이 요구되고 있다는 점을 강조하고 싶다.

다시 한 번 얘기하지만 자본주의라도 뭐든지 폭리가 과하면 공공의 영역으로 대체되기에 농업도 국민의 먹거리 기본권과 관련된 분야이기에 공공정책이 더욱 확대돼야 한다고 본다.

농산물 유통의 공공화, 사회화 진전

WTO 정부조달협정이 개정(2016. 1. 14 발효)됐다.

그 이유는 EU, 미국, 일본 등의 국가들이 학교급식 등 공공급식의 영역에서 자국산의 공급을 보편화했기 때문에 이를 추진하지 않던 국가들의 입장에서 불공평했기 때문이다. 우리나라는 WTO 정부조달 협정에 1994년 가입했지만 회원으로서의 혜택을 제대로 받지 못하는 상태였다.

그렇지만 말라카시협정으로 불리는 WTO 정부조달협정은 공공의 영역에서 선진국들이 자국산을 사용하는 관행이 있었기 때문에 개도국이 무역상 오히려 손해를 입고 있는 상황이었다. 특히 학교급식 등 공공의 먹거리 영역에 있어서는 국내산의 소비를 위해 우리나라도 절실하게 개정이 요구되던 상황이었다. 이에 따라 공공급식에 수입 농산물의 내국민대우원칙이 적용되지 않아 국산 농산물 우선 구매가 가능해졌다.

또한 세계적으로 국가별 식량통제 움직임이 확산되고 있는 상황이다. 코로나 사태에 따라 세계 각국은 식량수출 통제를 강화하면서 국민들의 식량안보와 먹거리 주권에 대한 인식을 강화하고 있는 상태였다.

아울러 사회적 거리두기에 상응하는 유통 시스템의 변화로 식량 유통과 공공 및 취약계층 급식에 대한 물류 시스템의 변화가 오고 있었다. 등교 연기로 인해 학교급식으로 납품하던 농가들이 생산한 농산물을 폐기처분할 위기에 놓이자 지방자치단체들은 드라이브 스루 방식으로 농산물 팔아주기 운동을 벌였으며, 일반 유통업체들도 이런 방식과 새벽 배송 등을 도입해 농산물을 판매하는 등 유통 방식의 변화가 발생했다.

이런 상황과는 별도로 국민 농업의 시대를 맞아 먹거리 확보, 안전, 건강, 환경 지키기, 지역문화 지킴이, 농업의 공익적 기능 보장 등의 내용을 담은 도농간 사회협약에 대한 필요성이 제기되고 있다. 농민들에게 공익형직불금을 지불해야 하는데 정부 내에서도 기획재정부 등의 부서는 예산의 확대를 막고 있다. 이를 돌파하기 위해서는 농업계와 비농업계가 사회협약을 통해 농민들은 농업을 지키기 위한 의무준수사항을 기획해 실천하도록 하고, 비농업계는 농업·농촌의 가치를 인정하면서도 그 가치를 농민에게 되돌려주는 사

농산물 유통의 공공화, 사회화 진전
- WTO 정부조달협정 개정('16.1.14. 발효)으로 공공급식에 수입농산물의 내국민대우 원칙이 적용되지 않아 국산 농산물 우선 구매가 가능
- 전세계적인 국가별 식량통제 움직임 : 코로나사태에 따른 각국의 식량수출 통제가 강화돼 국민들의 식량안보 및 먹거리주권에 대한 인식 강화
- 사회적 거리두기에 상응하는 유통시스템의 변화로 식량유통 및 공공 및 취약계층급식에 대한 물류시스템의 변화 도래

시민사회·농민간 사회적협약과 농민살리기 프로그램 나타날 것
- 국민농업의 시대를 맞아 먹거리확보, 안전, 건강, 환경지키기, 지역문화지킴이, 농업의 공익적 기능 보장 등을 담은 도농간 사회협약 등장할 것
- 이에 상응하는 공익형직불금 지급, 농민의 사회적 지위 높여주기 등 농민살리기의 강화
- 각자 도생의 시대, 지구촌 식량란에 대비한 대책 요구될 것

- 가) 식량기반 붕괴시 단기간 회복 불가능
- 나) 식량자급률 목표치 상향과 지원정책 실현
- 다) 먹거리 다양화 와 식량자원의 재평가 : 감자의 재평가, 곤충의 식량화
- 라) 공장식 농업, 인간의 탐욕 등을 제거한 농업의 틀 마련
- 마) 밀·청보리 자급률 향상, 사료조달정책, 로컬푸드 완전소비를 위한 선순환 구조확립
- 바) 국제 식량동향 모니터링 시스템을 통한 식량조기경보시스템 구축

회적 약속을 범국민적 운동으로 승화시키자는 제안이 시민사회단체와 농특위로부터 제기됐다.

현대사회는 농업이 공공의 영역으로 인정되고 농민은 공공의 영역에 종사하는 공직자의 특성을 가진 업종의 사람이므로 이를 대접하는 공익형직불금이 지불돼야 한다는 점이다. 이에 상응하는 공익형직불금 지급, 농민의 사회적 지위 높여주기 등 농민 살리기의 강화가 이제는 농업·농촌 살리기의 일환으로 제안되고 있는 것이다.

특히 농산물의 유통은 공공화의 영역으로 생각하고 그동안 농민들이 치러왔던 농산물 유통비용을 이젠 국가와 사회가 지불해야 한다는 견해까지 제기되고 있다. 그래서 농산물 유통의 공공화가 제기되고 이를 추진하기 위한 방식으로 공공급식의 영역은 사회적 경제로 담당해야 한다는 의견도 제안되고 있다. 이런 주장은 결국 최근 전국 지방자치단체로 확산되고 있는 먹거리선순환을 위한 지역 푸드플랜의 추진을 공공화-사회화를 통해 추진해야 한다는 의견으로 모아지고 있다.

2020년 4월 11일경 '지구촌 식량난이 온다'는 제목으로 베트남, 캄보디아, 카자흐스탄, 파키스탄 등 여러 국가의 농산물 수출 중단

및 통제가 이뤄지고 있다는 뉴스가 언론을 장식했다.

이런 흐름은 30여 개의 국가들이 식량을 통제하는 것으로 확산됐다. 이런 흐름은 전염병이 일상화된 포스트 코로나 시대에는 먹거리, 삭량, 농업 등의 문제가 국가정책의 핵심으로 들어서는 상황이 됐다는 이야기다.

먹거리 미래 준비

먹거리는 이제 국가 주도의 주요 정책으로 지켜야 하는 시대가 된 것이다. 식량기반이 붕괴되면 단기간 이를 회복하는 것은 불가능하기 때문이다. 2006~2008년의 국제적 식량위기의 시절 동남아, 남미, 아프리카 등 개도국 27개국이 식량부족으로 폭동과 시위가 난무하고 아이티, 마다가스카르 등의 국가는 정권까지 교체되는 상황까지 맞았다. 식량부족 때문에 진흙으로 과자를 만들어먹는 아이티의 상황은 TV에서도 많이 방영됐다.

이를 극복하기 위해 가장 필요한 것은 식량자급률 목표치 상향과 이를 위한 지원정책을 실현하는 일이다. 또 먹거리를 다양화해야 하는데 저주의 식물로 불리는 감자를 식량작물로 재평가하는 계기로 삼아야 할 것은 물론, 먹거리 자원을 재평가해서 곤충의 식량화도 본격적으로 검토해야 할 시기다.

식량이란 것은 모두 자급률을 높여야 한다. 그래서 밀·청보리 등 곡물의 자급률을 높여야 하며, 사료 구매지원 정책을 재검토하고, 부족한 식량의 조달을 위한 해외곡물 생산기지를 확보하는 점도 신중히 검토해야 할 것이다.

특히 식량의 긴급사태를 대비해서 국제 식량동향 모니터링 시스템을 통한 식량조기경보시스템을 구축해야 한다는 점도 간과해서는 안 된다.

코로나 창궐에도 잊으면 안 되는 '윤봉길의 농민독본'

"농사가 천하(天下)의 대본(大本)이라는 말은 결단코 묵은 문자가 아닙니다. 이것은 억만년을 가고 또 가도 변할 수 없는 대진리입니다. 사람이 먹고 사는 식량품을 비롯하여 의복 주옥의 자료는 말할 것도 없고, 상업·공업의 원료까지 하나도 농업 생산에 기대지 않는 것이 없느니만치 농민은 세상 인류의 생명 창고를 그 손에 잡고 있습니다.

우리 조선이 돌연히 상공업 나라로 변하여 하루 아침에 농업은 그 자취를 잃어버렸다 하더라도, 이 변치 못할 생명 창고의 열쇠는 의연히 지구상 어느 나라의 농민이 잡고 있을 것은 사실입니다. 그러므로 농민의 세상은 무궁무진합니다.

또 다른 의미로는 어떤 사회나 국가가 민족이나 한 덩어리로 이루어질 때는 반드시 그 가운데에 절대다수를 차지한 계급이 그 사회나 국가나 민족의 주춧돌이 되며 기둥이 되는 것이니, 이것을 볼 때에 조선의 장래는 농민의 것이 안 될 수 없습니다. 다시 말하면 농민의 손으로써 농민을 본위로 한 정치와 경제와 문학과 예술과 교육이 존재하게 될 것입니다."

-----<농민독본 4과 3에서>

먹거리 물류 공공화를 위한 도시농업협동조합의 소비자 조직화

농업협동조합은 국가정책의 산업화 추진으로 상당히 많은 지역에서 도시화가 진행됐다. 그래서 농협도 조합원인 농민의 수가 줄어들어 이제는 거의 농민이 없는 곳도 많다.

그러나 이런 도시농협이 금융만을 해서 수익이나 챙기면서 농업·농민을 위한 사업과 농업적 공익활동을 찾지 못하고 사익 추구기관으로 전락하는 경우가 많다.

이렇게 농민 조합원이 거의 없는 도시농협이 새로운 방향으로 소비자 조합원을 활용하고 농촌의 로컬푸드 농산물을 판매하는 매장을 통해 소비자 조합으로서의 기능을 강화한다면 새로운 시대에 걸맞은 도시농협의 위상이 정립될 것이다.

서울을 비롯하여 안양, 수원, 과천, 성남, 부천 등 도시농협들은 생산자 조합원이 거의 소멸된 상태다. 그래서 선거철만 되면 조합원을 확보하기 위해 벌통 10개나 메추리 30마리 등을 들여와 농민 조합원임을 입증하는 등 불법·편법으로 조합원 등록을 하는 경우가 허다하다.

어차피 도시농협의 지역 내에 농민 조합원이 없다면 불법 조합원을 확보하려 하지 말고 소비자 조합원도 조합원 자격을 갖도록 법규를 개정해서 도시농협은 로컬푸드 직거래매장 등을 운영하도록 하면서 어느 정도 소비 규모가 넘으면 열성 소비자-정(正)조합원으로 인정하도록 하면 될 것이다. 이런 조치를 취한다면 조합원들의 소비자로서의 역할도 강화되고 불법적인 조합원 확보 경쟁을 벌이지 않아도 된다.

또 학교급식과 공공급식이 무상급식으로 정착된 지금 도시농협이 농촌지역의 농협과 제휴를 맺어 농촌 중소농의 도시매장 기능을 수행하도록 한다면 기존의 유통기능에서 받던 농민들의 피해도 줄일 수 있고, 직거래가 활성화되어 생산자-소비자 모두 유통 이익을 높일 수 있다.

이를 위한 도시농협 조직의 재조직화를 추진한다면 도시농협의 개혁에도 많은 도움을 줄 것이다. 도시농협의 소비자 조직화는 이런 관점에서 지역푸드플랜 정책의 확산이라는 측면에서도 좋은 영향을 미칠 것이다.

먹거리는 공공재, 공영화-사회화로 실천해야

2017년 4월 19대 대통령 선거운동 과정에서 문재인 후보는 "먹거리는 공공재, 농민은 공공재를 생산하는 준공무원"이라고 피력한 바 있다. 학계에서도 공공적 성격의 농업과 농민에 대한 재평가 논의는 20년이 훨씬 넘었다.

이러한 영향으로 우리나라에서도 농산물을 공공재로 평가해 유엔에서 제기한 먹거리 기본권을 국민에게 보장해주기 위해서 추진된 사업이 지역푸드플랜 정책이다.

지역푸드플랜은 지역푸드시스템 구축을 통해 공공 먹거리 제도를 운영하는 것이다. 이는 2016년 1월 WTO 정부조달협정의 발효로 공공분야 먹거리 국내산 사용이 가능해지면서 세계적으로도 정책이 확산되고 있는 분야다.

이렇게 지역먹거리선순환시스템을 구축하면 지역 협치 조직 구성과 운영을 통해 지역민 의 의견을 반영한 사업으로 공공급식이 추진된다. 먹거리를 공공재로 선정하고, 이의 지원을 위한 먹거리 기본법을 제정해야 한다.

그동안 농수산물 도매시장에 농민들이 생산품을 납품하면 하역비, 시설이용비, 상하차비 등 유통을 위한 모든 비용을 생산자인 농민들이 부담해왔다.

그러나 이제는 농산물 유통비용의 국가 부담제를 시행해야 할 때도 된 것이다. 이를 위한 먹거리시장의 공공적 운영을 위한 제도 개선 방안에 대해 구체적 논의가 필요하다.

먹거리 문제의 해결을 위해서는 사회적 경제로 푸드 시스템을 지원하는 정책 도입이 절실하다. 이를 위해 먹거리 관련 사회적 경제의 운영 지원 제도를 마련해야 하고, 도시농협의 로컬푸드 운영 확대를 위한 조치가 마련돼야 한다. 특히 생산자 조합원이 없는 도시농협의 소비자 조직화는 조합의 이용고를 활용한 먹거리 소비 행태 활성화 전략으로 제안하고 싶다. 특히 모든 먹거리 이동의 과정에 건강성, 안전성, 공공성 등을 반영한 시스템의 구축으로 사회적 경제는 그 활용의 가치가 높다고 할 수 있다.

제3장

포스트 코로나 시대의 변화

포스트 코로나 시대, 어떻게 변화할 것인가?

포스트 코로나 시대에 대한 전문가들의 전망

코로나19 이후 세계 유수의 석학들과 유명인사들은 코로나 이후의 세계에 대해 저마다 자신의 생각을 피력하며 나름대로 변화에 대해 한 마디씩 하고 있다. 과거 유럽 흑사병 이후의 세계가 그렇듯이 포스트 코로나 시대도 엄청난 변화를 겪을 것이라는 예측이다.

『세계는 평평하다』는 저서로 유명한 세계화론자인 토마스 프리드먼은 2020년 3월 뉴욕타임즈에 낸 기고문(Our New Historical Divide : B.C. and A.C.)에서 "세계는 BC(코로나 이전)와 AC(코로나 이후)로 나뉠 것"이라고 주장해 과거와 같은 삶, 과거와 같은 생활을 할 수가 없다는 내용과 또 그래서도 안 된다는 주장을 제기했다.

삶의 방식이 비대면(非對面) 사회, 문화, 경제 등으로 바뀌어 버린다는 이야기다.

『사피엔스』『호모데우스』 등을 집필한 유명한 역사학자 유발 하라리도 파이낸셜타임즈에 기고한 '코로나 바이러스 이후의 세계'에서 "이 폭풍이 지나고 인류는 살아남겠지만 우리는 전혀 다른 세계에서 살게 될 것"이라고 예측했다. 현재 일어나는 변화와 비상대책이 우리 삶에 고착화되어 근본적이고, 장기적인 변화를 가져올 것이라는 전망을 내놓은 것이다.

로마클럽 회장 산드린 딕손-데클레브 등은 세계경제포럼에 기고한 글(2020. 3. 25)에서 "코로나19 팬데믹은 세계인의 삶과 경제를 위협하고 있으며, 인류 사회가 하룻밤 사이에 급변할 수 있으며, 경제의 체계적 변화를 서두르지 않으면 안 된다는 것을 보여줬다."면서 "지구의 한계를 초과하는 것을 멈추도록 일깨워주는 모닝콜"이라고 주장했다.

'웰빙경제연합(WEALL, Wellbeing Economy Alliance)의 활동가인 케서린 트레백은 "코로나19의 확산은 영국경제의 불평등과 권력구조, 부조리를 드러내고 있다."며 "기존의 경제구조로 되돌아갈 것이 아니라 웰빙경제를 구축하는 기회로 삼아야 한다."고 주장했다.

박진도 전 농특위원장이 평상시 주장했던 "경쟁이 아닌 좋은 사회정책과 행복농정으로의 전환이 절실하다."는 이야기와 유사하다. 웰빙과 개념의 차이가 일부 있기는 하지만 대체적으로 같은 뜻으로 해석할 수 있다.

영국의 정치철학자이자 작가인 존 그레이(John Grey)는 정치문화 주간지 <뉴스테이츠먼 (newstatesman.com)>에 기고한 글에서 코로나19 대유행으로 "세계화의 시대는 끝났다."고 선언하고, 지금의 위기는 "안정된 균형이 일시적으로 무너진 상태가 아니라 인류가 역사의 전환점(a turning point in history)에 직면한 것"이라고 밝히고 있다.

영국 작가 토비어스 존스(Tobias Jones)는 코로나19 대유행으로 인해 "웰빙은 개인이 아니라 사회적 문제라는 점이 모두에게 각인됐다."고 주장하고, "우리는 서로를 아프게 할 수도 있지만 함께 잘 살려고 노력할 수도 있는 의존적 존재"이며 "건강한 공동체는 인간뿐 아니라 토양, 물, 공기에도 좋은 영향을 미친다는 사실이 이번 위기를 통해 여실히 드러났다."고 의견을 피력했다.

그는 지난 반세기 동안 신성한 권력으로 군림해온 '시장'과 불평등의 주요인인 '세계화'라는 신화가 흔들리고 있는 만큼, "GDP와 같은 추상적인 목표를 달성하기 위해 이익을 창출할 것이 아니라 지구에서 함께 사는 80억 인류가 이해할 수 있는 새로운 경제 시스템이 필요하다."고 강조했다.

줄리아 스테인부르그(Julia Steinberger) 영국 리즈대학 생태경제학 교수는 "성장 중심 사고방식 때문에 코로나19 대유행에 대한 조치가 없거나 비효율적이었다."고 주장한다. 즉 이른바 '성장 강박(Growth-obsession)'이 우리가 바이러스나 기후변화와 같은 위기에 대응하는 데 있어 크게 세 가지 방식으로 해를 끼친다고 지적한다.

그 첫째는 "성장이 모든 사람에게 필요하고 유익하다는 잘못된 통념 때문에 오히려 빈곤이나 결핍을 근본적으로 없앨 수 있는 조치를 취하지 못하는 경우가 많고", 둘째는 "정부와 지도자들이 공공정책이 가능하고 필수적이라는 사실을 제때 깨닫지 못하게 방해하며", 셋째는 "개인이 사회적 성과에 책임을 질 수 있다는 잘못된 생각을 유발하는 것, 예를 들어 손을 열심히 씻으면 바이러스 퇴치가 가능하고, 쓰레기 분리수거를 잘하면 환경문제가 해결된다는 식으로 상황을 호도한다."는 것이라고 주장한다. 실질적인 환경개선과 공공정책의 확대가 절실하다는 주장을 제기한 것이다.

토마 피케티는 최근의 저서 『자본과 이데올로기』에서 "불평등은 경제적인 것도 공학적인 것도 아니다. 오히려 이데올로기적이고 정치적이다."라며 이데올로기의 전환을 촉구했다.

코로나시대를 맞아 식량불균형과 실업 확대 등 민낯으로 드러나고 있는 서민들의 경제위기와 불균형을 이데올로기로 규정해 개선을 촉구하고 있는 것이다.

최근에 영국의 <가디언>이 발표한 코로나 이후의 삶에 대한 조사가 있다. 영국 사람들은 코로나19 이후에 69%가 바뀌어야 한다고 생각하고, 바뀌지 말아야 한다고 생각한 사람은 6%에 불과했다. 그리고 그 변화를 추동하고 있는 것이 'Build Back Better'라고 하는 캠페인이다. '더 나은 후퇴-과거를 세우자'는 의미를 세워 공정하고 친환경적인 경제제도를 도입하자는 의미에서 영국의 종교인, 기업인, 노동조합, 엔지오, 학자, 다양한 영향력이 있는 350명이 서명을 하고 그 사람들이 이런 캠페인을 벌이고 있다.

최근 유럽의 그린 딜(Green Deal)은 '농장에서 식탁까지 전략(Farm to Fork Strategy)'에 기초하여 식품의 생산에서 가공과 유통, 소비, 그리고 폐기에 이르는 전 과정에서 지속 가능한 먹거리 체계로의 전환을 가속화하고 있다. 유럽연합은 현재의 먹거리 시스템은 코로나19 팬데믹 같은 위기에 탄력적으로 대응할 수 없다고 보고, 공정하고(fair), 건강하고(healthy), 환경친화적(environmentally-friendly) 먹거리 시스템을 만들기 위해 노력하고 있다. EU의 '농장에서 식탁까지 전략'은 순환경제로의 전환을 지원하며, 기후변화 대응, 환경 보전과 생물다양성 증진, 먹거리 기본권 보장, 적정한 식품가격 등을 지향한다.

미국의 경제학자인 경제동향연구재단 이사장 제러미 리프킨(Jeremy Rifkin)은 무모한 개발로 인해 생명체의 야생 서식지가 파괴되고, 그로 인해 바이러스가 동물을 매개로 인간에게 접근했다고 말한다. 팬데믹 위기가 기후위기 때문이라는 설명이다. 그 이면에는 자연을 공존의 대상이 아니라 단지 활용 가능한 자원으로만 인식하는 개발주의, 즉 시장자본주의라는 체제가 버티고 있어 일어나는 현상이라는 지적이다.

장하준 케임브리지대학 교수는 이 현상을 "효율성을 위해 약자에게 위험부담을 지운 신자유주의가 약점을 드러낸 것"이라고 지적한다. 시장주의, 세계화, 신자유주의가 기후위기를 촉발하도록 경제체계를 운영함으로써 환경 위기를 초래했고, 코로나 팬데믹을 오게 한 원인이라는 것이다.

결국 인간조직과 힘의 통제가 불가능한 바이러스의 공격을 계기로 이를 회복해야 한다는 의미를 담고 있다.

이와같이 전문가들과 여러 매체들은 코로나19의 원인을 자연 생태계의 파괴라고 지적한다.

바이러스는 인간에 대해 무차별적이어서 세계에서 가장 부자 나라라는 미국을 비롯한 선진국들도 코로나19로 인해 곤욕을 치르고 있다. 어느 누구도 바이러스 앞에서의 위험은 같다.

그러나 바이러스가 평등하지는 않다. 우석균 인도주의실천의사협의회 공동대표는 "거리와 공간이 곧 돈인 이 자본주의 사회에서 감염병은 결코 평등하지 않기 때문에 가난한 사람과 사회적 약자가 더 취약하다."고 지적한다. 시장은 무능했다. 위기상황에서 어떠한 대책도 내놓지 못했다. 민간의료 시스템은 정부의 통제와 지휘가 아니었더라면 어떠한 역할도 수행할 수 없었다. 반면에 국가의 역할은 그 중요성을 인정받았다. 1970년대 신자유주의 등장 이후 '시장'에 밀리던 '국가'의 존재감을 드러냈다.

중국의 생태문명학자인 원톈진은 중국에서의 확산을 막을 수 있었던 요인 가운데 하나로 '농촌의 안전성'을 꼽았다. 농촌이 지니고 있는 환경적 요인과 분산성, 접근성 등이 외부인의 접근을 막고 '스스로 고립'을 택함으로써 안전을 지켰다는 것이다. 그러나 앞으로도 농촌이 지속적으로 '안전지대'의 역할을 할 수 있을까?

토마스 프리드먼의 뉴욕타임즈 기고문 풀기

『세계는 평평하다(The World is Flat)』를 쓴 토마스 프리드먼의 NYT 기고문(Our New Historical Divide : B.C. and A.C.)을 자세히 다시 읽어본다.

그는 우선 앞으로의 세계가 BC의 세계와 AC의 세계로 나뉜다고 말한다. BC 하면 Before Christ의 약자로 '기원전'이라는 뜻이었다. 그러나 토마스 프리드먼은 BC는 Before Corona, AC는 After Corona라고 설명한다.

우한 코로나바이러스 이전의 세계와 이후의 세계가 완전히 다른 세계가 될 것이라는 것을 상징적으로 보여준 것이다.

자기 책이 나온 시점을 IT적 시각에서 개괄하는 것도 재미있었다. 자신이 『세계는 평평하다』를 쓰기 시작하던 2004년 당시에 페이스북은 방금 사업을 시작했고, 트위터는 겨우 지저귀기 시작했으며, 클라우드는 아직 하늘에 있었고, 4G는 주차장 일련번호였으며, 링크드인은 감옥이었다고 했다. 또 대부분 사람들에게 애플리케이션은 대학입학 신청서였으며, 스카이프는 타이포그래피였고, 빅 데이터는 랩 스타였으며, 아이폰은 아직 스티브 잡스가 만지작거리던 비밀 프로젝트였다고 했다.

그러면서 그는 AC와 AD 시대에 대한 통찰과 전망을 펼쳐놓는다. 아직 지저귀고 하늘에 있던 이 모든 접속 툴들이 온 세계를 디지털화하기 시작했고, 무역과 관광을 글로벌 수준으로 폭발시켰다. 그리고 난 후 지금 세계-정보통신과 인터넷 및 SNS의 세계는 단순히 상호접속된(interconnected) 정도가 아니라 상호의존적(interdependent)으로 변해 버렸다. 어느 면에서는 상호의존의 정도가 아니라 완전히 함께 녹아들어가면서, 경제가 엄청나게 발전했다. 그러나 동시에, 한 곳에 나쁜 일이 일어나면 그 사태가 그 어느 때보다 더 멀리, 더 빨리, 더 깊게 퍼져나갔다.

코로나19를 돌아보면 중국 땅에서 바이러스를 장착한 박쥐 한 마리가 다른 포유동물을 물었고, 그 포유동물은 우한의 야생동물 시장에서 팔렸으며, 한 가정의 저녁 식사에서 감염을 일으켰다. 이것이 코로나 바이러스의 시작이었다. 불과 몇 개월 만에 세계의 거의 모든 학교가 폐쇄되고 사람들은 두 팔 간격으로 사이를 두고 떨어져 앉게 되었다. 밀접하게 서로 맞물려 있던 세계 체제는 완전히 올

스톱, 미래는 한 치 앞도 예측할 수 없는 상황으로 변했다.

인간이 가장 이해하기 힘든 것은 기하급수적 증가 현상이다. 현재 미국 내 5천 명의 확진자를 격리하지 않으면 그것이 곧 백만 명의 확진자로 늘어날 것이라는 사실을 어떻게 우리는 쉽게 납득할 수 있단 말인가?

선마이크로시스템 공동 창업자 빌 조이의 다음과 같은 비유는 부동산 개발업자 트럼프도 알아듣기 쉬운 이야기다.

"바이러스는 마치 하루 이자율 25%를 받는 고리대금업자(loan shark)와도 같다. 1달러를 빌린 후(코로나바이러스에 감염된 1번 확진자다) 40일 간을 미적미적 놔두면 우리가 갚아야 할 빚은 7천 5백 달러가 된다. 그리고도 3주 동안 아무 일도 안 하고 세월아 네월아 기다리고만 있으면 부채는 거의 백만 달러가 된다."

그러나 좋은 기하급수도 있다고 프리드먼은 말한다. 무어의 법칙이 그것이다. 인텔 공동 창업자인 고든 무어가 1965년에 한 말이다. 그는 컴퓨터의 속도와 처리 능력은 2년마다 두 배가 된다고 했다. 인텔은 무어의 법칙을 다른 제품에 적용했을 때의 모습을 폭스바겐 비틀 차에 가상으로 적용해 보았다.

그리하여 1971년부터 지금까지 그 능력이 개선된다면 오늘날의 비틀은 시간당 약 30만 마일을 달릴 것이고, 갤런 당 연비는 2백만 마일, 4센트가 될 것이라고 했다.

컴퓨터 기술과 바이오 기술은 혁명적으로 발전했다. 그러나 이 슈퍼컴퓨터의 시대에도 우리는 아직 에이즈나 말라리아 백신을 갖고 있지 못하다. 우리 시대에 가장 널리 퍼진 아주 심각한 두 질병인데도 말이다.

프리드먼은 싱가포르와 홍콩의 예 또는 이탈리아의 예를 설명하기 위해 『룰을 만드는 사람들, 룰을 파괴하는 사람들』의 저자 미셸 젤펀드 교수의 이야기를 인용한다.

미셸 젤펀드는 엄격한 문화와 느슨한 문화를 구분하면서 "중국, 싱가포르, 오스트리아 같은 엄격한 국가들은 엄격한 사회 규범과 처벌 규정이 있고, 미국, 이탈리아, 브라질 같은 느슨한 나라들에서는 법 규정이 좀 더 느슨하여 웬만하면 모든 것이 허용된다."고 했다.

그러면서 그녀는 역사적으로 기근, 전쟁, 자연재해 또는 전염병의 창궐을 많이 겪은 사회가 강력한 법이 있는 엄격한 국가가 된다고 했다. 이런 재앙들 속에서 사람들은 엄격한 규칙과 질서가 생명을 구한다는 것을 체감했기 때문이라고 했다.

반면 이런 위협들을 별로 겪지 않은 미국 같은 나라는 상대적으로 느긋하게 삶을 즐길 수 있는 사치를 가졌다고 했다. 그러면서 싱가포르나 홍콩 같은 엄격한 룰을 가진 나라에서 코로나 바이러스 사태를 잘 대처하는 것은 당연한 일이라고 했다.

빌 조이, 고든 무어, 미셸 젤펀드 등을 재치 있게 인용하며, 트럼프에 대한 비판도 간간히 집어넣으면서 토마스 프리드먼은 이렇게 결론을 내렸다.

"우리의 문화를 좀 더 단단하게 조이고, 우리의 돈지갑은 좀 더 느슨하게 풀면 우리의 AC(코로나 이후 시대)는 좀 더 강력하고 좀 더 친절한 사회가 될 것이다."

초접속 또는 초의존의 이 글로벌 시대에, 코로나 이전 사회와 코로나 이후 사회가 완전히 달라질 것이라는 예감은 우리에게도 강력하게 다가오지 않는가.

포스트 코로나 시대, 농업의 전망

국가 농업연구기관의 진단

한국농촌경제연구원은 2020년 7월 1일『코로나19 대응 농업·농촌 부문 영향과 대응과제』를 주제로 한 연구보고서를 발표했다. 다소 늦기는 했지만 포스트 코로나 시대에 대비해 농경연이 이런 연구를 한 것은 그나마 우리나라 농업계가 적응하는 데 도움을 줄 것으로 기대한다.

그 내용을 살펴보면 포스트 코로나19(AC)에 따른 사회·경제적 패러다임의 변화는 코로나 이전의 상황으로 회귀하지 못하고 장기 경기 불황 극복과제뿐만 아니라 전염병 팬데믹 위험에 대응해 새로운 사회·경제체제 패러다임이 도래할 것으로 전망됐다.

4차 산업혁명 기술과 5G 통신 기반을 적극적으로 활용하는 사회로 전환돼 원격의료와 교육의 활성화, 데이터 경제의 강화 등으로 변화할 것이라는 것이다. 새로운 패러다임은 언택트(Untact, 비대면)라는 점이 강조되는 새로운 사회, 경제적 질서가 확립되고 새로운 길을 모색할 것으로 예측하고 있다.

사람이 대변하고 교류하며 공감하는 관계가 변화하여 사회적 거리를 두는 저밀도 사회를 선호하는 방향으로 전환되고 이에 따른 산업적 변화도 일어날 것이라는 전망이다.

사회적 교류의 경우 전염 위험 방지를 위한 비대면 교류의 경제구조, 재택근무, 온라인 구매 등 온라인·비대면 경제·사회적 활동이 증가함은 물론, 저밀도 생활방식으로 변화에 따른 산업의 재편이 도래할 것으로 예측한다.

비대면 원격의료·건강, 에듀테크 교육, 농식품 거래 등도 온라인 플랫폼 등 온라인 유통이 심화되는 반면, 그에 따라 세계화라는 사조가 약화되고, 4차 산업혁명의 디지털혁명이 더욱 촉진되는 산업구조로의 변혁이 일어날 것으로 전망했다.

또한 비대면 관련 산업의 발전과는 상반되게 4차 산업혁명, 데이터 경제가 가속화하면서 급격한 고용 위기가 도래될 수 있다. 이동제한으로 인한 생산 차질을 최소화, 비대면, 디지털 온라인 방식이 보편화되면서 AI(인공지능)와 로봇이 노동을 대체해 급격한 일자리 감소의 고용 위기가 발생하고 임시직, 일용직 등 취약계층일수록 삶의 위기에 직면할 수 있다는 우려까지 제기되고 있다.

농업·농촌 부문 영향에 있어서는 포스트 코로나19로 인한 경제적 침체(R의 공포)는 쉽게 극복되지 못하고, 3년 정도 회복기간이 요구될 것이라는 전망을 제기하고 있다. 생필품인 농식품 부문은 코로나19로 인한 영향이 단기적으로 미미하지만, 중기적으로는 경제 위축으로 인한 수요 감소에 직면하는 위험이 발생한다는 것이다.

글로벌 가치 사슬과 글로벌 공급망(Global Supply, Value Chain)의 변화도 찾아올 것으로 예상했다. 이러한 변화는 필수품에 대해서는 확보가 어려워지는 세계화의 위험을 축소하기 위해 자국 내 생산을 강화하는 방식으로 변모할 것으로 예측하고 있다.

그런 까닭에 효율성 중심의 세계화, 신자유주의로 대별이 되는 글로벌 공급망은 훼손되고 위기에 직면하면서 생필품, 국가 전략 품목 중심으로 자국 내 생산을 확대하는 공급망의 로컬화가 촉진될 것으로 전망하고 있다. 아울러 지속 가능한 경제사회 실현을 중시하는 방향으로 가치관이 변화할 것으로 의견이 모아지고 있다.

코로나 팬데믹은 단순한 사건이 아니지만, 그 원인이 환경문제,

기후변화, 에너지 문제의 영향이라는 인식으로 환경·건강·안전의 가치관이 확산될 것으로 생각된다. 건강에 대한 인식 강화 등 새로운 소비구조로 변화하면서 건강식품 수요, 안전성 관리 강화, 게임 산업의 성장 등의 후속적인 변화가 찾아올 것으로 예측된다.

이에 따라 만성적 대량 실업사회의 도래, 효과적 전염병 대응 등을 위해서 연대와 협력이라는 공동체, 삶의 질을 중시하는 가치관이 확산되는 신(新)공동체사회로 전환될 것으로 예상하고 있다.

포스트 코로나 시대, 농업·농촌사회 패러다임 전환

팬데믹 이후 우리 농업·농촌은 언택트의 영향으로 생산, 유통, 소비, 식량안보, 농촌주민 삶의 질 등 전 부문에서 패러다임 전환이 이뤄질 것이다. 이를 구체적으로 꼽으면 △경제위축에 따른 수요 감소로 2~3년 내 농가경제가 악화되는 위험이 존재하고, △농산물 유통혁신 변화와 농식품 안전성 관리 강화 요구되며, △온라인 도매시장시대가 도래해 온라인 유통시장의 시장점유 비중이 크게 늘어날 것으로 유추된다. 또한 △비대면에서도 농식품 가치정보를 전달하는 콘텐츠가 개발되고, △농식품 안전성 관리에 대한 요구와 국가의 역할이 높아지며, △농식품 소비 패턴의 변화가 찾아옴은 물론 △건강 중시로 인한 친환경농산물, 기능성 식품의 소비가 크게 늘어날 것으로 전망된다.

먹거리의 변화와 관련해서도 △가정 내 조리 확대로 HMR 식품, 밀키트 식품의 수요가 증가하고, △농식품 반(半)가공식품산업의 성장으로 농산물 판매방식이 달라질 것이며, △농업노동력 공급 중단 위험에 대응한 농업생산 시스템을 갖춰야 하는 한편, △노동력 절감을 위한 농업생산의 스마트화를 촉진시켜 자동환경제어, 농업용

로봇, 자율주행 농기계 확산 등의 현상이 일어날 것이다.

이런 변화를 받쳐주기 위해 △새로운 농업생산 방식에 적합한 효율적인 농업 기반시설의 확충이 필요해지며, △농식품의 글로벌 공급체계(Global Supply Chain)의 변화로 자국 내 생산기반을 강화할 것이다.

농업·농촌 부문 변화

이에 따라 정부는 어떤 대응을 해야 할까?

우선 △식량안보의 위험이 증가한 상황에서 농식품 공급 리스크를 관리하는 국가 역할을 강화하기 위해 국내 농업생산과 비축시설을 확대해야 할 것이다. 또 과거와 다른 유형의 국제교역 부문 위험이 증가한 것은 국민의 식량공급에 대한 정부의 적극적인 역할이 필요함을 내포하는 것이므로 △국민에 대한 안전한 농산물의 공급과 함께 취약계층 중심의 먹거리 보장의 역할이 중요해진다. 그래서 먹거리은행 등 각종 제도(Food bank, Food Stamp, WIC)를 포괄하는 식품지원사업을 대대적으로 강화해야 한다.

아울러 이를 추진하기 위한 기반으로 △저밀도 사회인 농촌지역의 수요 증대와 함께 농촌의 복지 증진을 위한 비대면 교환방식을 개발해내고 △5G 통신을 활용한 원격의료, 원격교육, 그리고 자율주행 자동차 등의 시설확충(공유경제)과 양질의 콘텐츠를 개발해 공급해야 할 것이다. 이와 함께 △AR, VR 콘텐츠를 제공하는 네트워크 기반 강화 △농촌지역의 사회적 경제 활성화, 지역사회 중심의 공동체 공간의 구축 △농촌지역의 사회적 서비스 확충 등을 감안한 정책과 실천방안을 대비해야 할 것으로 진단하고 있다.

포스트 코로나 시대 농업·농촌의 과제

이런 분석의 결과로 농경연은 식량안보를 비롯해 9개의 농업·농촌 과제를 제시하고 있다.

첫째, 식량안보의 측면에서 글로벌공급망 재편과 식량안보 위험에 대응력을 높이는 방안을 제시하고 있다. 식량안보를 위해 국내 농업생산 기반을 확대하는 것은 물론, 주요 농산물 비축을 확대하고, 남북 농업 협력을 추진할 것을 요구하고 있다. 또한 식량안보 강화와 식품물가 안정을 위해 논 타작물 재배 확대 등 곡물 자급률을 높일 것과 국가 통합 물 관리 정책에 부합해 농업인에게 농업용수를 안정적으로 공급할 수 있는 생산기반을 보다 철저히 구축해야 한다고 조언한다.

농업 이외의 타 산업분야도 로컬라이제이션, 리쇼어링, 적정 재고 유지 등 공급망이 로컬 중심으로 변화할 것으로 전망한다. 이에 따라 안정적 국제 곡물조달 시스템의 구축을 위해 쌀 이외의 곡물도 국내 비축 규모를 확대하고 이를 위한 비축시설 투자를 확대해 줄 것을 요구하는 한편, 장기적으로 한반도 식량안보와 안정적 공급사슬 구축 측면에서 남북 농업 협력을 촉진해야 한다는 점을 강조하고 있다.

둘째, 농업·농촌의 그린뉴딜 측면에서 인류의 지속 가능한 미래를 위해 기후변화의 글로벌 위험, 환경 문제의 악화 등에 최우선적으로 대응해야 할 필요성을 제기하고 있다. 이를 위해 신재생 에너지로의 농촌 에너지 전환(농촌 태양광 시설), 저(제로)탄소 경제·사회를 위해 농업 생산·유통·물류 체계를 전환해야 한다고 지적한다. 예를 들어, 저(제로)탄소를 위한 농산물 유통·물류 시스템이 무엇인지 분석·제시하고, 유통·물류 제도를 마련해 뒷받침할 것을 제안하고 있다. 또한 기후변화를 대응해 농업·농촌 환경보전(공익형직불제, 환경 농업 프로그램)을 강화하고, 자원절약 농업 시스템으로 전환을 요구하고 있다. 아울러 농업용 담수호의 수질 개선, 노후화된 저수지 개보수 등 친환경농업이 가능한 양질의 농업용수를 공급하고 지역사회에 쾌적한 생활환경을 제공할 것을 제안했다.

셋째, 농업·농촌 부문에서도 디지털 경제에 대응해줄 것을 요청하고 있다. 비대면 경제사회 시스템의 확산, 4차 산업혁명 가속화에 따른 대응의 필요성을 제안하고 있는 것이다. 정부도 한국형 뉴딜정책을 추진하면서 데이터 수집, 활용기반 구축, 5G 네트워크 고도화, AI 등 디지털 인프라를 구축하는 한편, 비대면 산업 육성(온라인 농업 컨설팅) 및 SOC 디지털화(디지털 물류 서비스)을 추진해야 한다고 강조했다. 특히 농업 부문의 경우 자율주행, 농업로봇, 이미지 생육정보 수집 등 생산 시스템 등 농업 생산기반 유지를 위한 스마트농업 기반과 스마트 방역체계를 구축하는 반면, 농촌사회에서는 비대면 원격의료 서비스, 온라인 플랫폼 교육 시스템 등 농촌지역 5G 인프라가 구축돼야 한다는 점을 강조하고 있다.

넷째, 온라인 농식품 디지털 유통 시스템이 구축돼야 한다는 점도 제안됐다. 비대면 경제환경에 적응하고, 온라인 비대면 유통 확산에 대응한 4차 산업혁명 기술을 활용하는 농축식품의 디지털 유통 시스템으로의 혁신이 절실하기 때문이다. 이는 장기적 경제 불황으로 농축산물 수요 위축이 우려되는 문제도 해소할 수 있다. 특히 중요한 점은 산지 농산물 정보의 디지털화 추진(이미지 데이터, 생육관측정보), POS 데이터 등 농식품 빅데이터 플랫폼을 구축해야 한다는 사실이다. 이를 위해 산지 유통센터 및 도매시장의 디지털 물류 서비스 체계가 구축되고, 식품 안전성이 강화돼야 한다. 온라인 거래소, 이미지경매 체계의 구축으로 경쟁을 촉진하는 온라인 유통체계와 연결돼야 하기 때문이다.

다섯째, 농촌생활 서비스의 질을 높여야 한다는 것도 강조되고 있다. 환경·건강·안전·공동체 등을 중요하게 여기면서도 저밀도 사회인 농촌지역의 가치가 증대하는 것을 활용해 농촌 활성화가 추진돼야 하기 때문이다. 전염병의 창궐이 고밀도 지역에서 확산되고, 비대면 경제 시스템이 확산되면 저밀도의 농촌지역 가치가 증대하고, 은퇴 인력의 귀농·귀촌이 늘어나는 데 따라 주민이 요구하는 생활기반을 제공해야 한다. 이를 위해 농촌지역 삶의 질 개선을 위한 시설투자와 함께 4차 산업혁명 기술과 사회적 자본의 조화로운 결합을 통한 농촌 의료·보건·교육·교통·주거 서비스를 제고하는 스마트농촌 정책이 강화돼야 한다는 것이다. 5G 통신 시스템에 기반한 농촌 보건소 원격의료 시스템 구축, 원격 교육지원 플랫폼 구축, 모바일 헬스케어 확산, 자율주행 교통 시스템 등 기반을 갖춰야 하는 것은 농촌생활 서비스의 질을 높여야 하기 때문이다.

여섯째, 건강하고 안전한 먹거리를 보장할 수 있는 체제가 갖춰져야 한다는 점도 지적한다. 국민에 대한 건강하고 안전한 농산물의 공급과 함께 취약계층 중심 먹거리 보장대책(바우처)이 필요하기 때문이다. 2020년 중반 미국이 코로나19에 대응해 영양보충 지원 프로그램(SNAP) 지원금을 40% 증액한 것을 보면 느낄 수 있듯이 국가의 역할이 안전한 농산물을 안정적으로 공급하는 데서 안전한 식품·영양 공급 사각지대를 해소하는 데로 확장되고 있다는 것을 알 수 있다. 대면 위험성과 지원 위축으로 국민 영양공급 측면에서 취약계층이 확대되는 문제에 대응해 농식품 바우처, 초등돌봄 과일간식, 저소득층 조제분유 지원, 푸드뱅크 등 다양한 방식의 국가 개입 먹거리 프로그램의 필요성이 점점 더 높아진다는 점을 지적하고 있다. 더구나 단체급식 이용그룹 등 고령 단독가구나 가구 내 돌봄 보호자가 없는 경우의 가구 등 소외될 수 있는 취약계층의 먹거리 체계가 갖춰져야 한다는 사실이 제안되고 있다.

일곱째, 농업·농촌 부문 일자리 창출도 큰 과제다. 농업 생산인력의 공급 부족이 심각해질 것이고, 도시부문 고용 충격을 완화하는 한편, 귀농·귀촌 촉진을 통한 농촌 활력을 증진시키기 위해서도 농촌 일자리 창출은 중요한 문제다. 농업인력의 안정적 유치를 위한 외국인 근로자 고용허가제(E-9)와 계절 근로자 제도 개선(C-4, E-8, 일시 취업기간 조정, 취업이동 문제), 농업인력중개서비스의 고도화 등 인력 수급대책이 추진돼야 할 것이다. 이를 위해 농촌지역 사회 서비스를 확대하고, 농촌지역 환경 개선을 위한 사회적 일자리(공공근로)를 만들기 위한 지원을 강화해야 할 것이다. 또한 농촌지역 고령인구의 건강관리를 위한 사회적 일자리 등에 대한 지원도 필요하다.

여덟째, 농업인에 대한 사회 안전망도 확충해야 한다고 요청됐다. 코로나19를 계기로 사회안전망이 강화되고 있는 가운데 전국민 고용보험제 도입에 대응한 농업부문 고용보험제의 도입과 농업인 안전보험제도를 강화할 필요가 있다고 강조한다. 농촌지역 취약계층에 대한 의료, 식품 안전망 공공투자 확대(의료 서비스, 소규모 학교 등), 지역사회 통합 돌봄사업 등도 강화돼야 한다.

마지막으로 농정 추진체계의 개선을 강조하고 있다. 비대면 사회 도래 등 변화하는 사회·경제 체제에 적합한 농정 추진체계로의 전환이 필요하다는 점을 강조하고 있다. 개인정보 등 데이터 기반 농정 추진체계를 위해 농업인 세제 기반을 구축하고 농업 소득세 및 농산물 부가가치세 등 세제 기반이 마련돼야 한다고 지적한다. 농촌지역 삶의 질 개선을 위한 5G 기반 원격의료 및 디지털교육 플랫폼 등의 스마트농촌 구축을 추진하는 통합적 컨트롤 타워에 의한 추진체계가 구축돼야 포스트 코로나에 맞는 농정 추진체계의 변화가 가능하다는 의견이다.

이를 위해 농업·농촌 부문 그린뉴딜 사업의 효율적 추진을 위한 어젠다 중심 농정 추진체계가 확대돼야 한다. 스마트농업 실현과 농촌 의료 및 교육 서비스의 스마트화를 위한 농업·농촌 부문 R&D

투자 확대와 거버넌스 개편은 이래서 필요하다.

일부 분야의 분석에서 틀린 점은 없다. 그러나 중심에 흐르는 테마와 구체적인 각론 제시에는 다소 부족한 측면이 엿보인다.

포스트 코로나 시대 정부 대안은 적절한가?

전염병이 상시화되고 사회적 거리두기가 일상화된 사회에 산다면 우리 사회는 어떻게 변할까? 미래학자들과 정책 입안자들이 여러 전망을 했고, 우리나라에서도 많은 분야별 전문가들이 변화된 사회를 예측하고 이에 대비한 대책을 발표했다.

농업계에서도 이와 같은 움직임은 일부 있었으나 정부 전체 차원에서 발표되고 정책이 수립돼 농업 관련 대책은 너무 부실하다. 그래서 농업계는 정부의 K-뉴딜정책에 대해 반발하고, 구체적으로 농업에 대한 조치가 내려지길 바라고 있다.

농업계가 포스트 코로나 시대의 대안과 대책을 발표한 것은 2020년 9월 14~15일 한국농촌경제연구원이 2020년 비대면으로 개최한 『농업·농촌의 혁신과 미래 토론회』 심포지엄에서다. 이 자리에서는 농촌재생, 농촌의 사회혁신-일자리와 사회적 경제, 농촌환경자원 정책, 주민참여형 재생에너지, 디지털 뉴딜 대응 스마트농업의 과제, 농산물 온라인 유통 혁신 방안, 먹거리보장 대책, 지속 가능한 먹거리 체계 구축 등이 주제로 주어졌다.

그러나 이 자리에서 발표한 테마들은 각론에 있어서는 나름 현상과 대응을 풀어냈지만, 왜 그런 대안이 필요한지 방향을 제대로 잡고 전체를 포괄하는 맥락의 주제를 전혀 제시하지 못해 어디로 가야 할지를 제대로 판단하기도 어려웠다.

세계-우주와 농업·농촌·농민, 그리고 먹거리에 대한 지구 사회와 대한민국에서의 새로운 테마는 문명 다이어트다. 인간의 욕심과 탐욕으로 지구는 기상 위기에 도달하고 있다. 우리가 최근 들어서 자주 접하는 것은 매년 반복되는 자연재해다. 호주와 인도네시아, 그리고 미국 샌프란시스코 등에서의 산불은 너무나 자주 반복되고 있다. 중국과 이란, 아프리카 동부, 유럽, 아메리카대륙 등의 허리케인, 수해 등도 몇 10년만에 일어나는 일이 아니다.

북극에서는 만년 얼음이 80%가 넘게 녹아 북극곰이 생존의 위험에 도달하고 있고, 남극에서는 크릴새우의 남획으로 지구 온난화를 더욱 부추기고 있다. 고등동물은 최근 30년간 절반이 넘는 멸종을 경험하고 있으며, 고등식물과 인간의 작목으로 전환된 식량은 인간의 탐욕으로 멸종의 위기를 맞고 있다.

작은 생명체인 곤충은 기후위기를 맞아 곤충의 최고 포식자인 말벌의 확산으로 우리나라의 토종벌꿀이 95% 넘게 사라졌고, 중국에서는 말벌의 피해로 수백 명이 죽었다. 미생물은 기상의 변화로 생태계가 변해 새로운 적응을 통해 잦은 변이가 일어남으로써 그동안 없던 새로운 병이 발생하고 있다.

특히 생명체 내에서만 생존하는 바이러스는 생명조건의 한계에도 불구하고 새로운 변이의 화신으로 무궁무진하게 변신을 거듭해 인간사회의 생존마저 위협하고 있다.

인간에게 좋은 종자의 육성이라는 목적으로 추진된 육종은 △많은 수확 △높은 당도 △큰 열매 △병충해에 강한 종자 △이를 달성하기 위해 많은 영양을 흡수할 수 있도록 품종이 인간의 탐욕을 만족시키기 위해 태어났다. 무수히 많은 농약과 화학비료의 범벅 속에 새로운 종자가 탄생하지만 그 결론은 종자와 생명체가 스스로 면역을 잃어버려 농약과 엄청난 비료 성분을 투여하지 않으면 생존이 불가능한 상태가 되어버린 것이다.

수퍼푸드라는 아보카도는 돈이 되는 경제작물로 각광을 받아 재배면적이 확산되지만 물먹는 하마와 같이 어마어마한 물 없이는 재배가 불가능하다. 그래서 멕시코의 아보카도 농가들은 지하수와 하천이 고갈돼 다른 지역에서 식수차로 식수를 공급받고 있는 형편이다. 그럼에도 돈 때문에 아보카도 농장은 계속해서 늘어나고 있다.

경제작물의 하나인 바나나도 멸종 위기에 몰리고 있다. 전 세계 단일종을 재배한 바나나는 처음 작물을 식재할 때 야생상태로 심는 것이 아니라 씨앗이 발생하지 않는 불임상태의 묘목을 심어 재배한다. 그것은 사람들이 먹기 쉽게 하려는 이유에서다. 더구나 전 세계에서 재배하는 바나나 품종은 1903년경까지 당도가 높고 식감도 좋은 그로미셀이라는 단일품종이었다. 그런데 바나나의 암이라고 불리는 파나마병이라는 병에 걸려 전 세계의 바나나가 멸종했다. 종의 다양성 없이 이렇게 작물을 심는 것은 그 결과가 뻔하게 멸종에 이른다는 것을 교훈으로 삼아야 한다. 인간의 탐욕이 낳은 결과다. 이후 야생에서 새롭게 발견한 바나나 품종은 케번디시다. 그로미셀보다는 당도도 낮고 식감도 떨어지지만 품종이 이것밖에 없으므로 전 세계의 바나나 농장에 케번디시만을 심었다. 당시에는 전 세계가 제국주의 침략의 영향으로 미국, 유럽의 부자 나라들의 큰 손들이 식민지의 농장을 장악하던 시기라 경제작물 단일품종만을 심었던 것이다. 농장주들에 의해 종의 다양성은 다시 무시되고 불임으로 씨앗이 없는 케번디시만을 식재했다. 그런데 1980년경 대만에서 변종 바나나병이 발생해 다시 확산됐다. 이에 따라 세계의 바나나의 70%가 사멸됐고, 멸종으로 가고 있는 상황이다. 인간의 욕망으로 다양하던 400여 종의 바나나가 짧은 시간 안에 멸종될 위기를 맞고 있는 것이다. 종의 다양성을 무시한 결과가 어떤 결과를 초래할지 고민해야 할 시사점을 주는 셈이다.

인간의 탐욕과 지구의 역습은 현대사회를 살아가고 있는 모든 사람들이 환경 위기를 통해서 뼈저리게 경험하고 있는 상황이다. 수천만 명의 수재민이 발생하고, 대한민국 면적보다 넓은 지역이 산불로 타버리고, 말벌과 메뚜기류가 지상을 휩쓸고, 물 부족으로 먼 곳에서 먹을 물을 실어와야 하고, 북극곰의 생활 터전이 사라지는 등 세계 곳곳에서 말세라고 불릴 정도의 이상현상이 일상화되어 있다. 더구나 최근에는 동물이나 식물 질병의 창궐을 넘어서서 인간 세계에 전염병의 공포가 휩쓸고 있다.

이와 같은 상황을 볼 때 전체를 포괄하는 주제를 제시하고 이를 위해 종합적이고 구체적인 대안을 제시하는 것이 무엇보다 중요한 시점이다.

미래학자들의 뉴노멀

최근 외국 학문의 조류를 인용하는 학자들은 '뉴노멀'이라는 이야기를 많이 한다. 뉴노멀이란 무엇인가? 당연한 것, 영원히 계속될 성싶었던 것들이 갑자기 사라지고 특이한 것, 익숙하지 않은 것들이 그 자리를 대신하는 현상을 말한다.

그런데 이들 학자들은 2019년 코로나19가 발생하기 전까지만 해도 줄어드는 농업, 사라지는 농촌으로 발표하고 있었다. 지역 소멸 위기를 당연한 사실로 받아들이고 있었던 것이다. GDP의 2%도 안 되는 농업은 중요하지 않다고 공공연하게 밝히곤 했다. 일자리 창출에서 농업·농촌은 그렇게 중요하지 않다고 주장했으며, 농업은 농산물만 생산하는 곳으로 주장하며 폄하했다. 그렇기 때문에 농업·농촌에는 인구가 줄고 노인만 남았다고 주장했던 것이다.

그러나 코로나19 팬더믹을 맞은 이후 미래학자들의 의견은 달라졌다. 포스트 코로나 시대의 뉴노멀에서는 지켜야 할 농업, 소중한 농촌이 된 것이다. 식량은 어느 것으로도 대체할 수 없고, 일자리 창출에서 농업·농촌은 최근 2년간 취업인구 40만 명 중 농림어업 취업자가 11만 6,000명을 차지할 정도로 비중이 높아 매우 소중한 영역임을 이야기하고 있다.

더구나 농업은 농산물만 생산하는 곳이 아니라 공공급식에서 식품가공업, 식당, 농촌관광(2018년 농촌관광 7,000만 명), 사회적 농업(치유농업), 천연염색, 건강 먹거리 생산업, 지역특산물 생산업 등 국민 삶의 질 향상을 위해 노력하는 업종이다.

농촌·농민은 인구가 줄고 노인만 남았다고 주장하지만 실제 통계를 보면 매년 약 50만 명이 귀농·귀촌하고 있다. 여기에 더해 농업·농촌의 가치는 우리가 일반적으로 생각하는 농업·농촌과는 그 영향력에서 크게 다르다.

기존 학자들의 논문에서 나온 것만 보더라도 홍수 조절, 대기 정화, 지하수 함양, 토양 유실 저감, 휴양공간의 제공, 수질 정화와 생태계 보전, 식량안보, 경관 가치와 농촌 활력 등이다.

더구나 공익적 가치를 넘어 산업경제적으로도 공공복지의 영역에서 가공업, 관광업, 치유농업, 지역특산품업, 건강식품업과 보조식품 등을 통해 국민의 행복을 추구하는 업종을 맡고 있는 등 농업·농촌의 가치는 확산되고 있다.

농업의 목적은 단순히 농산물 생산이 아니다. 환경을 지키는 보루이며, 코로나 사태와 같은 사회적 위험이 닥쳤을 때 이를 극복하는 원동력이다. 또 농업은 우리 생존의 기본적인 조건이며, 생존뿐만 아니라 우리의 안전과 건강을 지키는 도구다. 아울러 농업은 우리가 살아가는 세상에서 없어서는 안 되는 기본 조건이기에 자신이 직접 농사를 짓지는 않더라도 국민이 직접 나서서 보호해야 하고 키워나가야 할 절대적 가치다.

아울러 농업은 자연재해를 예방할 뿐만 아니라 지하수도 조성하고, 경관을 지켜줘 농촌을 휴양공간으로 활용할 수 있게 한다. 이와 함께 농촌은 우리의 전통과 문화를 지킬 수 있는 기반이며, 우리의 후손들을 키워내야 할 우리의 주거공간이다.

특히 농민은 이와 같은 여러 가지의 공익적 가치를 실천하는 사람이며, 이를 수행하기 위해 적은 수입에도 불구하고 너무나 많은 노동을 하면서 헌신하고 있는 고마운 존재들이다.

우리가 우리의 농업·농촌·농민을 지켜야 하는 이유는 바로 대한민국과 우리 민족의 미래를 보장하고 후손들이 건강하게 살아야 할 기본을 지켜야 하기 때문이다.

코로나 대응 글로벌 ODA 포럼에서 나온 메시지

코로나19와 기후대응 변화 등 국제사회가 공동으로 겪고 있는 문제를 풀기 위해 농업에 새로운 기술을 접목해 나가야 한다는 의견이 다양하게 제시되었다. 이런 의견은 2020년 11월 9~10일 한국농촌경제연구원이 주관한 '2020 지속가능농업개발을 위한 글로벌 ODA 포럼'에서 나왔다. 포럼에서는 코로나19에 대응한 국제사회의 농업개발 협력 전략을 공유하면서 식량안보, 스마트농업, 가축방역, 농업 가치사슬에 대한 국제기구와 여러 국가의 전략과 협력방안에 대해 논의했다.

글로벌녹색성장기구(GGGI)의 프랭크 리즈버만(Frank Rijsberman) 사무총장은 기조연설을 통해 농식품 가치사슬의 붕괴와 코로나19에 따른 새롭고 혁신적인 농업 생산과 농식품 유통·보급 체계의 필요성을 강조했다.

리즈버만 사무총장은 "미래 농업과 농식품 부문은 기후변화와 전 세계 인구의 영양학적 문제에 큰 영향을 미칠 수 있다."며, "환경과 기후, 보건을 포괄적으로 고려한 농식품 체계의 발 빠른 변화,

새로운 기술을 접목한 농업 부문 기후변화의 혁신적 대응, 농업 부문의 신재생 에너지 활용을 통해 코로나19 펜데믹과 기후변화에 능동적으로 대처할 수 있을 것"이라고 밝혔다. 농식품 지원제도와 가장 새로운 지식을 활용한 기후위기 대응이 코로나시대를 극복할 수 있는 원동력이라는 이야기다.

제1분과에서는 코로나19와 관련한 식량안보전략에 대한 논의가 이뤄졌다. 세계식량프로그램(UNWFP) 한국사무소의 임형준 소장은 WFP가 식량배급을 위해 다목적 현금, 이카드(ecard) 등 다양한 방식을 고안해 왔으며, 국경에서 자가 격리하고 있는 이민자들을 위한 지원을 강화할 것이라 밝혔다. 전염병뿐만 아니라 국제적 식량지원 등 신공동체시대를 열자는 메시지로 볼 수 있다.

◆2020년 11월 9일과 10일 농림축산식품부 주최, 한국농촌경제연구원 주관으로 '2020 지속가능농업개발을 위한 글로벌 ODA 포럼'이 열렸다.

국제미작연구소(IRRI) 플로리 캐롤린(Florey Carolyn) 기술책임자는 농업 부문 개발은 농가의 생산성과 소득을 증대시킬 수 있으며, 특히 디지털 농업을 통해 전 세계 농식품 가치사슬을 발전시킬 수 있을 것이라 강조했다.

세계은행(WB) 마두르 가우탐(Madhur Gautam) 수석 경제학자는 코로나 팬데믹이 수백만 인구의 소득과 영양상태에 부정적인 영향을 미치고 있지만, 이러한 팬데믹에 대한 단기적이고 중장기적인 전략 수립을 통해 상황을 개선시킬 수 있다고 말했다.

단기적인 예방약의 개발이 아니라 중장기적인 환경 대응의 중요성을 갖조하고 있다.

필리핀 농업부(DoA) 페르난도 플로어스(Fernando D. Flores) 사업개발국장은 포스트 코로나에 대응한 필리핀 농업부의 전략을 공유하면서 필리핀의 식량생산 전략, 농업기술 개발, 식품보급 전략 등을 공유했다.

제2분과에서는 코로나19와 관련한 스마트농업 현황에 대해 다양한 발표와 논의가 이루어졌다.

◆'2020 지속가능농업개발을 위한 글로벌 ODA 포럼'에서 각계의 비대면 토론이 벌어지고 있다.

국제농업개발기금(IFAD) 시몬 살라(Simone Sala) ICT 전문위원은 농업 생산성 증대를 통해 농촌 지역의 사회·경제적 환경 개선을 촉진하는 ICT 활용 프레임워크를 제시했다.

유엔해비타트(UN-HABITAT) 더글라스 라간(Douglas Ragan) 프로그램 전문가는 농업 부문 협력 프로젝트에 대한 논의와 환경 개선, 지역 경제와 공동체, 글로벌화를 위한 다양한 전략을 제시했다.

베트남 정부 농업·농촌개발부 응우옌 도 앙 뚜언(Nguyen Do Anh Tuan) 국제협력국장은 베트남과 한국 정부의 베트남 농업개발 관련 ICT 적용 사례를 소개하며 향후 협력 과제에 대해 발표했다.

라오스 농림부 포미 인티착(Phommy Inthichack) 국제협력 부국장은 라오스 경제에 있어 농업의 중요성과 개발목표, 그리고 코로나19에 대응한 라오스 농림부의 ICT 및 스마트팜 전략을 공유했다.

제1분과 토론에서 서울대학교 식품영양학과 윤지현 교수는 "WFP가 식량안보 관점에서 사업을 잘 운영하고 있으나, 사업의 효율성 제고 방안과 영양전문가 영입을 통한 농업 ODA의 활성화가 필요하다."고 언급했다.

2세션 토론에서 농림수산식품교육문화정보원 전우석 과장은 "많은 국가에서 소작농들이 제한된 정보 접근성으로 인해 영농활동에 많은 제약을 받고 있다."면서, "한국 정부에서 진행하고 있는 스마트마을(Smart Village)과 같은 프로젝트를 참고할 필요가 있다."고 설명했다. 이러한 정보 접근성 확대는 코로나 사태로 인한 식품의 취약성 정도를 파악할 수 있으며, 기후변화, 전염병에 대응하는 방안으로 고려될 수 있다는 의미다.

제3분과에서 국제축산연구소(ILRI) 훙 응우옌-비엣(Hung Nguyen-Viet) 동물건강사업책임자는 ILRI가 동물보건 지원 방안으로 인간, 동물, 환경의 세 가지 중점 요소를 고려한 원헬스(One Health) 접근법을 활용하고 있으며, 인수(人獸) 공통 감염, 항생제 내성 등의 당면과제를 해결하기 위해 노력하고 있다고 밝혔다. 몽골 정부의 자야 바트히시그(Zaya Batkhishig) 대외관계 담당관은 축산업은 몽골 노동력의 25%를 담당하고 있는 주요 산업으로 정부 차원에서 원헬스 전략과 세계동물보건기구(OIE)의 지침을 적용하는 등 정책과 환경을 지속적으로 개선하고 있다고 밝혔다.

제4분과에서 글로벌녹색성장기구(GGGI) 로맹 브리에(Romain Brillie) 전문가는 기후변화로 인한 농업 생산성 감소, 식량안보 불안정성 증대 등의 문제가 지속되고 있어, 이에 대응할 수 있는 정부의 재정적·기술적 지원이 필요하다고 강조했다.

유엔개발계획(UNDP) 유스케 타이시(Yusuke Taishi) 기술자문위원은 코로나 팬데믹으로 인해 2020년에는 820만 명의 영양결핍상태 인구가 증가했으며, UNDP가 이를 해결하기 위해 공여 파트너들과의 협력을 강화하고 있다고 소개했다.

미얀마 농축산관개부 쪼쉐린(Kyaw Swe Lin) 국제협력국장은 공적개발원조는 포스트 코로나 경제개발에 있어 중요한 요소이며, 미얀마 정부는 농업 부분에 대한 적극적 투자를 통해 식량안보와 더불어 취약계층에 대한 지원을 강화할 것이라 밝혔다.

KREI 국제농업개발협력센터 허장 센터장은 "이번 포럼에서는 전 세계에 위협으로 다가오고 있는 식량안보와 가축질병의 대응, 이의 해결 방안으로서의 스마트농업과 근본적 해결 방안이 필요한 농업 가치사슬 개선이라는 무거운 주제로 논의가 이루어졌다."고 언급하며, "어려운 상황에서도 국제기구와 주요 협력대상국, 유관기관과의 협력을 통해 원조 효과성과 개발 효과성을 높이는 노력을 함께 해나가겠다."고 밝혔다.

이런 코로나 시대를 대응하기 위한 국제적 학술대회에서 논의된 내용의 핵심은 △우선적으로 지구환경 회복을 위한 과학적 노력이 집중돼야 한다는 점과 △인간이 개발한 ICT 기술은 물론, 가능한 모든 기술적 동원을 통해서라도 기후위기와 전염병 극복의 대안을 마련해야 한다는 점이다. 또 이를 추진하는 과정에서 나타나는 취약계층의 식량지원 문제가 매우 필요한 것은 물론, 이를 위한 △국제적인 공조와 협력이 요구된다는 점을 강조하고 있다.

되새겨 봐야 할 '정약용의 삼농혁신'

농업이 지속되려면 필요한 요소는 땅(농지)과 사람이다. 농업기술이니, 경쟁력이니, 유통구조의 개선이니 하는 여러 과제도 농지와 농민이 없으면 농업과 식량은 아무 것도 아니다.

더구나 농지와 농촌이 소멸되면 농민도 사라진다. 마찬가지로 농민이 없어도 농지와 농촌은 사라진다. 농업을 지속하려면 이를 고려해 정책을 수립해야 한다.

조선시대 다산 정약용 선생은 농업·농촌·농민의 개념이 아니라 편농(便農)-후농(厚農)-상농(上農)이라는 삼농정책을 피력했다. 첫 번째의 편농이란 농사짓기가 어려우므로 위정자들은 농민들이 편안하고 쉽게 농사를 지을 수 있도록 해줘야 한다는 것이다. 두 번째의 후농이란 농사를 잘 지어도 농산물값을 제대로 받지 못하면 농민의 삶이 개선되지 못하므로 농산물값을 후하게 받을 수 있도록 정책을 펼쳐야 한다는 것이다. 세 번째의 상농이란 농사짓기 어렵고, 농산물값도 제대로 받기 어려운 농민들이 그래도 농사를 지으려면 농민으로서 사회적으로 높은 신분의 대접을 받아야 한다는 것이다.

이를 현대적으로 표현하면 편농은 농업기계화, 경지정리-수로정비 등을 통한 농업기반 확충, 종자의 개량 등으로 농업의 편익을 도모한 정책을 펼치라는 이야기다. 후농은 농산물 유통구조를 개선해 농산물의 유통단계를 줄이고, 경운기나 트랙터 등을 손쉽게 이용할 수 있고, 산지 공판장이나 도매시장의 물류기능을 개선해 농산물이 높은 값을 받고 물류비용을 불릴 수 있도록 해야 한다는 것을 담고 있다. 상농은 조선시대만 해도 신분의 서열을 사-농-공-상으로 정해 농민들이 사회적으로 낮은 신분에서 벗어나게 해줬다. 하지만 현대에서는 이런 상황이 역전됐다. 가장 낮은 신분이던 상인은 요즈음으로 말하면 기업인이고, 공업인이란 전문가로 표현되는데 이들이 농민보다 높은 지위와 재정적으로도 부자의 입장이다. 과거 사-농-공-상의 시대 농자천하지대본을 표명했지만 현대는 상-공-사-농으로 농자천하지대말(大末)이라는 본말이 전도된 시대에 살고 있는 것이다.

그럼에도 농민들은 국민 생존의 기본인 먹거리를 생산해 적은 수입을 얻는데도 험한 노동과 함께 국토의 경관보전, 수자원 함양, 자연재해 방지 등 공익적 가치를 수행하고 있는 것이다. 일 많고, 힘들고, 돈벌이는 잘 안 되고, 농민 대접 안 해주니 모두 농업을 떠나 식량을 수입해야 한다면 대한민국은 곡물 메이저와 식량수출국에 목숨을 위탁하고 사는 꼴이다. 이제라도 국민이 농민을 돕고 농민 대접 제대로 해야 우리의 농업과 먹거리가 안전하고 건강하게 유지될 수 있다. 그것을 위해서 반드시 필요한 것이 바로 국민농업-먹거리공영제다.

농민들이 부자가 될 수는 없을지언정 아이들 교육 잘 시키고, 먹고사는 데 걱정이 없어야 농촌을 떠나지 않는다. 이를 위해 농민에게는 상농의 대접을 해줘야 한다. 이를 실현하는 문제는 어렵지 않다. 농민의 자격증을 도입해 이들에게 공공시설을 무료로 이용할 수 있게 하면서 노인의 경로우대 수준으로 사회적 대접을 해줘야 한다고 본다. 이것이 부러우면 높지 않은 수익과 힘든 노동을 각오하고 사회적 대접을 받기 위해 농사를 지으면 된다.

포스트 코로나 시대 정부의 대응전략

K-뉴딜, 제대로인가?

정부는 2020년 7월 14일 코로나19 사태 이후 경기회복을 위한 국가 프로젝트로 한국판 뉴딜정책을 발표했다. 5G와 교육, 인프라, AI 등을 담은 디지털 뉴딜과 저탄소, 녹색산업 등으로 환경문제의 개선을 담은 그린뉴딜 계획을 총괄해 한국판 뉴딜 프로젝트를 발표한 것이다.

이를 추진하는 목표는 코로나19 확산에 따른 비대면 사회현상으로 산업현장이 중단되고 경제가 멈춰버리는 현상을 극복하고 경제를 활성화하기 위해 경제구조를 혁신하고, 지속 가능한 일자리를 창출하기 위한 몸부림이다. 미국의 뉴딜정책과 같이 과감하고 큰 대형 프로젝트를 통해 2~3년 내로 속도감 있게 추진하겠다는 의지가 담긴 것이다.

이를 위해 정부는 데이터를 수집하여 활용하기 위한 기반의 구축과 함께 5G 인프라를 조기에 구축하는 한편, 5G 융복합사업을 촉진하고, AI 인프라를 확충하는 것은 물론, 전 산업으로 AI 융합을 확산하는 계획을 담고 있다. 또한 비대면 산업을 육성하고, 클라우드와 사이버 안전망을 강화하면서도 노후 국가기반시설을 디지털화하고 디지털 물류 서비스 체계를 구축한다는 방향으로 계획을 발표했다. 사람 투자를 통해 디지털 선도인력을 양성한다는 것이 이를 위한 기본 조건이다.

하지만 정부의 한국판 뉴딜정책은 가장 큰 핵심이 빠졌다. 그것은 다름 아닌 산업구조의 반(反)환경적 요인을 제거하기 위한 수단이 없다는 사실이다. 또한 농업과 먹거리의 자급기반 구축을 위한 대책도 전혀 없다. 미국이 1930년대 경제공항을 겪으면서 마련한 뉴딜정책에서 가장 큰 축은 바로 농업과 먹거리에 대한 대책이었다. 코로나시대에 대한 상황인식이 너무도 부족한 셈이다.

물론 디지털을 통한 사회적 거리두기 유지와 비대면을 위한 디지털 산업도 중요하다. 코로나 시대 가장 크게 요구되는 것이 전염병의 확산을 막기 위한 사회적 거리 유지와 비대면 전개이지만 이것이 모두 디지털과 IT만으로 해결되는 것은 아니다.

사회 안전망 구축을 위한 의료 및 보건 체제 구축과 더불어 상호협동과 봉사를 위한 신공동체의식도 요구되고, 생존의 기본조건인 먹거리의 안정적 확보와 이를 생산하는 농업·농촌과 농민에 대한 지원 시스템, 국민먹거리와 공공급식체계의 완벽한 구축 등이 제시돼야 한다. 특히 기후변화로 인한 농업 생산성의 저하와 세계적으로 낭비되고 있는 36%에 이르는 음식물의 절약과 관리 등은 포스트 코로나 시대에 반드시 마련해야 할 대책의 일환으로 꼽히고 있다.

미국의 뉴딜정책(New Deal Policy)

1929년부터 발생한 경제대공항으로 미국은 극심한 경기침체에 빠진다. 1929년 10월 29일 검은 화요일이라고 불리는 그날, 주식이 엄청나게 폭락하면서 세계적인 경기침체가 시작됐다고 한다. 산업 내의 생산량이 감소하고, 엄청나게 성장하고 있던 회사들이 파산하며, 실업률은 25%로 급상승하는 결과를 나타냈다고 한다. 이런 상황에서 1932년 미국 대통령인 프랭클린 D. 루즈벨트가 미국인들을 위한 뉴딜을 주장하며 대공황에 대한 해결책을 내놓기 시작했다. 이것이 뉴딜정책의 시작이라고 할 수 있다.

루즈벨트 대통령은 1933년 취임하면서 3R정책, Relief(구제), Recovery(부흥), Reform(개혁)의 슬로건을 내세우고 의회로부터 비상대권을 인정받아서 공항 타개책을 마련하고 그 정책을 실행에 옮기기 시작했다. 그때 당시 루즈벨트에게 가장 중요한 문제는 실업자의 구제와 무한정으로 생산되고 있는 농산물에 대한 문제였다.

그럼 뉴질정책의 주요 내용에는 어떤 것이 있었을까?

①은행과 통화를 국가, 정부에서 통제해 은행을 국가, 정부의 감독 아래 두고 금은화 및 금은괴를 회수하고 그 대가로 정부의 통화를 발행하는 것. ②파산 직전에 있는 회사와 개인들에게 신용대출과 교부금을 교부해 추가적인 공항사태를 막는 것. ③농업조정법을 통과시키면서 농민들의 생산을 조정, 절감하며 생산의 감소로 나타나고 있는 농민의 불이익을 메워나가는 여러 가지 방법을 사용하는 것. ④전국 산업부흥법을 통과시키면서 기업을 조성하며, 다른 한쪽으로는 T.V.A라는 테네시 계곡 개발공사를 세워 테네시 계곡에 댐을 건설하는 대규모 토목공사를 일으켜 실업자 문제를 해결하는 것. ⑤사회 복자정책으로 노동자의 단결권과 단체교섭권을 인정하고 실업보험과 최저 임금제를 실시해 사회안전망과 사회복지를 강화하는 것 등 다섯 가지 내용이 뉴딜정책의 주요 내용이다.

우리는 일반적으로 국가가 테네시계곡개발공사를 벌여 실업자들을 감소시키고 그로 인해 경제가 부흥했다고 알고 있는데, 실제로는 그 내용과 함께 노동 관련 법률을 지속적으로 통과시킨 것은 물론 정책 개선도 추진했던 것이다. 정부 주도하의 이런 과정에서 뉴딜정책은 1935년 유효수요 창출이라는 명목으로 국가통화가 과잉공급되고 이에 따라 인플레이션으로 이어지는 등 한계를 맞이해 다시 긴축정책을 펼쳤으나 1937년 다시 공황이 발생했다고 한다.

그 후 루즈벨트 대통령은 다시 정부의 지출정책을 항구적 재정정책으로 정립하면서 ①고용촉진사업과 공공사업의 확대 ②신농업촉진법 실시 ③공정 노동기준법 시행 등을 시작했다고 한다. 이때 1938년부터 1939년까지 실시한 이 정책을 후기 뉴딜이라고 부른다. 하지만 이런 상태에서 2차 세계대전이 발발하면서 미국경제가 전시경제 체제로 전환됐고, 뉴딜의 성과는 그 전시경제 체제에 흡수돼 어떻게 됐는지 정확한 정책 효과를 확인하기 어려웠다고 한다. 하지만 뉴딜정책은 자본주의 경제를 포기하지 않고, 공산주의 방식을 택하지 않고도 자본주의 공황이라는 필연적 병폐를 국가 개입을 통해 자체 치유할 수 있는 가능성을 보여줬다는 의미를 갖는다고 한다. 이런 뉴딜정책 이후로 미국의 자본주의 경제는 정부의 간섭을 배제하는 자유주의적 경제 운영방식을 버리고 사회주의적 요소가 적절히 가미된 혼합경제 체제, 다시 말해 수정자본주의로 성격이 바뀌었다고 한다.

K-뉴딜에 대한 생각

　지금의 상황은 미국의 1930년대 공황이나 우리의 IMF 구제금융, 글로벌 금융위기 때와는 상황이 매우 다르다. 1930년대 미국의 산업과 농업의 과잉생산으로 인한 물가폭락과 실업 발생, 국내의 문제였던 IMF 구제금융 시기, 미국과 일부 신흥국들에게 영향을 미쳤던 글로벌 금융위기와는 근본적으로 내용이 다르다. 기후변화에 따른 전염병의 창궐로 전 세계적인 공황과 경기침체가 다가온 상황이다.
　하지만 이런 한국판 뉴딜을 포스트 코로나 시대를 대비한 첫 번째 이슈로 제기하면서 세계적으로 아직 코로나가 종식되지 않은 시기에 한국판 뉴딜이 어떻게 작용하고 어떤 정책이 실현될지 전망은 안개 속의 상황이다. 단순하게 현재의 트렌드인 비대면 산업을 중심으로, 디지털, AI 등이 주류를 이루고, 친환경이라는 그린 뉴딜이 그 뒤를 쫓아가는 모양새는 누구나 말할 수 있는 내용일 것이다.

그런데 2020년 7월에 통과된 정부의 3차 추경안에 반영된 예산은 31조 3,000억 원으로 55만 개 일자리를 창출할 목표로 디지털 뉴딜 예산에 13조 4,000억 원, 그린 뉴딜 예산으로 12조 9,000억 원을 책정하고 있다.

디지털 뉴딜의 경우 ①D.N.A. 생태계 강화에 6.4조를 투입하면서 5G 국가망 확산 등 4개 분야 투자를 약속하고 있고, ②디지털 포용과 안전망 구축에 0.8조를 투입하면서 농어촌 초고속 인터넷망과 공공 WiFi 구축과 K-사이버 보안체계를 구축하며, ③비대면 산업 육성에 1.4조를 투입해 교육, 의료, 중소기업 대상 인프라 구축을 추진하고, ④SOC 디지털화에 4.8조를 투입해 디지털 혁신과 스마트 물류체계를 구축하는 등 2개 영역의 사업을 추진한다는 것이다.

그린 뉴딜에서도 ①도시·공간·생활 인프라를 녹색전환하는 데 5.8조 원을 투입해 공공시설의 제로 에너지화로 전면 전환하는 사업 등 3개 사업을 추진하면서 ②녹색산업 혁신 생태계 구축을 위해 1.7조 원을 투입해 녹색산업과 녹색산단 구축 육성 등을 추진하고, ③저탄소·분산형 에너지 확산에 5.4조 원을 들여 신재생에너지 확산기반 구축 등 3개 사업에 투입한다는 계획이다. 이를 통해 고용안전망을 강화하고 디지털과 그린을 두 축으로 경제를 재건한다는 구상이다.

그런데 정부의 발표에서는 기반과 그린을 강조하면서도 안전과 먹거리에 대한 언급은 하나도 없다. 기껏해야 '농(農)'자가 하나 들어가는데 그것은 디지털 뉴딜의 두 번째인 디지털 포용 및 안전망 구축에 '농어촌 초고속인터넷망 및 공공시설 WiFi 구축'이라는 사업이 명기된 것이다. 그러나 이것은 IT산업과 업자들을 위한 사업과 일자리 창출이지 농산물 유통개선을 위한 농가 디지털 기반구축 등의 사업이라고 할 수는 없다. 그린에 속하는 농업과 먹거리의 문제에 대한 비대면 유통강화를 위한 조치도 없는 것이다.

우리는 미국 루즈벨트 대통령의 뉴딜정책을 참고해 좋은 것은 받아들이고, 실패한 부문은 거울로 삼아야 한다. 미국은 경제공황이 발생했을 때 농업조정법을 통과시키면서 농민들의 생산을 조정, 절감하면서 생산의 감소로 나타나고 있는 농민의 불이익을 메워나가는 여러 가지 방법을 동원했다. 이것과 비교할 때 우리는 무한 개방으로 농산물 가격이 폭락하는 것을 메워줄 디지털과 그린의 대책은 없을까?

1938년에 실시했던 후기 뉴딜정책에서도 미국은 신(新)농업촉진법을 실시해 농가소득을 높이는 방안을 마련했다. 그런데 우리는 국가 전체를 바라보는 산업 전반의 뉴딜이 아니라 IT산업과 녹색산업만을 대상으로 하고 있다.

인구가 200만에 불과하다고 무시하는 것인가? 지금과 같은 기후이변과 개방으로 인해 전염병이 국제적으로 곧장 확산이 되는 시기를 맞아 식량은 국민의 안전을 위해 국가가 나서서 보호하고 유지해야 하는 것 아닌가? 국회에서 열린 K-뉴딜 정책토론회에서도 재계만 참석했고, 농업계와 취약한 산업계는 참여하지 않았다. K-뉴딜에 농업과 먹거리를 뺀 것은 정부와 국회, 청와대 모두 반드시 재검토해야 할 것이다.

제 4 장

포스트 코로나 시대,
농업 대안을 위한 고민

상시적 전염병 시대의 중심 테마는 무엇일까?

"이젠 문명 다이어트, 농업 다이어트다."

2020년 7월과 9월 포스트 코로나 시대의 대응에 필요한 전략을 발표한 정부의 농업연구기관 한국농촌경제연구원은 코로나19에 따른 사회·경제적 패러다임의 변화가 코로나 이전의 상황으로 회귀하지 못하고 장기간 불황의 극복과제뿐만 아니라 전염병 팬데믹 위험에 대응해 새로운 사회·경제체제 패러다임이 도래할 것으로 전망하고 있다.

이를 극복하기 위해 농경연은 중요한 대책으로 식량안보에 대한 대응, 기후위기-환경 등에 대한 대응방안 마련, 콘텍트 시대에 대비하여 농업 부문에서도 디지털경제의 대응과 함께, 온라인 농식품 디지털 유통시스템의 구축, 농어촌사회의 원격시스템 도입을 통한 농촌 생활의 질 향상 등을 이야기하고 있다. 또한 건강하고 안전한 먹거리 보장, 농어촌 부문의 일자리 창출, 농업인에 대한 사회안전망 확충, 비대면 사회에 맞는 농정 추진체계의 개선 등이 중요한 의제로 제시됐다.

그러나 이 같은 농경연의 의제 제시는 뚜렷한 테마가 없고 왜 추진해야 하는지가 빠져 목표와 방향이 오리무중인 무조건 돌격형 대안들이다. 지구적으로 어떤 위기이고, 이것이 한국에서는 어떤 피해로 다가오는지, 세계적으로 산업에서 지구에 주는 피해는 어떤 규모이고, 탄소배출은 어느 정도인지, 농업에는 지구를 좀먹고 있는 것이 없는지, 한국농업에는 환경파괴형 영역은 없는지 등등 상당히 포괄적인 과제들을 제시해야 한다. 이에 앞서 이를 추진해야 하는 목표와 방향은 무엇인지 제시돼야 한다.

그래서 제시하는 것이 바로 "문명의 다이어트, 농업의 다이어트"다. 산업혁명 이후 인간은 무엇이든지 기계화해서 대량생산을 해왔다. 그런 가운데 다품목-소량생산은 붕괴해 갔다. 산업뿐만 아니다. 농업도 다품목-소량생산의 농민들은 소외돼 이농하고 경제작물을 생산하는 전업농 중심으로 농촌이 유지되고 있다.

대량생산된 산업제품은 대량소비를 이끌었고, 대량생산된 농산물로 인해 인류는 한쪽에서는 포식의 시대를 맞이하고, 다른 한쪽에서는 식량의 부족에 허덕이고 있는 것이 현실이다. 그러나 2006~2008년 지구적인 기후위기에 따른 평야 지역의 흉작과 재해로 식량생산이 대폭 감소해 세계는 37개국이 식량부족으로 폭동이 일어나고 2개 국가는 정권이 전복되는 사태에까지 이르렀다. 이후 여러 국가들은 로컬푸드 운동의 한계를 극복하기 위해 지역푸드플랜을 수립해 먹거리 지역 자급운동의 하나인 먹거리선순환정책을 수립하고 있다.

결론

- **인간 문명의 과소비가 가장 큰 문제**
  - 산업혁명 이후 일어난 과잉생산, 인간 과잉소비의 문명
  - 공장의 증가와 탄산·질소가스의 무분별한 방류
  - 무분별한 산림훼손과 도시개발
  - 바다 생명체 남획에 따른 해양자원 고갈
  - 농지 확대와 생산력 증대에 따른 생태계 파괴
  - ---> 문명의 다이어트만이 살 길

문명 다이어트의 구체적 방안은?

우리는 지금 뉴스를 통해 전 지구적으로 닥치는 폭우와 수해, 산불, 남북극의 만년얼음의 붕괴, 전염병의 창궐, 바다의 플라스틱 오염, 황사 및 공기오염, 기후온난화에 따른 말벌과 메뚜기떼의 점령, 질소오염 지대의 확대, 인축 공통 전염병의 확산, 미생물의 새로운 변신, 엘니뇨-라니냐·남방진동·인도양 쌍극자현상 등의 기상격랑, 바다생물 남획에 따른 탄산가스 저감량의 커다란 축소, 농업과 축산의 공장식 생산에 따른 세계의 미생물 오염 등 너무나 많은 이야기를 듣고 있다.

각각의 각론에 어두우면서 대안을 모색하는 것은 부족해도 많이 부족하다. 이것은 정책과 인문사회적 관점에서 다루는 전문가들만 모여서 해결될 문제가 아니다. 이런 과제는 환경문제에 정통한 사람은 물론, 농업에서도 자연과학을 인문학적으로 설명할 수 있는 전문가, 생물학·생태학에 정통해 바이러스-박테리아-곤충 등의 생태를 통해 현재의 대안을 찾아보는 전문가들이 대거 필요하다. 또한 ICT를 통해 비대면을 실현하고 온라인 농식품 유통시스템의 대책을 제시할 수 있는 전문가도 필요하다. 아울러 농어촌사회의 원격시스템을 이야기할 수 있는 사회학자도, 농업부문의 디지털경제를 이야기할 수 있는 전문가도, 건강-안전을 점검할 수 있는 안전전문가와 함께 전염병의 확산방지와 비대면 시스템에 대해 조언할 수 있는 보건전문가도 필요하다. 처음 과제가 어렵지 이들의 분야별 현황과 대안을 들어본다면 포스트 코로나 시대의 종합적인 농업대안이 보다 구체화될 수 있을 것이다.

문명 및 농업의 다이어트를 위해서는 어떤 기본과제가 있을까?

우선 지구적인 기후위기를 맞아 환경보호형 농업체계 구축이 필요할 것이다. 전염병이 상시화되는 비대면을 위한 정책 전환도 하나의 주제일 것이다. 또한 산업적 환경이 지구와 농업에 미치는 영향 등의 과제를 해결해야 할 것이다. 전염병 현상과 이를 극복하기 위한 농업계의 전략도 수립돼야 할 것이다. 환경파괴형 농업의 개선, 비대면 시대의 먹거리정책, 기후위기 속의 지구 생태계 변화의 농업계 극복방안 등도 정리돼 대책을 마련해야 할 것이다. 이와 같은 연구와 논의를 거쳐 농업 다이어트의 방향과 구체적 실천방안이 제시돼야 할 것이다.

지금 지구는 인간이 실천해야 할 문명 다이어트를 위한 환경개선을 바이러스가 대신해주고 있는 셈이다.

기후위기에 대한 국제적 논의 동향

최근 여름에는 매번 역대 최악의 무더위라는 소리를 한다. 재작년에도 더웠고, 작년에도 더웠는데, 앞으로 남은 여름도 덥다는 예보뿐이다. 우리나라는 여름이라는 계절이 더 더워지는 것인데, 세계 어느 곳은 몇 백 년 만에 눈이 오기도 한다. 이런 기후변화 속에서 국제적 적응 논의는 1990년대부터 활발하게 진행되기 시작했다.

기후변화협약(UNFCCC)은 기후시스템이 위험한 인위적 간섭을 받지 않을 수준으로 대기 중 온실가스 농도를 안정화하고자 하는 목적으로 채택된 국제협약으로 생물다양성협약과 함께 1992년 6월 리우 회의에서 채택되고, 1994년 3월 21일 발효됐다. 1990년대 전후로도 기후는 조짐이 심상치 않았기 때문에 국제적인 큰 협약들이 생성된 것이다.

기후변화협약에서는 온실가스 배출, 국가별 환경정책, 모범정책과 관련된 정보 수집 및 공유, 온실가스 배출과 관련된 국가별 재정적·기술적 환경정책, 기후변화 적응 대비를 위한 협력 구축을 목표로 설정하고 기후변화 적응을 감축과 함께 중요하게 다루고 있다.

협약 4조 1항에서는 '몬트리올의정서에 의하여 규제되지 않는 모든 온실가스의 배출원에 따른 인위적 배출 방지와 흡수원에 따른 제거를 통하여 기후변화를 완화하는 감축 조치와 기후변화에 충분한 적응을 용이하게 하는 조치를 포함한 국가적 또는 적절한 경우에는 지역적 계획을 수립, 실시, 공표하고 정기적으로 갱신한다.'라는 공약 사항을 명시하고 있다.

이 조항에서 전 지구적 협력 차원에서의 영향 부문을 강조하고 있는데 연안관리, 수자원, 농업부문이 해당된다. 아울러 경제, 공중보건 및 환경의 질에 미치는 부정적 영향을 최소화 할 수 있는 적응조치의 방법을 사용하도록 명시하여 기후변화 영향평가 및 합당한 적응조치를 평가할 수 있는 기준설정 등의 기반구축이 중요함을 강조하고 있다.

기후변화협약에서는 기후변화 감축과 적응을 균형 있게 고려할 것을 명시하고 있으나 선진국의 온실가스 배출 감축을 의무화하는 교토의정서 이행에 중점을 두어 2001년 제7차 당사국총회(COP) 마라케시 합의문까지 감축에 초점을 두고 논의가 이루어졌다.

기후변화협약에서 적응의 중요성은 COP7 이후 개발도상국을 중심으로 논의가 전개되어 2002년 COP8의 델리선언문이 채택되면서 적응 이슈를 강조하는 계기가 되고 최근에는 적응의 중요성이 부각되고 있다.

적응에 대한 인식 변화를 가져오게 된 최근 당사국 총회에서 나타난 기후변화 적응 관련 주요사항을 정리하는 게 필요하다. 발리행동계획(COP13, 2007, 인도네시아 발리)에서의 적응 관련 주요내용을 정리한다.

교토의정서 만료기간 이후의 장기 협력 활동을 위한 협약의 이행을 목적으로 포괄적인 과정 출범을 결정하는데, 이 중 적응에서의 행동 강화를 위한 고려사항을 명시한다. 적응 행동의 이행 지원을 위한 국제협력, 리스크 관리 및 리스크 경감 전략, 재해 경감 전략 및 손실과 피해에 대한 수단, 회복탄력성을 위한 경제 다변화, 일관적이고 통합적인 적응 지원 수단으로서 협약의 촉매적 역할 강화 방안, 적응 행동 지원을 위한 기술개발 및 이전, 재정 및 투자지원 등이 적응에서의 고려사항들이다.

이렇게 적응 관련 장기활동을 구체적으로 명시함으로써 본격적으로 적응에 관한 당사국들의 관심을 고조시키고 향후 협상회의를 통해 적응부문 논의를 활성화한 초석으로 평가받고 있다. 그 다음 정리할 당사국 총회는 칸쿤적응체제(COP16, 2010, 멕시코 칸쿤)이다. 발리행동계획을 통해 설립한 장기협력행동에 관한 특별작업반의 작업결과를 토대로 칸쿤합의를 채택하게 되었는데, 칸쿤 적응 체제는 형평성, 공통의 차별화된 책임, 각자의 능력을 기반으로 기후변화 관련 전 지구적 목표를 달성하기 위한 장기협력행동에 관한 비전을 명시하는 것이 특징이다. 적응을 감축과 동일한 우선순위로 취급해야 하고 적응행동과 지원을 강화할 적절한 제도적 설계가 필요함을 강조하고 있다.

적응 관련 행동강화를 목적으로 칸쿤적응체제를 신설했으며, 최빈개도국의 국가적응계획 수립을 위한 과정, 적응위원회, 손실과 피해 작업 프로그램 신설, 협약하의 재정운영 주체인 녹색기후기금(GCF)을 설립했다. 이 녹색기후기금은 대한민국의 인천에 설립됐다. 칸쿤 적응체제를 통해 장기적인 적응행동을 위한 지침을 제시, 새로운 프로그램 및 위원회 등을 설립하여 최근 활발해진 적응 관련 활동의 동력 마련으로 평가되고 있다.

다음은 더반 플랫폼(COP17, 2011, 남아프리카공화국 더반)이다. 지금까지의 당사국총회 이름을 보면 알겠지만, 그 해에 개최된 나라의 이름에서 따오고 있다. 이 더반 플랫폼은 2013년 이후 교토의정서 지속을 전제로 신기후체제, 즉 post-2020 협상을 개시했으며 더반 플랫폼 특별 작업반(ADP)이 신설됐다.

ADP를 통해 신기후체제와 관련해 감축, 적응, 재정, 기술개발 및 이전, 행동 및 지원의 투명성, 역량배양을 고려함과 아울러 2015년 COP21에서 채택할 모든 당사국에 적응 가능한 협약하의 새로운 의정서, 법정문서 또는 합의서를 도출하기 위한 목적으로 작업 완료 시기를 결정했다. 이처럼 더반 플랫폼은 신기후체제에서 적응을 중요한 요소로 고려하고 2020년 이후 장기적 관점에서 당사국 간의 적응문제를 본격적으로 논의하는 출발점을 만든 중요한 계기로 평가되고 있다.

도하 당사국 총회(COP18, 2012, 카타르 도하)는 적응과 감축을 동일한 우선순위로 취급해야 함을 재확인하며 적응 관련 행동 강화에 합의했다. 그 이후에도 매해 당사국총회가 열렸고 올해(2020년)는 오는 12월에 폴란드 카토비체에서 개최될 예정이다. 매해 12월, 기후변화를 위해 국제사회가 만남의 장에서 모여 논의를 계속하고 있다.

우리나라의 온실가스 배출량

기후변화는 실제 상황으로 기후변화에 따른 피해를 최소화하고, 앞으로 발생할 수 있는 기후변화에 탄력성 있게 대응해야 한다. 녹색 발전의 지향점은 산업혁명 이후 탄소경제에서 벗어나 새로운 녹색의 경제 및 산업체계를 개발하여 지구의 생명체계를 보존하는 것이다. 녹색 운동은 근복적으로 지구환경의 한계를 인식하는 것으로부터 시작한다. 무한한 자원이 아니라는 것을 인지하고 유지시키며 지속 가능한 상태가 되도록 하는 것이다. 이것을 가능하게 하기 위해서는 우리나라의 온실가스 배출 현황부터 파악해야 한다.

전문가에 따르면 2007년도의 온실가스 배출량이 급격히 증가한 것은 고리 1호기의 수명 연장을 위한 유지 보수로 원자력 발전량이 3.9% 감소한 반면에 당진발전소, 태안발전소 등 새로운 화력발전 설비는 증설됐기 때문이다. 그리고 2007년에는 철강, 석유화학 산업의 호황에 따라 이들 산업의 생산이 증가함으로써 에너지 소비가 증가한 것도 중요한 원인이다. 2010년에도 우리나라의 온실가스 배출량은 낮은 경제성장률에도 불구하고 9.9%의 높은 증가를 기록했다. 이는 철강 부문의 급격한 생산설비 확장과 급격한 전력소비 증가의 결과로서 일시적인 현상으로 해석할 수 있다.

우리나라의 온실가스 배출량은 경제성장과 비례하는 상관관계를 보이고 있다. 우리나라의 경제성장률은 2002년도에 7.2%, 2003년에는 2.8%, 2005년에는 4%, 2007년에는 2.9%를 기록했다. 온실가스 배출량을 부문별로 보면, 2013년 우리나라 전체 온실가스 배출의 87.3%는 화석연료를 연소하며 배출됐다. 2013년 에너지 부문의 온실가스 배출을 부문별로 구분하면 전화 45.3%, 산업 30%, 수송 14.6%, 가정 상업공공 9.3%를 차지한다.

1990년 이후 2013년까지의 연평균 온실가스 배출량 증가를 살펴보면 연료 연소에 의한 온실가스 배출량은 연평균 4.1%씩 증가했다. 이로써 국가 전체 온실가스 배출량 증가율보다 0.3% 높은 증가세를 보였다. 산업 공정 부문이 국가 온실가스 배출에서 차지하는 비중은 2005년보다 감소했다. 하지만 산업공정 부문의 배출량은 꾸준히 증가해 에너지 부문 증가율보다 높은 증가율을 기록한다. 이는 산업공정 배출에서와 시멘트 생산 및 액정 제조 배출량이 증가한 결과라는 것이 환경 전문가들의 이야기다.

폐기물 부문과 농업 부문의 온실가스 배출은 1990년 이후 낮은 증가세 혹은 감소세를 보이고 있다. 유지 중인 상태라고 할 수 있다. 농업부문의 배출량은 국가 전체 배출량에서 약 3%를 유지한다.

2013년 기준으로 온실가스별 배출 비중을 살펴보면 이산화탄소가 91.5%로 절대적인 비중을 차지한다. 그 다음은 메탄 3.7%, 아산화질소는 2%, 불소계 가스(SF6, PFCs)는 2.8%다. 산업공정의 주요 배출원 중 광물 생산, 아디프산 생산, 칼슘카바이드 생산은 점차적으로 감소 추세를 보이고 있다. 하지만 불소계 가스는 상대적으로 높은 증가세를 보였다.

이상 살펴본 바와 같이 우리나라의 온실가스 배출량은 교토의정서 온실가스 감출 목표 기준연도인 1990년 이후 연평균 3.8%의 높은 증가세를 기록해 2013년의 국가 배출량은 1990년 배출량 대비 2.4배 수준이다.

우리나라 온실가스 배출은 연료 연소에 의한 배출이 주종을 이루며 연료 연소에 의한 배출 중 60% 이상이 산업과 전환에서 이루어진다. 산업공정 부문의 온실가스 배출 비중은 에너지 부문에 비해 상당히 낮은 수준이다. 그렇지만 90년대 중반 이후 반도체, 디스플레이 산업의 급속한 성장으로 높은 연평균 성장률을 기록하고 있다. 우리나라는 2008년에 국가발전 비전으로 저탄소 녹색성장을 제시했다. 하지만 우리나라는 아직 국민들에게 체감되는 것은 별로 없다. 우리나라의 70%정도 되는 산에서의 산림만이 묵묵히 온실가스를 줄이고 있을 뿐이다.

그러면 과연 농업은 얼마나 온실가스를 발생시켜 지구를 덮고 있는지 알아보자. 농업에서도 부분적으로는 온실가스를 발생시켜 환경부하를 일으킨다. 그러나 전체적으로 볼 때 우리나라 농업에서 온실가스 배출은 3%에 달한다. 그런데 토지 이용과 산림경영 (LULUCF, 임업 및 기타 토지 이용으로도 불리는 토지 이용, 토지 이용 변경 및 임업은 유엔 기후변화사무국에 의해 '인간의 직접 배출로 인한 온실 가스 배출 및 제거를 다루는 온실 가스 인벤토리 부문'으로 정의)을 통해 6%의 온실가스 저감효과가 있으므로 우리나라 전체 농림업에 대해 평가하자면 3%

의 온실가스 흡수원이다.

일부 농업과 축산업에서 공장식 생산방식으로 온실가스를 많이 발생하는 경우가 있어서 이에 대한 대책도 마련해야 하지만 국가 전체의 측면에서는 산업적 온실가스 저감이 더욱 중요하게 부각된다. 물론 농업의 온실가스 배출 3% 중에서는 축산부문이 42%(전체의 1.3%)를 차지하고 있어서 농업에서는 큰 비중을 점하고 있다.

특히 사료곡물의 가축급여 사용량에 따른 육류의 생산비중을 따지는 사료전환율을 보면 닭이 2, 돼지가 4, 소는 7정도로 나타난다. 이를 풀어보면 닭은 2kg의 사료를 먹여야 1kg의 고기를 생산하고, 돼지는 4kg의 사료를 먹여야 1kg의 고기를 생산하는 반면 소는 7kg을 먹여야 1kg의 고기를 생산할 수 있다. 이 이야기로 축산업 자체가 식량생산을 위해 온실가스를 많이 배출하는 구조를 갖고 있다는 사실을 알 수 있다.

세계적인 상황을 분석해보면 온실가스 배출량은 농업분야가 전체의 24%를 점유하고 있고 이에 대한 책임도 있다. 주로 축산의 곡물 사용량이 많고, 토양 유기물의 분해 등에서 발생한다. 농림업에서 흡수하는 이산화탄소의 흡수량 비중을 감안하면 약 20% 정도를 배출한다고 볼 수 있다. 우리나라보다 세계의 배출량은 약 7배나 더 배출되는 셈이다.

이를 세부적으로 분석해 보면 온실가스 중 메탄(CH_4)이 16%를 차지하는데 농업이 가장 큰 배출원이다. 주로 벼를 재배하는 논과 소의 장내발효, 토양에서의 유기질 발효 등이 배출하는 요인이다. 아산화질소(NO_2)는 6%인데, 이것도 역시 농업에서 발생하며 그것은 바로 화학비료의 분해과정에서 탈질현상이 발생하면서 방출한다.

그렇다고 무조건 고기를 먹지 말라고 통제하는 것은 문제가 있다. 사람의 건강상 동물성 단백질의 공급이 필요한 상황이 있을 뿐만 아니라 필수영양소, 인간의 기호 등을 고려할 때 무리한 공장식 축산을 피하는 방식으로라도 축산업을 유지해야 한다.

　온실가스를 가장 많이 배출하는 산업은 에너지다. 세계적으로 72%를 차지하고 있고 우리나라도 87%나 차지한다. 이것은 우리나라가 에너지 집약적인 산업국가를 유지했기 때문이다. 우리가 살아가고 있는 환경이고, 우리나라가 기후위기에서 벗어나기 어려운 원인이기도 하다.

　온실가스를 줄이자면 어떻게 해야 할까?

　우선 세계의 이야기부터 꺼내본다. 전 세계에서 온실가스를 가장 많이 내뿜는 국가는 중국-미국-인도-EU(28개국)-일본의 순이다. 중국과 인도는 인구가 많아서이고 실질적으로 1인당 온실가스 방출은 미국이 가장 높다. 2017년의 통계를 보면 미국은 1인당 CO2 발생량이 약 19톤, 2위인 러시아가 15.5톤, 3위인 일본이 10톤에 근접하고 있고, 4위인 EU가 8톤에 이르고 있지만 중국은 5위, 인도는 세계 평균 배출량의 3분의 1에 불과한 실정이다. 우리나라도 10위권 내에 속한다. 이를 1인당 GDP에 비추어 보면 미국은 65,000달러로 세계 8위, 중국 10,000달러 68위, 인도 2,100달러 142위를 감안하면 선진국들의 에너지소모와 온실가스 방출이 어마어마하다는 것을 알 수 있다.

　지금 지구환경의 위기는 급박한 상황이다. 코로나19를 넘어서서 어느 국가든 에너지와 온실가스 저감을 위한 노력을 기울이지 않으면 안 될 상황이다. 이에 단순하지만 필요한 통계가 있어 밝혀본다.

　지구상 모든 에너지 중에서 재생에너지의 하나인 태양광발전은 화석원료에 비해 10~20%의 이산화탄소밖에 발생시키지 않는다. 그래서인지 북유럽의 노루웨이, 핀란드, 스웨덴 등의 국가는 30여 년 전부터 신재생에너지로의 전환을 모색해왔다. EU의 국가들은 유엔에서의 환경회담을 주도하면서 자기 나라의 에너지 정책도 강력하게 전환을 추진하고 있다. 기상학자들은 재생에너지의 이런 효과를 감안해 기후변화 위기의 유일한 대안으로 제시하고 있다.

산업에서 재생에너지로의 전환을 감안해야 하지만 농업분야도 이젠 에너지 절약형, 온실가스 저감형으로 전환하기 위해 농업 에너지도 재생에너지로의 전환이 절실하다. 환경부하가 큰 바이오에탄올이 아니라 바이오매스나 태양광, 소수력, 풍력 등의 에너지를 활용한 농업기술의 전환이 요구된다.

그러나 태양광의 경우 무리한 산림 훼손을 통한 무분별한 개발이 아니라 도로, 건물, 주차장, 운동장 주변, 공동주택 옥상 등 기존 시설을 활용한 설치와 운영이 요구된다.

외국의 코로나 대응

코로나19는 인간사회에 커다란 영향과 변화를 일으켰다. 인간 생명과 생존을 위협하는 복합위기가 세계를 강타하면서 그동안 학자들이 제기해왔던 뉴노멀의 개념도 크게 변화했다. 핵심키워드가 기후, 생태, 안전, 비대면, 디지털, 로컬, 전환 등으로 이전됐다.

인간사회는 전염병 팬데믹에 따른 대봉쇄로 고용불안, 소득손실 위기 등 대공황 이래 최악의 경기침체를 겪고 있고, 비대변 생활영역이 대폭 추구되면서 4차 산업혁명의 가속화가 일어나고 있다. 우루과이라운드협상 이후 줄곧 추구해왔던 신자유주의가 퇴조되고 국가와 공공부문의 역할이 늘어나고 있는 반면 세계화는 지역화와 세계화가 혼합된 글로컬라이제이션(지방중심 세계화)으로 대체되고 있다.

현대문명에 대한 성찰이 확산되면서 근대도시문명을 생태문명으로 전환하자는 의견이 제기되고 있으며, 그동안의 무조건적 성장보다는 안전으로 기준이 바뀌고 있으며 경제성장조차도 전 세계가 마이너스를 기록하고 있다. 지속 가능한 경제사회를 중시하는 문명으로의 가치관 전환과 실천이 확산되고 있다. 도시를 떠나 시골로 가는 사람이 늘고 있으며, 환경운동을 하는 계층도 매우 젊어져 기후행동 등에 참여하는 학생들이 늘어나고 있다.

이제 인간은 위기를 기회로 바꾸기 위해 탈탄소사회로 전환하는 거대한 실험을 해야 한다. 그것도 전사회적 국가프로젝트로 추진해야 할 상황에 놓였다. 감염병 위기, 기후위기, 불평등 위기 등 인류가 직면한 위기를 해결하고 4차 산업혁명에 따른 기술혁명과 저성장 등 뉴노멀 시대에 적응하기 위해 과거와 단절해야 한다. 사회경제 시스템의 대대적인 전환이 요구되고 있는 것이다.

이를 위해 EU는 '회복력, 녹색, 디지털'로 무장한 유럽 건설을 목표로 2050년까지 유럽을 '탄소중립대륙'으로 구축하겠다는 전략을 가지고 있다. 그 전략은 청정에너지, 지속 가능한 산업과 건축, 지속 가능한 수송, 농식품, 생물 다양성 등 6개 분야별 정책계획을 수립하고 있다.

농업분야에서는 '농장에서 식탁까지 전략(Farm to Fork Strabegy)은 그린딜의 주춧돌로 공동농업정책(CAP) 개혁과 연동되어 있다. 건강하고 지속 가능한 푸드 시스템으로 전환하겠다는 것이 핵심이다. 이를 위한 대책으로 적정가격으로 지속 가능한 먹거리를 제공하고, 기후변화에 대응하는 것은 물론, 환경보호, 생물다양성 보전, 유기농업 확대 등의 내용을 담고 있는데 이를 위해 2030년까지 화학합성농약 50%, 비료 20%, 항생제 50%, 양분손실 50% 등의 감축과 유기농 면적 25%까지 증대, EU로 수출하려면 EU 환경기준 준수 등의 구체적 목표까지 설정하고 있다.

이를 실현하기 위해 EU는 출범 이래 최대 규모인 7500억 유로(약 1,020조 원)의 경기부양책을 2020년 5월 27일 발표했다. 이 중 5,000억 유로는 경제위기에 처한 남유럽 회원국 등에 무상지원해 지역격차를 해소하고 재정동맹을 공고히 하겠다는 계획을 수립하고 있다. 나머지 예산은 '녹색 전환과 디지털 전환 가속화'에 초점을 두고 모든 지원은 녹색전환 방향과 일치해야 하며, 예산의 25%는 기후친화적 지출에 사용하도록 하고 있다.

2019년 2월 미국 하원은 그린뉴딜 결의안을 제출했는데 '온실감축과 일자리 창출, 불평등 해소' 등의 내용을 담고 있다. 기후변화와 재난 관련 회복탄력성을 구축하고, 사회간접자본의 수리와 업그레이드, 청정에너지로 100% 전기생산, 에너지 효율성 제고와 스마트그리드를 구축하는 한편, 건물의 효율성 극대화, 농업분야 온실가스 제거, 수송분야 온실가스 배출 제거, 기후변화로 인한 건강과 경제적 영향 완화, 대기 중 온실가스 제거 등을 결의안 프로젝트로 제기했다. 또한 생물다양성과 기후 회복탄력성을 증가시킬 프로젝트 도입, 오염토양의 청정화, 오염원 확인 및 제거방법 개발, 국제적 협력과 미국의 지도적 역할을 통해 타국의 그린뉴딜에 협력한다는 방향을 세웠다.

민주당의 대선후보인 조 바이든은 "트럼프를 지워라, 세계를 다시 포용하라."를 외치며 2,400조의 그린 뉴딜을 약속했다. 2050년까지 탄소배출 '순 제로(네트제로, 배출-흡수=0)'를 목표로 4년간 2조 달러(약 2,301조원)을 투자해 △2035년까지 발전소 탄소 배출을 중단하고 △시간당 최소 15달러를 받을 수 있는 100만 개 일자리의 창출 △에너지 고효율 공동주택 150만 채를 공급하는 한편, △청정 경전철, 버스 시스템 등에 투자한다고 밝혔다.

미국 뉴욕시의 경우 2050년까지의 그린 뉴딜 장기전략을 수립하고, 이를 법적으로 지원하는 그린뉴딜법을 제정해 2050년까지 온실가스 배출량을 2005년 대비 80%를 감축하는 방안을 추진 중이다.

농업 대안을 위한 포스트 코로나 시대의 고민

비대면 사회를 위한 정책요소

　포스트 코로나 시대에는 경제·사회·환경 등의 급격한 변화로 대전환이 불가피한 상황이다. 더구나 최근에는 저출산, 고령화, 저성장, 균형발전 등 국가적으로 여러 가지 어려운 여건에 직면하고 있어서 고통을 최소화하면서 절박한 위기극복을 위해 과감하게 도전해야 하는 것이다. 그래서 국가 미래비전이나 전략과 관련해서도 새로운 합의가 필요하다.

　과제로 풀어보면 기후 및 불평등의 위기에 더해 코로나 팬데믹의 상황이 겹쳐 있고, 국가적으로도 저출산, 지방소멸, 균형발전, 저성장 등의 극복과제까지 돌파해야 해야 한다. 그래서 정부는 한국판 뉴딜 종합계획을 수립했다. 디지털 뉴딜, 그린 뉴딜, 안전망 강화 등의 3개 축을 중심으로 사람 중심 포용국가의 기반 위에서 디지털 혁신경제와 친환경 저탄소의 가속화를 통해 산업과 기술의 융복합과 혁신으로 위기를 극복하면서 사람 투자를 강화해 일자리를 새롭게 창출한다는 방향을 세우고 있다.

　이를 위해 디지털 뉴딜에는 DNA 생태계 강화, 교육 인프라 디지털 전환, 비대면 산업 육성, SOC 디지털화 등에 투자하고, 그린 뉴딜에는 도시·공간·생활 인프라의 녹색전환, 저탄소·분산형 에너지 확산, 녹색산업 혁신생태계 구축 등으로 투입하는 한편, 안전망 강화에는 고용·사회안전망 등에 총 160조 원을 투자해서 190만 개의 일자리를 창출한다는 계획이다.

이와 같은 발표와 관련 OECD는 "디지털과 그린 중심의 한국판 뉴딜이 고용과 투자를 전망보다 더 개선시킬 것"이라고 긍정적 논평을 했다. 그러나 국내 언론의 반응을 그렇게 긍정적이지 않았다. 기후위기비상행동과 경향신문은 "탄소저감에 대한 구체적 목표가 제시되지 못한 무늬만 뉴딜"이라고 혹평했고, 환경운동연합은 "그린 뉴딜이 성공하려면 목표와 과제 설정을 제대로 보완해야 한다."고 지적하고 있다.

'건강권 실현을 위한 보건의료단체연합'은 "한국판 뉴딜 정책에 공공의료 한 줄 없다."고 비판한 데 이어 농업계인 농민단체 공동성명서에서는 "코로나에도 계속되는 농업 홀대, 그린 뉴딜은 농업이 기반이 돼야 실현이 가능하다."며 부정적 평가를 내놓았다.

리얼미터가 조사한 '한국판 뉴딜 정책의 경제위기 극복방안'에서는 『도움이 될 것』이 46.5%, 『도움이 안 될 것』이 40.3%를 나타내 긍정이 약간 강세인 것으로 조사됐다. 이런 여론을 극복하기 위한 K-뉴딜이 되기 위해서는 전체적인 테마를 먼저 설정하고 이를 세분한 구체적 정책과제를 찾아내는 일이 중요하다.

코로나19를 경험하면서 우리는 가치관이 변화하고 있다는 점을 느낀다. 지금까지 경험하지 못했던 새로운 시대의 틀을 잡아가야 하는 뉴노멀의 목표를 찾는 일과 그럼에도 인간사회의 안정을 찾기 위한 지속 가능성과 공공성을 높이기 위한 노력이 필요하다.

또한 전염병의 확산을 막기 위한 비대면 사회를 만들어야 한다. 이를 위해서는 4차산업을 가미한 스마트농어업 체계를 갖춰야 하며, 농산물의 비대면적인 서비스 전달체계를 갖추어야 한다는 과제도 있다.

식량문제가 국제적으로 차단되고 있는 점도 개선해야 한다. 우선 식량안보를 철저히 지켜야 하며, 로컬푸드와 스마트유통 등의 지역먹거리선순환 체계를 갖춰야 한다. 기후위기도 전 사회가 함께 노력해야 하는 과제다. 이를 위해서는 저탄소농어업을 위한 기술과 작부체계를 갖춰야 하는 것은 물론, 재생에너지를 활용해 탄산가스의 방출을 줄이면서 자연재해에 대응방안을 마련해야 한다.

일자리를 새롭게 마련해야 하는 점도 필요한 과제다. 농업분야에서도 가공, 특산품, 관광, 문화해설, 사회적 농업 등 다양한 일자리를 새롭게 만들어가야 하며, 귀농어와 귀촌을 위한 다양한 정책적 지원도 필요하다. 특히 농어업에서의 부족한 노동력을 메울 수 있는 정책적 장치도 매우 절실하다.

사회적 불평등이 깊어지는 문제도 극복해야 할 정책과제다. 이를 위해서는 디지털의 격차를 해소하고, 공공급식과 취약계층의 급식지원을 강화해 먹거리의 차별을 받지 않는 세상을 만드는 것도 매우 중요하다.

특히 농림수산업에서 발생하는 온실가스의 발생요인별 대책과 에너지 다소비형 농업을 절약형으로 개선해 나가는 것도 필요하다. 또한 농업에서 가장 많은 온실가스의 발생요인인 공장식 농업·축산의 환경 부하를 줄이는 일은 농업기술정책의 대대적 전환을 통해 개선해 나가야 할 것이다.

테마와 목표를 명확하게

우리나라가 전염병으로 사회적 반향을 일으킨 것은 홍콩 독감과 2012년 발생한 메르스 등이다. 2002년 중국에서 774명의 사망자를 낳은 사스는 우리나라에는 별 영향을 미치지 못했다.

그러나 코로나19는 엄청난 전파력 때문에 일부 지역의 문제가 아니라 전(全) 지구적으로 확산돼 인간사회에 커다란 영향과 변화를 일으키고 있다.

　전염병의 전파력 때문에 인간 생명과 생존을 위협하는 복합위기가 세계를 강타하면서 그동안 있었던 인간사회의 행동 방식에 대대적인 변화가 찾아와 기후위기에 대한 불안감이 커져가고 있다. 또한 생태적 삶의 문제와 안전와 강화를 위한 조치와 비대면 사회로의 전환, 그리고 이를 극복하기 위한 디지털과 로컬푸드, 로컬산업으로의 전환이 빠른 속도로 이뤄지고 있다.

　이에 대해 미국의 사회운동가이며 『엔트로피』, 『육식의 종말』, 『소유의 종말』, 『공감의 시대』, 『글로벌 그린뉴딜』 등의 저자인 미래학자 제러미 리프킨은 "기후변화로 인한 모든 결과가 팬데믹을 낳았다."며 코로나19 창궐은 기후재앙과 일란성 쌍생아임을 강조하고 이런 인간의 에너지소모형, 과잉소비형 환경오염을 지속한다면 더 많은 팬데믹이 일상화될 것임을 경고하고 있다. 바닷물 순환의 교란으로 생태계가 붕괴하고 인간의 야생침범이 더 많아지면서 삶의 터를 잃은 야생 생명체가 인간의 공간으로 침입하면서 미생물과 바이러스에 의한 전염병이 일상화될 것임을 경고한 것이다.

　이런 위기를 극복하기 위해 우리는 어떻게 해야 하나?

　포스트 코로나 시대의 사회와 농업은 기존과 같은 경제 중심의 전환으로는 안 된다. 우선 큰 주제의 테마가 제시돼야 한다. 다른 나라와 유엔이 제시했던 수준보다 더욱 높은 비율과 구체적 실천전략을 담은 주제가 있어야 한다. '2050년 네트제로(온실가스 발생량과 흡수량이 같아져 더 이상 지구온도를 덮일 수 없는 수준)'가 국제적 기준이었다면 우리는 '문명 다이어트, 농업 다이어트'로 '2040년 네트제로' 정도는 세워야 하지 않을까? 또한 온실가스의 저감목표를 2030년까지 성분별로 확실히 제시하고 산업부문별 목표와 전략이 구체적으로 제시돼야 한다.

　네트제로가 아닌 2050년 네트마이너스여야 2060년에 이르면

2040년의 수준에 이를 것이 아닌가. 여러 나라들이 합의한 유럽은 2050년까지 '탄소중립대륙'을 구축하겠다는 목표를 세웠다면 대한민국은 유럽보다 10년을 앞당기는 정도의 목표로 앞서가는 것이 무리일까? 국제적 환경회담의 조건이 그레타 툰베리의 말처럼 너무 느슨하다.

그리고 포스트 코로나 시대에는 핵심 키워드가 기후, 생태, 안전, 비대면, 디지털, 로컬, 전환 등으로 꼽고 있다. 기후위기 대응을 위한 온실가스의 구체적 절감지수를 개발해 목표를 세우고 노력하는 것은 물론, 생태보전을 위한 농업기술적 적용방식 도입, 분야별 안전대책, 용도에 따른 비대면 기술의 적용과 로컬로의 전환을 위한 사회적 정책의 검토, 그리고 문명의 전환을 이야기해야 한다.

구체적 전략에 있어서는 온실가스의 정화를 위한 미래형 산림정책, 청정에너지, 지속 가능한 산업과 건축, 지속 가능한 수송, 친환경적 농식품, 생물다양성, 환경파괴형 산업제품의 감축 등 정책계획을 수립해야 할 것이다.

특히 농업 분야에서 먹거리선순환체계의 구축을 위해 건강하고 지속 가능한 푸드시스템으로 전환하고, 환경파괴형 농업기술정책의 대대적 전환을 담아야 한다. 이를 위한 대책으로 적정가격으로 지속 가능한 먹거리를 제공하고, 기후변화에 대응하는 것은 물론 환경보호, 생물다양성 보전 등과 더불어 그동안 소극적이었던 유기농업을 대대적으로 확대할 수 있는 내용을 담아야 한다.

이를 위해서는 2030년까지 화학합성농약, 화학비료와 유기질비료, 항생제 등의 감축목표가 명확히 제시돼야 하는 것은 물론, 유기농 면적의 증대목표와 함께 우리나라도 식량을 수출하려면 필요한 환경기준 조건 등의 구체적 목표까지 설정해야 한다.

유기농업이 전체의 4분의 1(25%)을 차지해야 농업생산도 환경부하를 대대적으로 줄일 수 있다.

아울러 농업생산에 들어가는 투입재의 경우 2030년까지 화학합성농약 50%, 비료 20%, 항생제 50%, 양분손실 50% 등의 감축을 목표로 잡은 EU의 기준을 참고하면 될 것 같다.

2020년 7월 미국 하원이 그린 뉴딜 결의안에서 제출했던 △온실 감축 △일자리 창출과 아울러 발표했던 △불평등 해소도 중요하게 여겨야 할 분야 중 하나다. 산업적 불균형과 감염병의 보건수준에 따른 개도국의 불평등에 대해 국제적 협력과 미국의 지도적 역할을 통해 타국의 그린 뉴딜에 협력한다는 방향을 세웠듯이 우리나라도 OECD 회원국이면서 10대 경제국의 하나로 국제적 방역의 차단을 위해서도 국제적 협력 정책을 마련해야 할 것이다.

정부가 2020년 7월 14일 코로나19 사태 이후 경기회복을 위한 국가 프로젝트로 발표한 정책에서 2025년까지 총 160조 원(국비 114.1조 원)을 투입해 총 190.1만 개 일자리를 만든다는 목표를 세우고 있다. EU가 출범 이래 최대 규모인 7,500억 유로(약 1,020조 원)의 코로나19대책을 마련해 2020년 5월 27일 경기부양책으로 발표한 것을 보면 정부의 재정투자의 측면에서는 결코 적은 돈이 아니다.

중요한 것은 디테일에 있다. 정부가 발표한 내용에는 탄소 저감에 대한 구체적 목표가 제시되지 못한 무늬만 뉴딜이고, 산업과 경제가 중심이었지 코로나19의 가장 큰 위협요인인 농업과 건강하고 지속 가능한 푸드시스템으로 전환에 대한 언급은 전혀 없어 제대로 된 K-뉴딜로 평가할 수 없다.

국가적 입장에서는 당장 경제회복과 일자리가 중요하겠지만 근본을 무시한 경제 중심의 K-뉴딜은 소녀 환경운동가 그레타 툰베리가 유엔에서 연설한 내용 중에서 "여러분(기성세대. 정부관료 등)이 할 수 있는 이야기는 전부 돈과 끝없는 경제성장의 신화에 대한 것뿐"이라는 언급과 같이 방향 없이 달리는 열차와 같다.

농업생산의 변화

안정적 농업생산을 위한 기후변화 적응 방안은 없을지 고민해본다. 우선 기후위기를 벗어나기 위한 농업기술의 온실가스 저감 생산기술의 전환이 시급하다. 이를 위해 농업기술정책의 전환을 모색해야 한다. 정책의 전환을 통해 농촌진흥청의 농업기술연구의 대대적 전환이 필요하다는 점을 강조하고 싶다.

일례로 가장 큰 비율로 친환경농업을 차지하고 있는 벼농사에서 보면 논에서 배출되는 온실가스는 메탄으로 이 성분은 화력발전소나 자동차의 배기가스 등에서 뿜어나오는 이산화탄소처럼 지구 온난화에도 영향을 주고 있다.

2007년 4월 30일부터 닷새 일정으로 태국 방콕에서 개최한 온실가스 감축 회의에서 '유엔정부간기후변화위원회(IPCC)'의 보고서도 20세기 들어 벼농사가 메탄 배출의 주된 요인이 되고 있다며 배출 통제가 필요하다고 지적하고 있다.

필리핀의 '국제쌀연구소'의 기후변화 전문가인 라이너 와스만은 AP와 인터뷰를 통해 "벼농사만큼 많은 양의 온실가스를 배출하는 작목도 없다."며 "아시아 지역 국가들이 온실가스 감축 방안을 찾으려면 벼농사를 주시해야 한다."고 말했다. 그는 "벼농사가 온실가스 배출의 주범이라고 말할 수는 없지만, 최소한 아시아 지역에서는 벼농사를 무시할 수 없다."고 덧붙였다. 논에서 나오는 메탄은 비료로 쓰이는 가축의 분뇨와 다른 유기물을 박테리아가 분해하는 과정에서 생겨난다. 지구 온난화의 주범은 메탄보다 이산화탄소이지만 온실가스 효과 면에서는 메탄 1분자가 이산화탄소 1분자에 비해 21배가 넘을 정도로 강력하다.

미국 환경청 자료에 따르면 대기 중의 온실가스 효과는 이산화탄소가 70%, 메탄이 23%를 차지하고 있으나 메탄의 비율이 증가하는 추세를 보이고 있다. 기후변화 과학자들은 아시아 지역의 경우 벼 대체작목의 재배와 가축분뇨 대신 화학비료를 사용하는 농법의 변화가 화석연료 대신 태양열과 풍력 등 재생 가능한 에너지를 사용하자는 IPCC의 온실가스 감축방안보다 쉽고 효과적일 것으로 보고 있다.

그러나 현실은 그렇지 않다. 경제적 여건이 취약한 농민들은 대체작목을 찾지 못하고 있으며 기술 부족으로 전통 농법도 바꾸기가 쉽지 않은 실정이다. 더구나 쌀농사는 동아시아의 전통적인 식문화와 영양 등과 관계가 많아서 대체작물보다는 오히려 벼농사에 대한 대체기술의 연구가 절실하다.

농업에서는 공장식 축산으로 소비자들의 혐오감이 늘어나고 있고, 가장 많은 온실가스를 분출하는 것으로 알려진 축산의 경우 온실가스 발생량은 농업 분야 온실가스 발생량의 약 39%를 차지하며 그 양은 570만 톤(CO_2 환산량)에 달한다. 가축 종류별로는 한우 1,434.62kg, 젖소 3,397.68kg, 돼지 127.79kg, 닭 2.55kg (CO_2환산량 기준)의 온실가스를 배출한다.

이는 농촌진흥청 국립축산과학원이 2009년 7월 7일부터 7월 10일까지 4일간 서울교육문화회관에서 APEC(아·태경제협력체)과 공동으로 개최한 축산 발생 온실가스 국제워크숍에서 발표됐다. 이 워크숍에서는 우리나라를 포함해 12개국의 저명한 학자, 전문가를 초청, '각국의 온실가스 인벤토리와 정책발표', '축산 온실가스 저감을 위한 측정과 저감방법', '기후변화에 적응하기 위한 방안 등에 대한 기술적, 정책적 공동 대응 방안' 등을 논의했다.

축산분야 온실가스는 가축의 소화과정에서 발생하는 메탄(CH_4)과 가축분뇨를 처리하는 과정에서 발생하는 메탄과 아산화질소(N_2O)가 대부분을 차지한다. 한우 1마리의 온실가스 배출량은 연간 한 가구의 전력 사용량과 맞먹으며, 소형 자동차가 연간 배출하는 온실가스의 양은 한우 2.3마리가 배출하는 온실가스의 양과 동일한 수치다.따라서 축산부문도 이제는 다투입을 통해 규모화 축산으로 생산성을 극대화해 온실가스를 많이 발생시키는 생산구조의 변화를 모색해야 한다.

이에 따라 이젠 농촌진흥청도 축산분야 온실가스 저감에 대한 집중 연구가 요구되며, 한국농촌경제연구원 등의 연구기관은 한국인의 식생활에 적합하고 온실가스의 감축을 위한 식단의 개발과 육식의 경우 필수아미노산의 섭취가 필요하므로 환경부하가 적은 축산업의 적정규모 등에 대한 연구가 필요할 것이다.

또한 축산기술의 연구에 있어서 총체적으로 재검토해 밀집 사육의 대명사인 케이지 계사(鷄舍)로 키우는 양계장, 무창(無窓)계사 및 돈사, 규모화와 기계화로 생산성을 높이는 기술 등 공작식 축산과 관련된 기술을 폐기하고 점점 동물복지를 확대하기 위한 단계별 적정규모 연구 등 영양과 건강만이 아니라 지구환경도 챙기는 농업기술정책의 전환과 이에 따른 연구의 전환도 시급하다는 점을 강조한다.

세계적으로 인류가 생산하는 온실가스의 약 14.5%는 축산으로부터 야기되는 것이다. 이것은 교통수단에서 직접 발생하는 양과 대략 비슷하다. 축산을 위한 산림훼손과 곡물재배 확충으로 인해 매년 가축으로부터 탄산가스 생산이 24억 톤에 이르고 메탄가스는 탄산가스 22억 톤에 맞먹는 양을 배출한다. 또한 사료생산을 위해 사용되는 질소 비료와 가축분 생산은 농업이 배출하는 연간 아산화질소(N_2O)의 75~80%를 생산한다고 보고된다.

가축이 배출하는 분뇨에서 생산되는 질소의 양은 지구상에서 사용되는 질소비료의 양을 능가한다. 개도국의 집약적 산업 축산이 증가함으로써 초지로의 산림 변경과 초지의 작물재배지로의 변경이 강화된다. 지구상의 초지는 육지의 거의 40%에 해당하며 지구

토양 탄소의 약 10%를 보유하고 있다. 초지가 작물 경작지로 전환되면 토양 탄소의 50%가 감소된다.

서반구에서는 초지의 70%가 이미 작물 경작지로 전환됐고, 아시아와 아프리카에서는 19% 정도, 그리고 오세아니아는 37% 정도에 이른다. 가축 중에서 반추위 가축이 생산하는 온실가스의 양은 단위 가축보다 월등히 많다. 반추위 가축은 돼지나 닭보다 더 많은 양의 사료작물을 섭취하고 생산 식육 단위당 필요한 면적이 더 많고, 인류 생산 메탄가스의 가장 큰 생산원이며 단위 가축보다 6배의 질소 공급을 필요로 한다.

또 축산부문은 사료 생산, 가축사육 및 위생을 위해 엄청난 물을 소비한다. 가축분뇨에서 순환되는 물은 지구상의 질소와 인 오염의 33%, 항생제 오염의 50%, 담수의 유해중금속 오염의 37%를 야기한다. 지구상의 담수에 잔류하는 농약의 37%가 가축 사료 생산에서 유래하는 것으로 보고되고 있다. 더구나 국내 축산의 환경에 대한 영향은 평가된 것이 별로 없다.

따라서 UN 보고서는 지구 기후변화에 대한 축산의 부정적 효과를 저감시키기 위해서는 우선 축산물 소비를 줄이고, 둘째로는 식육, 특히 반추위 가축의 고기를 훨씬 효율적인 단백질 공급원으로 대체하며, 셋째로는 가축을 다양한 농생태계 생산 시스템에 접목시키자고 제안한다. 이러한 상황에서 국내 축산의 입지는 좁아질 수밖에 없을 것이다. 매년 가축 전염병 발생으로 전국이 마비되다시피 하는 사태에 최근의 계란 살충제 파동은 일반 국민들의 공장식 축산에 대한 부정적 인식을 강화해주고 있다.

그러나 국내 축산인들이 글로벌시대에 걸맞은 윤리의식은 결여된 채 축산 현장에서 현대적 기술을 활용, 이익만 추구하려 한다면 한국 축산의 미래는 없다. 이제는 축산농가도 환경과 소비자를 위하는 '지구적으로 생각하고 지역적으로 행동(Think globally, act locally)' 하는 산업계로 다시 태어나야 할 것이다.

인간탐욕의 제거, 바다 어자원 남획의 개선

인간의 탐욕은 초식동물의 육식 사육으로 발전한다. 미국 등의 국가는 사육 소의 경우 도축하면서 발생하는 닭, 돼지, 소 등의 내장이나 털 등 부산물과 폐기물을 함께 모아 분쇄해서 사료 첨가물로 사용함으로써 다시 먹이로 둔갑시키는 일이 발생했다. 도축할 때 발생하는 동물성 폐기물도 단백질 성분이라며, 이를 사료에 첨가하는 방식을 택한 것이다.

이런 작업은 자연현상을 거스르는 일로 초식성 동물에게 변형프리온이라는 물질이 발생하게 돼 결국 이것이 확산되는 광우병이 발생하게 되고 이를 인간이 섭취하게 되면서 인간광우병(야콥병)이 발생하는 최악의 상황이 전개된다. 초식동물에게 풀을 안 먹이고, 동물성 사료를 줘서 발생한 일이다. 절대 이런 공장식 축산은 이 땅에서 없어져야 한다.

지난 1985년 영국의 소에서 최초로 발견된 이후 1990년대 중반부터 최근까지 독일, 프랑스 등 EU 12개국과 미국, 캐나다 등에서 발생한 질병으로 독일에서 BSE가 395건, 스위스에서 460건이 보고되는 등 유럽과 미국, 캐나다에서 천여 명의 사망자가 발생했는데 인간이 자연을 거스르며 저지른 최악의 탐욕으로 꼽히고 있다.

종자의 품종개발이라는 인간의 욕심을 실현하는 것이 육종이라고 하는 학문이고, 자연과학의 연구다. 육종이라는 것이 인간의 탐욕이라고 하면 인간의 과학지식을 활용한 슬기로운 개발이라고 주장할 수 있다. 그러나 육종이 잡종강세에 의한 단순한 개량이면 모르되 인간의 목적을 위해 수단과 방법을 가리지 않는다면 결과가 달라질 수 있다.

　인간의 욕심은 ①많이 달리고(다수확) ②열매가 크고 ③당도가 높게 ④병충해에 강하면서도 ⑤많은 영양을 흡수하도록 해야 한다. 이를 달성하기 위해서는 다(多)퇴비와 화학비료의 투여는 물론이고, 병으로부터 예방하기 위해 농약 살포도 많이 해야 한다. 뿐만 아니다. 열매가 많이 달리도록 해야 하기에 나무의 과도한 전지·전정이 이뤄지며, 나무가 열매를 생산하는 공장처럼 과도한 노동을 하게 한다. 이런 과정에서 개발된 종자는 스스로 병을 이기는 면역성을 잃어 과수의 경우 부란병이나 화상병 등에 걸린다. 인간의 탐욕만을 담지 말고 작물도 면역력을 지키는 육종의 방향을 세워야 하고, 농업기술의 연구도 이에 맞춰야 한다고 본다.

　인간에게는 노동조합이 있지만 농작물에는 노동조합이 없다. 그래서 농작물은 무리한 노동과 농약에 의존하고 과도한 비료 성분에 혹사당하면 결국 농작물의 면역기능이 상실된다는 점을 인간은 간과하고 있는 것이다. 종자 개발의 경우 인간은 목적을 달성하지만 목적을 달성하면 할수록 농작물은 병해충에 약해지고, 전지·전정에 의한 상처뿐만 아니라 심식나방, 잎말이나방, 적성병, 흰가루병, 바이러스병 등 각종 병해충에 시달리는 것이다.

　400여 종의 전 세계 바나나 가운데 우리가 먹는 품종은 단 1종이다. 그 품종이 바로 캐번디시(Cavendish)다. 바나나는 인간이 종의 다양성을 무시하고 불임 바나나를 한 품종으로만 파종해 대량생산만을 목적으로 재배하다 보니 캐번디시보다 맛있는 '그로미셸(Gros Michel)'이란 품종이 1900년대 초 멸종했던 역사도 가지고 있다.

　단일종의 대량생산 체계는 유전적 다양성이 없어 환경변화에 적응하기 어려워 당시 농업학자들은 멸종 가능성이 크다는 문제제기를 해 종의 다양성을 보유해야 한다고 조언을 해왔다.

　하지만 이를 무시하고 미국의 바나나 수입회사와 바나나 농장주들은 또 다시 그로미셸의 멸종 후 찾은 캐번디시만 재배하고 있다, 종의 다양성을 무시한 것이다.

그러자 재앙은 다시 반복됐다. 1980년대 대만에서 재배되던 바나나가 변종 파나마병에 걸려 유전적으로 다양성이 적은 캐빈디시가 70%나 사멸되는 결과를 초래했다. 결국 대만에서는 멸종이 되고 외국으로도 전파돼 캐빈디시 바나나 역시 머지않아 사라질 운명에 놓여 있다.

그동안 바나나 농장은 수확이 잘 되는 단일품종만 생산용으로 재배하면서 종자도 번식이 안 되는 불임 상태였기 때문에 종의 보존이나 야생종의 육성을 방기한 측면도 있다. 인간의 욕망으로 다양하던 400여 종의 바나나가 짧은 시간 안에 멸종될 위기를 맞게 된 것이다. 농작물의 재배에서 항상 종의 다양성을 고려하는 연구자들의 노력과 경작자들의 관심이 필요하다.

남극해의 크릴새우에서 나오는 크릴오일은 오메가3, 필수아미노산, 단백질 분해효소 등 건강에 좋은 물질을 많이 함유해 건강보조식품으로 각광을 받고 있다. 최근에는 우리나라 방송에서도 광고가 나올 정도로 소비량도 급격히 늘어나고 있다.

크릴은 남극 바다에서 먹이사슬 최하단의 생명체다. 2017년 12월 영국 남극연구소에 따르면 크릴새우는 남극의 생태계를 지탱하는 종이다. 크릴새우의 환경효과를 보면 2,300만 톤의 이산화탄소를 흡수해 심해에 침전시켜 지구 온난화를 막는 영웅이기도 하다. 이 양은 영국 전체 가정의 온실가스 1년 배출량과 같다고 한다.

그러나 크릴새우의 크릴오일은 1970년대 이후 사용량이 급격히 늘어 시장에서 호황을 누리고 있다. 이에 따라 크릴새우는 무분별한 남획으로 개체수가 80%나 감소할 정도로 심하게 줄어들었다. 이런 결과로 남극의 온난화 현상은 더욱 급격해져 눈과 얼음이 빠른 속도로 녹고 있으며, 자구온난화를 막고 있던 영웅은 그 개체수가 급격히 줄어들고 있는 것이다.

눈앞의 이익 앞에 이들 기업이 크릴새우 어획량을 줄일 수 있을지 걱정이 앞서고 있다. 국제적인 통제장치가 필요하다.

돈만 밝히는 공장식 농업·축산의 대대적 개편

우리는 2000년을 넘어서면서 가축질병이 만연해 소, 돼지, 닭 등 육류의 대부분을 공급하는 동물들을 전염병 확산을 막는답시고 땅을 파서 매몰하는 뉴스를 자주 보아왔다. 이와 같은 동물의 매몰은 과거에는 없던 일이다. 20세기 후반에 들어오면서 항생제의 만연, 기상이변에 따른 생태계의 변화와 함께 공장식 축산의 확대에 따른 가축 환경의 변화로 전염병이 날로 변종과 변이를 일으켜 기승을 부리며 위협을 주고 있기 때문이다.

그 중에서 가장 빠른 속도로 병이 확산되는 구제역, 야생조수의 고병원성 조류인플루엔자, 아프리카돼지열병 등이 잘 알려져 있다. 이런 병들은 항생제 만연, 기상이변, 생태계 변화 등으로 미생물이 적응해 치료약이 없거나 확산속도가 매우 빠르다. 그래서 이런 동물을 제대로 키우려면 이제 동물의 최소한 삶의 조건을 갖춘 넓은 축사에서 생태적으로 사육해야 한다.

그러나 지금까지는 축산업의 연구가 효율성과 생산성을 높이는 방향으로만 이루어져 왔기 때문에 이제는 연구의 목표와 방향을 바꿔야 할 때다.

닭은 공장식 축산의 폐해를 그대로 드러낸다. 창문 없는 계사, 케이지 닭장에서 A4지 한 장 넓이의 공간에서 제대로 움직이지도 못하며 알을 낳거나 살찌우는 일만 하는 닭의 현실은 너무도 가련하고 불쌍하다. 무창(無窓)계사의 어둠을 없애는 전등 속에서 가면상태로 알만 낳는 일을 하는 닭은 생명체가 아니라 계란을 낳는 기계적 물질에 불과하다.

이 닭은 문을 닫는 작은 소리에도 크게 놀라 스트레스로 죽는 경우가 매번 수십 마리씩 발생한다. 공장식 닭장의 닭은 생명의 존귀함을 찾을 수 없고 그저 계란을 생산하는 공장일 뿐이다.

좁은 케이지 계사 속의 닭도 마찬가지다. 케이지 계사는 1마리가 서 있는 공간이 A4지 한 장의 면적에 불과하다. 이들은 움직이는 공간이 좁아 그만큼 스트레스도 많이 받기 때문에 옆에 있는 닭을 쪼아 싸움이 극심하다. 그런데도 인간은 닭들이 차지하는 면적을 늘여주기보다 부리로 쪼지 못하도록 부리의 끝을 부러뜨린다. 먹이만 먹으라는 이야기다.

또 이를 막아주기 위해 닭 사육자는 닭의 몸에 살충제를 뿌려준다. 그 살충제 때문에 일어난 일이 바로 살충제 계란 사건이다. 벨기에 등 유럽에서 발견되어 우리나라도 검사를 통해 그 사실을 확인했지만, 그 원인은 바로 공장식 축산이라고 하겠다. 닭의 사육환경을 개선하는 방향으로 농업기술의 연구가 전환돼야 한다.

강가와 호수에서 제멋대로인 질소는 뭐든 닥치는 대로 비옥하게 한다. 그래서 서양톱풀이 수로를 막고 무성해진 녹조가 부영양화라는 연쇄반응을 일으켜 연못과 호수, 연안수에 있는 산소를 빨아들이고 그 결과 물고기가 죽어 나가는 광대한 죽음 지대가 형성되고 있다.

2003년 유엔환경계획 보고서에 따르면 이러한 죽음 지대가 세계에 150개 정도 있으며, 1990년의 두 배 이상 늘어났다. 질소가 지구환경에서 미치는 영향은 이산화탄소를 능가한다. 질소가 가장 오랫동안 영향을 미치는 대상은 수질이 아니며, 떠다니는 질소는 산소와 결합해 아산화질소가 되는데, 이는 스모그를 유발하는 주요 오염원이자 오존층 파괴인자다. 이산화탄소보다 300배 강력한 온실가스라는 점을 알아야 한다.

인간이 만드는 아산화질소의 70퍼센트가 밭 농업 부문에서 파생되고 있다. 예일대학교 기후 및 농업 전문가인 로버트 멘델존(Robert Mendelsohn)과 동료 연구진의 예측에 따르면, 사하라 사막 이남 아프리카의 8개국인 잠비아, 니제르, 차드, 부르키나파소, 토고, 보츠와나, 기니비싸우, 감비아는 농업 생산의 4분의 3을 잃을 수 있을 정도로 심각하고, 아프리카 대륙 전반으로 따지면 전체 식량생산 2,600억 원 정도가 감소될 것으로 전망되고 있다.

무분별한 화학비료의 남용과 규모화 생산을 위한 단일품목 농사의 대형화가 그 원인이다. 작부체계의 변화와 비료 남용을 방지하는 재배기술의 연구와 생산자의 의식개혁도 요구된다. 단지형 규모화형 대형 밭 농지는 수자원을 고갈시키고, 사막화를 촉진하므로 논 농업이나 덜 규모화 된 농지를 운영하는 중소농 중심의 농업정책을 펼쳐야 한다. 환경론자와 환경학자들은 과거부터 농업의 친환경적 전환을 요구해 왔다.

그러나 자유무역과 전 지구적인 교역의 확대는 규모화와 경쟁력 확대라는 명분으로 농지 규모를 확대했고, 이에 따른 아산화질소의 확대로 환경파괴를 경험해야 했다.

또 토양유실을 가장 적게 하는 단계별 둑을 구축한 고랭지와 밭에도 수로를 설치해 농지의 형태를 유지하는 등 환경 친화의 농지 구축이 바람직하다. 가능하면 환경 친화의 농사와 인간의 건강과 안전을 동시에 챙기는 농법의 정착이 절실하다. 이를 위해서는 밭 농업의 환경 친화적 재배방식의 연구와 농업기술정책 수립이 무엇보다 요구된다.

산업적 농업 개편과 GMO의 국제적 규약 필요

수확 후 살포하는 포스트 하베스트 농약은 수확 후 수출을 위해 배를 통해 운송하는 동안 병에 걸리지 않도록 할 목적으로 사용되는 농약이다. 포스트 하베스트 농약의 문제점은 농산물을 농약 통에 담근 후 건져 배에 선적하는 등 농약으로 범벅이 되기 때문이다.

1994년 소비자단체인 일본자손기금 고아카 주니치 회장이 미국 현지조사해서 배에 선적하기 전 농약에 담갔다가 배에 선적하는 과정을 촬영한 영상이 소비자들에게 충격을 줬다.

또 수확 전 농약을 살포하는 프리 하베스트 농약도 문제가 제기된다. 프리 하베스트는 수확 전에 제초제를 뿌리면 수확하기도 편하고 수확물도 빨리 익어 작업이 편리하기 때문에 택한 방법이다. 프리 하베스트는 일반적으로 제초제를 말한다. 그러나 수확 전에 제초제를 뿌리면 수확하기도 편하고 수확물도 빨리 익어 작업에 편리하지만 수확한 농산물에 글리포세이트라는 제초제가 잔류해 인체에 해를 준다. 그럼에도 작업에 편리하다는 이유로 엄청난 규모의 농장들은 이를 선호한다.

노스다코타주립대학교 농업학자 조엘 란솜은 지난해 미국과 캐나다로부터 수집된 밀가루 샘플을 검사해 미국 밀 품질위원회에 보고했는데 모든 밀가루에서 글리포세이트가 검출됐다고 밝혔다. 더구나 미국에서는 2014년 미국 여성의 모유에서 글리포세이트가 검출된 적도 있다. 미국엄마모임(Moms Across America)과 지속 가능한 맥박(Sustainable Pulse) 등 2개의 시민사회단체의 공동연구로 행해진 당시 실험에서 글리포세이트 농도는 리터당 76µg에서 166µg 범위였다. 이 같은 농산물의 수확방식은 인간의 건강에 치명적이다. 이를 규제할 국제적인 규약과 통제가 필요하다.

김성훈 전 농림부장관은 귀리 등 수입곡물이 시리얼, 이유식 등의 원료로 포함되어 있기 때문에 글리포세이트의 농약 잔류검사 전수조사 필요성을 제기한 바 있다. 국내 정책에서의 검증방안과 국제적인 규약이 함께 마련돼야 할 것이다.

환경의 오염과 산업적 농업의 확대는 기후온난화로 가뭄과 수해 피해를 크게 함은 말할 나위도 없다. 이에 따른 기온온난화로 병해충의 확대가 과거와는 다른 양상을 띤다. 그동안은 잘 걸리지 않던 병해충이 새롭게 등장한다.

과수의 구제역으로 불리는 과수 화상병과 무 흑반병인 버티실리움에 의한 병해의 확산이 그것이다. 과수의 화상병은 병에 걸리면 300제곱미터 이내의 모든 과수를 땅에 묻어야 하고 향후 5년간 과수를 심을 수도 없다. 과수 부란병의 경우 농약을 1년만 살포하지 않아도 1년이면 사과의 경우 몰살이 된다. 미생물의 변이와 진화에 따른 병해의 변화에 대한 연구가 보다 강화돼야 한다.

가창오리 떼죽음, 페스트 대유행 등이 과학이 발달한 현 시대에 왜 발생하는 것일까? 역병의 기본 구성요소를 인간이 잊어버린 탓일 것이다.

그 이유는 ①미생물에 대한 면역을 갖추지 못한 숙주를 키우고 있기 때문이며, ②경제성을 위한 밀집사육으로 미생물이 자유롭게 오갈 수 있는 밀집된 생활환경으로 사육하기 때문이다. 현대화된 가금(家禽)류 사육시스템을 살펴보면 인공부화기로 부화된 후 소독약 뿌려진 양계장에서 배합사료 급여로 면역력 갖출 기회조차 박탈당하고 있으며, 암퇘지 좁은 우리, 좁은 공간 운송(밟혀 죽음), 젖 빨릴 시기에 수익성을 위해 인공수정을 감행하는 인간의 욕심이 그런 결과를 초래한다.

병해충의 발생도 전방위(全方位)로 일어나고 있다. 광우병, 구제역, 조류독감, 아프리카돼지열병(ASF), 블루셀라, 사스, 메르스 등 새롭게 진화하는 병해충은 엄청나게 빠른 속도로 변이가 일어나고 있으며, 가축뿐만 아니라 최근의 코로나19와 같이 인간에게까지 병해를 일으키고 있다. 농업기술정책의 대대적 전환과 이를 수행할 농촌진흥청의 개혁수준의 변화가 요구된다.

GMO와 제초제 등의 위해성은 영국의 푸사이 박사 부부 등의 독립적인 돼지 및 쥐에 대한 GMO 급여 실험 연구를 통해 세계적으로 널리 알려졌다. 인간의 욕심은 무한정이어서 GMO에서도 동식물계는 물론, 곤충까지 유전자를 무분별하게 실험하고 있다.

제초제 저항성이 있다면 선충의 유전자라도 치환할 수 있는 실험을 할 수 있다. 초식동물에게 육식을 먹여 큰 재앙을 경험했듯이 계-문-강-목-과-속-종이라는 생명체의 범위에서 '종'과 '속' 단위가 아닌 '과' 이상 단위에서 유전자를 치환하는 것은 생명윤리는 물론, 어떤 재앙이 다가올지 모르는 일을 저지르는 행위다.

일반적인 교잡과 돌연변이를 넘어선 인위적 유전자 조작은 인류에게 재앙으로 다가올 것이다. 이 때문에라도 유전자조작의 게놈공개연구제도가 필요하다. 과-속을 넘어선 유전자 치환의 도덕적 규범 마련이 절실한 것이다. 또 GMO는 곡물로만 먹는 것이 아니라 케이크나 아이스크림, 소시지, 어묵, 맥주, 과자, 두부 등으로도 먹고 있어서 국민들의 건강이 어떤 상태인지 확인이 불가능하다. GMO 농산물 교역에 대한 정보공개제도를 조속히 도입하고 국제적으로도 농약잔류검사 이후 선적이라는 제도적 장치가 필요한 것 같다.

농민 스스로 친환경 농업환경을 만들어가자

일부 여성농업인단체들이 토종종자를 관리해 보존하는 운동을 펼치고 있다. 인간의 탐욕만을 위한 종자개발이 아니라 종자의 다양성을 갖추고 그 대신 보존 종자의 건강, 안전상의 강점을 살린 소비와 생태적 방식의 도입을 고려하고 있는 것이다. 이런 일은 사실 국가가 해야 할 일이다. 이제라도 정부가 주도하는 토종종자 번식과 관리체계가 절실하다.

안전한 농사 및 식품교육도 질실하다. 공장식 농사법에 의한 오염방지를 위해 안전한 농사법의 교육과 소비자들의 안전하고 건강한 먹거리 구분에 대한 교육이 절실히 요구되고 있다.

베트남에서는 조류인플루엔자에 걸린 닭과 함께 생활하는 농민이 조류독감에 감염돼 사망했다는 뉴스가 보도된 바 있다.

조류인플루엔자는 그동안 인수(人獸)공통 전염병이 아니었으나 닭과 함께 생활하는 농민에게 변종이 발생해 인체에 치명적인 병해를 입힌 것이다.

푸사리움옥시스포룸은 과거에는 없었으나 10여 년 전부터 기후온난화로 많은 변종들이 발생해 이젠 토양병으로 강력히 변이됐고, 푸사리움가지마름병(Fusarium circinatum)은 소나무까지 병해를 확산시키고 있다.

더구나 푸사리움솔라니(Fusarium solani)는 식물의 병인데도 사람에게도 감염되는 인식(人植)공통 병이다. 면역저하 환자에 진균성 전신 감염을 일으킬 수 있으며, 각막(corneal)에 침입할 수 있다.

이렇게 농산물 질병에도 무서운 변화가 일어나고 있는 것이다. 푸사리움, 버티실리움, 과수의 심식충, 온실질병의 변화, 경인국도변에서 자라는 보리-밀, 건초로 함께 들어오는 병해충 등으로 인한 것과 기후온난화로 인한 생명체의 생태계가 변화하고 있는 것이다.

가축질병에도 변화가 오고 있다. 인축공통전염병, 아열대 형으로 변하는 미생물들이 가축질병의 유형을 변화시키고 있는 것이다.

최근 발생한 코로나19도 살아있거나 죽은 박쥐가 거래되는 우한의 농수산물시장에서 사스균의 변종으로 발생해 퍼진 것으로 추정되고 있다. 병 발생주기가 단축되고 있는 것은 물론, 다양한 미생물의 진화가 목격되고 있다. 이렇게 지구온난화가 미치는 생태환경의 변화는 지금까지 우리가 경험하지 못한 새로운 질병의 확산으로 연결될 수 있어 여러 측면에서 우려되는 점이 많다. 베트남에서 조류인플루엔자 변종에 감염된 사람의 사례가 이것을 증명한다. 조류인플루엔자는 그동안 인축 공통 전염병이 아니었기 때문이다.

모든 문제의 원인은 지구온난화이고, 이에 따른 기후변화다. 인간의 문명 자체를 바꿔야 한다. 지금은 18살이 된 스웨덴 출신의 환경운동가 '그레타 툰베리(Greta Thunberg)'의 목소리를 귀 기울여야 한다. 생태계 전체가 무너져 내리고 있으며, 종의 대멸종이 시작되는 지점에 있는 상황에서 현재의 문명으로는 안 된다는 지적이다. 문명의 다이어트를 이제는 시작해야 한다. 돈과 끝없는 경제성장의 신화를 벗어던지고 과감한 생태중심 문명을 건설해야만 한다.

현실적으로 대량생산-대량소비의 모든 에너지 소모성 산업의 체계를 바꿔야 함은 물론, 생산방식의 근본적 변화를 꾀해야 한다. 농업이나 생물학적 측면에서 보면 모든 병균, 병충은 기후변화에 맞춰 진화하고 있다. 현재의 항생제나 농약만으로는 극복이 안 된다.

미생물 스스로가 이를 극복하기 위해 변종과 변이가 발생하고 있기 때문에 인간의 탐욕을 줄여야만 한다. 이에 따른 경제구조도 바뀌어야 한다. 최근 코로나19의 상황에서 보면 그 답이 보인다. 코로나로 전 세계에서 산업이 중단되고 항공과 선박은 운행이 엄청나게 줄어들면서 하늘은 맑아지고 물도 깨끗해지고 있다. 그동안 미세먼지에 의한 공기악화도 상당히 해소됐다. 줄이는 것만이 인간의 살 길이다.

일본에서의 필자가 경험한 내용을 말씀드리면, 농장이나 축사에서 1년에 1회 휴지기를 주고 축사나 온실에서 살균과 말리기 작업을 하는 것을 볼 수가 있었다. 직장인이 휴가가 있듯이 자연과 농업시설도 휴가를 줘야 한다. 농업도 인간의 욕심을 줄이고 공장식 농업체계를 생태적으로 전환하지 않으면 오히려 환경부하를 높이고 지구온난화를 심화시키는 역할을 한다.

자연-인간-농장-축사-공장식 시스템 등 모든 것에서 줄이고, 휴가와 휴식을 갖자. 문명, 경제, 산업, 생명, 일상 모두 국제 환경회담을 통해 선포-약정하고 실천하는 이런 새로운 문화의 틀을 가져야 하는 것이 아닐까? 국가도 나름의 분야별 기준을 시급히 마련해야 할 것이다.

디지털 뉴딜과 스마트농업, 기업의 농업 참여?

"허구적 구호, 이제 그만!"

한 마디로 이렇게 이야기하고 싶다. 비(非)농민, 정책당국자, 산업인 등이 모르는 생산비와 농지문제에 대한 이야기다.

2020년 중반 정부는 한국형 뉴딜정책을 발표했다. 그 내용을 보면 디지털 뉴딜, 그린 뉴딜, 안전망 강화 등의 3개축을 중심으로 포스트 코로나 시대를 대비한다며 미국의 루즈벨트 대통령이 당시 대공황을 극복하기 위해 발표한 뉴딜정책의 이름을 빌려 한국형이라는 꼬리표를 붙여 발표했다.

그 내용을 보면 5G, 교육, 인프라 구축, AI등 디지털 뉴딜과 저탄소, 녹색산업 등을 담은 그린 뉴딜과 함께 이를 추진할 목표로 경제위기를 극복하고 경제구조를 고도화하는 내용을 담아 지속 가능한 일자리를 창출한다고 발표하고 그 내용 중에서 농업부문에 들어있는 것이 스마트산업(농업은 단어로도 안 들어감)과 디지털 물류체계 구축 등으로 포함되는 정도다. 그런데 여기에서 언급하고 있는 스마트농업은 현장의 농업과 농업의 환경위기 극복을 위한 내용과는 너무나도 무관하고 거리가 멀다.

스마트농업은 농업의 생산 편의성이나 환경개선을 꾀하기보다 디지털산업을 활용하고 산업을 활성화하기 위한 하나의 수단에 불과하지 농업에 실제로 도움이 되는 것은 별로 없다.

예를 들어 시설농업을 추진하게 되면 온실의 경우 건설업이 동원돼 시설을 짓고, 그 안의 내부시설에 양액제어시스템, 자동개폐기 등을 동원한 환기시스템, 실내보온과 습도조절을 위한 보일러, 배관, 가습기 등의 기자재와 함께 광도를 조절하기 위한 커튼과 커튼개폐장치, 야간조명을 위한 전등, 전기 작동을 위한 안전기 등 전기자재와 이 모든 것의 종합제어를 위한 소프트웨어와 하드웨어 등의 시스템 등이 필요하다.

또한 자연을 인공적으로 조성해야 하기 때문에 스마트온실은 온실온도 조절을 위해 연료를 투입해 가동하게 되므로 여기에 들어가는 석유, 연탄, 전열기, 지열, 태양광 등 에너지원을 확보해야 한다. 수분과 영양의 공급을 위해서도 관수자재의 공급은 꼭 필요하다.

뿐만 아니라 수확하는 데 필요한 작업기와 전지-전정가위, 경운에 필요한 경운기나 트랙터, 높은 곳의 일을 위한 작업기, 비닐멀칭을 하기 위한 농업용 필름, 작물을 질병에서 차단하기 위한 농약과 영양을 투입하기 위한 비료, 작물을 파종하기 위한 종자나 모종 등 관련된 산업이 10개 분야도 넘는다.

그래서 시설농업을 하려면 엄청나게 많은 농자재와 관련 시스템이 도입돼야 하고, 일반적인 삽과 호미, 낫 등을 제외하고도 100가지가 넘는 용도별 물품을 필요로 하게 된다. 농산물 단순 공장이 아니라 종합 플랜트임에 틀림없다.

그렇게 해서 농사를 지으면 거기에서 생산된 농산물이 제값을 받느냐? 유통단계나 유통에서 나타나는 문제점은 모두 제외하고 순수하게 농산물을 생산한 측면에서만 보면 노지에서 수확한 오이를 시장에 출하하거나 비닐하우스에서 수확한 것을 시장에 출하하거나, 유리온실에서 수확한 것을 시장에 출하하거나, 식물공장에서 생산한 것을 시장에 출하하거나 값은 크게 다르지 않다. 그러나 노지에서는 농자재에 들어간 비용만 생산비에 계산될 뿐이지만 비닐하우스, 유리온실, 식물공장 등에서 엄청나게 들어간 시설투자비를 계산한 생산비를 감안하여 시장에서 오이의 값을 쳐주지는 않는다.

공산품의 경우 원가를 고려해 마진을 붙여 시장에 내놓는 구조지만 농산물은 그렇지 않다. 시장에서 경매에 붙여 수요보다 공급이 많으면 값이 떨어지고, 수요가 더 많으면 값이 오르는 자본시장경제 그대로다. 더구나 공산품에는 새로운 제품이 개발될 경우 마진율이 높다가 세월이 흐르면서 시장가격이 조정되는 것과는 완전히 상이한 시장가격 형성이다. 더구나 농산물은 생명체여서 시간이 흐르면 폐기해야 한다. 공산품과 같이 영구 보관되는 것이 아니다.

가격을 구체적으로 분석해 보면 노지에서 생산한 오이의 생산비가 농약, 비료, 연료비, 유통비 등 일부 농자재비만 들어가면 되지만 비닐하우스는 평당 시설비가 7만~8만 원은 되므로 이를 생산비에 감안해야 하고, 유리온실의 경우 평당 50만 원의 시설비 비용을 생산비로 감안해야 하지만 식물공장은 평당 수백만 원의 생산비를 감안해야 하기 때문에 타산을 맞출 수 없다. 노지에서 생산한 오이나 식물공장에서 생산한 오이나 똑같은 오이이기 때문이다.

농산물에 대한 소득을 계산할 때 학자들은 작물별 평당 소득을 이야기한다. 축산과 과수가 소득이 높고, 밭농사와 논농사가 소득이 낮다. 작물별로 볼 때는 대부분 천 원대이고, 고소득 작물로 불리는 유리온실의 경우 평당 50만 원이 넘게 들어가는데 평당 투자비 50만 원을 언제 갚고, 언제 수익을 올릴 수 있을까? 더군다나 이제는 비용이 더 들어가는 온실의 ICT 기술도입을 통한 농민의 편안한 농사를 이야기하고 있다. 얼마나 현실과 동떨어진 이야기인가?

또 1990년대에 유리온실 사업을 대대적으로 추진할 때 지원되는 유리온실의 규모는 2,000~5,000평 규모다. 당시의 상황을 고려해 3,000평의 유리온실을 추진하는 것이 보통의 사례였으므로 이를 기준으로 했을 때, 온실을 짓는 데 들어가는 평당 사업비는 당시 평당 50만~60만 원 수준이다. 이것을 총액으로 계산하면 15~18억 원의 사업비가 들어간다. 당시 정부의 지원기준은 국비보조 30%, 지방비보조 20%, 융자 30%, 자부담 20% 등의 수준이었던 것을 감안하면 국비 및 지방비 보조 50%를 받는다고 하더라도 30%는 융자였고, 20%는 자부담이다. 실제 50%를 자부담하는 것이었다. 20%는 건설업자들이 안 받고 시공하는 것이 일반적이었기 때문에 부실공사가 됐던 측면이 있지만 농민들 입장에서도 30%의 융자금만 해도 5억~6억 원에 달한다.

그런데 문제는 여기에 있다. 이를 갚으려면 7년 거치 10년 상황의 조건을 감안해서 3,000평의 유리온실을 통해 당시의 이자율에 따라 한 달에 갚아야만 하는 이자만 해도 4%를 적용하면 한 달에 500만 원, 1년에 6,000만 원을 꼬박꼬박 갚아야 하며, 8년차부터는 한 달에 2,000여 만 원씩 3년간 6억 원 정도를 갚아야 하는 것이다.

공장식 육묘 생산업이나 수출용 파프리카, 백합 등 고소득 작물이 아니면 융자금 상황이 불가능한 것이다. 더군다나 육묘, 백합, 파프리카 등도 재배기술의 어려움 때문에 실제 소득이 완벽히 실현되기는 너무나 어렵다. 그래서 그런지 1990년대에 추진됐던 유리온실 사업의 대부분은 도산하고 육묘와 일부 파프리카 수출농가만 살아남았다.

이런 여건임에도 정부는 또다시 고비용이 드는 스마트농업을 주창하며 청년농업인을 유혹하고 있다. 스마트온실의 기반은 과거 1990년대의 유리온실보다 더욱 비용이 많이 든다. 국가가 스마트온실 시설을 지어 국가시설 임대농업의 형식으로 청년 농업인들이 농업에 투신한다면 모를까, 그렇게 하지 않는다고 하면 스마트농업은 허구다.

기업의 농업참여 문제도 마찬가지다. 기업은 스마트농장의 운영보다는 농지투기를 목적으로 하는 경우가 대부분이다. 동아건설의 김포매립지나, 기업 형 양돈을 하겠다던 삼성의 용인자연농원(현 에버랜드), 현대의 서산간척지 등 모두 부동산투기에 이용됐을 뿐이다. 새만금간척사업도 당초 계획에는 통일농업을 대비해 90%의 농지와 10%의 산업용 부지로 조성하겠다고 했지만 간척공사가 끝난 후 농지가 10%, 산업용이 90%로 역전됐으며, 이젠 그 조차도 모두 산업용도로 활용하려는 시도가 이어져 농업용도 활용은 계획에도 없는 상황이다. 기업이 이야기하던 스마트농업이나 첨단기술의 활용은 다만 숨겨진 목적을 위해 이용될 뿐이다.

코로나 시대 농식품 지원제도

코로나 팬데믹으로 세계의 영양결핍상태 인구가 820만 명이나 증가하는 등 수억 명 인구의 소득과 영양 상태에 부정적인 영향을 미치고 있어 이에 대응할 수 있는 정부의 재정적·기술적 지원이 필요하다. 농업부분에 대한 적극적 투자를 통해 식량안보와 더불어 취약계층에 대한 지원을 강화해야 할 필요성이 있다.

특히 코로나 팬데믹으로 경제 불황까지 찾아와 임산부나 영유아의 건강과 영양을 위한 프로그램은 더욱 더 필요하다. 이를 위해 미국, 캐나다, 영국, 프랑스 등 여러 국가들은 다양한 식품지원제도를 갖고 있으며, 대표적으로 미국과 영국의 사례를 소개한다.

미국은 식품지원제도를 활발하게 운영하는 대표적인 국가다. 농무부(USDA)의 식품영양서비스국(FNC)에서 대부분의 식품지원제도를 운영하는데, 보건부도 노인청에서 주로 고령층을 대상으로 식품

지원제도를 운영하고 있다.

<표> 미국의 식품지원제도

농무부 식품영양서비스국		보건부 노인청
식품지원제도 운영 관장, 주(State) 및 관련기관에 지침 발표, 예산지원 등		고령층 대상 식품지원제도 운영, 사업예산 지원 등
▼		▼
농업법	아동영양법, 영양법, 러셀학교점심급식법	고령자법
-보충적영양지원프로그램(SNAP) -비상식품지원프로그램(TEFA) -농산물보충식품프로그램(CSFP) -신선과일채소프로그램(FFVP) -고령자파머스마켓영양프로그램(SFMNP)	-여성·영유아·아동특별보충영양프로그램(WIC) -학교아침프로그램(SBP) -공립학교점심프로그램(NSLP) -여름식품서비스(SFSP) -특별우유프로그램(SMP) -어린이/성인돌봄식품프로그램(CACFP) -농장-학교연결프로그램(FTS)	-집단영양프로그램(CNP) -가정배달영양프로그램(HDMP) -미국원주민영양서비스(GNASNS) -영양서비스인센티브프로그램(NSIP)
↓	↓ ↓	
식품지원제도와 종합적 영양교육을 통해 취약계층의 건강한 식품섭취 지원		

1969년에 설립된 FNC는 미국 내 식품지원제도를 관리하는 연방기관이다. FNC의 목적은 식품지원제도와 종합적인 영양교육을 통해 아동과 빈곤가정에게 더 건강한 좋은 식단을 제공하는 데 있다. FNC가 운영하는 농식품 지원제도의 근거는 농업법 내에 규정한 보충적 영양프로그램(SNAP), 비상식품지원프로그램(TEFA), 농산물보충식품프로그램(CSFP), 고령자파머스마켓영양프로그램(SFMNP) 등에 두고 있다. 또 아동영양법, 영양법, 러셀학교점심급식법 등의 법률도 지원근거를 담고 있다.

그 내용은 여성·영유아·아동 특별보충영양프로그램(WIC), 학교아침프로그램(SBP), 공립학교점심프로그램(NSLP), 여름식품서비스(SFSP)와 함께 특별우유프로그램(SMP), 어린이/성인 돌봄식품프로그램(CACFP), 농장-학교 연결프로그램(FTS) 등에 담겨 있다.

여기서 보충적 영양지원프로그램(SNAP)은 서비스 신청주의에 입각해서 지원 대상을 선정한다. 기본소득이나 선별적 지원같이 정부가 정해 지원하는 것이 아니라 지원받고자 하는 당사자가 직접 신청해야 한다. 지원대상은 빈곤가구, 노인 및 장애인을 포함된 가구이며, 2,250달러 이하의 자산이거나 소득가구 빈곤선의 130% 이하의 가구소득, 주 30시간 이상 근로하거나 근로의욕이 왕성한데도 실업상태인 가구, 이민신분조건 등 4가지 조건을 충족해야 한다.

식품구매비 지원은 실물이 아닌 전자카드(EBT카드)로 이뤄진다. 지원금의 규모는 미국인을 위한 식생활지침에 따른 영양가 있는 식단을 최저비용으로 구성할 수 있도록 만들어진 비용(TFP, Thrifty Food Plan)에서 월 소득의 30%를 뺀 금액이다. 최대 지원 금액은 소득이 없는 실업자가 TFP 전액을 수령하고, 가구원 수, 가구소득, 거주지역 등에 따라 지원 금액이 차등으로 결정된다.

구매가 가능한 품목은 과일, 채소, 육류, 유제품, 빵, 시리얼, 기타 스낵, 음료, 식재료 생산을 위한 작물이나 씨앗이고, 대형마트,

중소형마트, 편의점, 빵집, 채소 및 과일판매점, 농부마켓 등이다. 그러나 주류, 담배, 영양제, 보충제, 의약품, 살아있는 동물, 조리식품, 비식품 등의 품목은 구매할 수 없다.

미국의 이 SNAP는 참여자들이 건강한 식품 선택과 식생활지침에 따라 활기찬 생활을 수행할 수 있는 역량을 기르는 것에 목적을 두고 있기 때문에 이들을 대상으로 식생활교육을 실시하고 있다. 교육내용은 건강한 식품 선택방법, 영양측면에서 적절한 방식으로 음식을 조리.섭취하는 방법, 신체활동 장려 등이다. 특히 식생활교육이 이어 고용훈련 프로그램도 운영하는데 구직검색훈련, 직장 및 지역 사회봉사, 직업경험, 교육프로그램 등이 그것이다.

WIC는 임산부, 수유부, 5세 이하 영유아 등을 대상으로 식품을 구입할 수 있는 바우처(종이쿠폰)를 제공했는데, 2020년 10월부터 종이쿠폰에서 EBT카드 형태로 지급방식을 전환했다.

영국에서는 HS(건강 출발, Healthy Starts)라는 프로그램을 운영한다. 영국 보건부 주관으로 2006년부터 시행하고 있는 이 사업은 영양 취약계층인 저소득 임산부 및 4세 이하의 아동을 대상으로 우유, 과일 및 채소, 조제분유 등을 구입할 수 있는 바우처를 제공한다.

지원대상은 7가지 조건 중에서 하나만 충족돼도 지원된다. 우선 △고용이나 지원수당을 받는 실업자가 대상이며, △기초소득보장을 받는 사람과 함께, △고용지원금을 받는 경우 △연간 가구소득 1만 6,190파운드 미만으로 아동세액공제를 받는 경우 △연금공제를 받는 경우 △월 가구소득 408파운드 미만으로 통합급여를 받는 경우 △근로세 공제를 받는 경우 등이다.

HS의 지원내용을 보면 식품구매 바우처를 제공받았을 때 임신여성과 4세 미만(1세 미만은 6.20파운드)의 아동은 매주 3.10파운드로 영국 내 3만 개의 상점에서 우유, 과일 및 채소, 조제분유 등의 구입이 가능하다. HS 비타민 제공의 경우 대상자는 비타민 쿠폰을 이용해서 2.99파운드상당까지 비타민을 8주마다 제공받을 수 있다.

특히 미국은 공립학교 점심급식, 학교 아침급식, 특별 우유프로그램, 어린이/성인 돌봄급식프로그램, 여름방학급식프로그램 등의 종합적인 어린이영양프로그램(CNP)이 있어서 영양취약 어린이에게 많은 도움이 되고 있다.

캐나다에서는 2004년부터 과일간식지원사업을 펼치고 있는데 현재 1,451학교 약 59만 명이 과일 및 채소를 공급받고 있다. EU도 과일, 채소, 우유 지원제도를 갖고 있는데, 2017년부터 단일 법적 제도 하에서 학교 과일, 채소 지원과 우유 지원을 통합해서 추진하고 있다.

이런 농식품 지원제도는 미국의 경우 소관기관이 하나로 통합돼 있고, 식료품범에 대한 운영지침을 표준화한 것은 물론, 경제적 취약성뿐만 아니라 신체적 취약성(장애인)과 영양적 취약성(산모, 영유아)을 고려해 대상자를 선정하고 있다. 경제적 취약성에 있어서도 소득만이 아니라 통신비, 전기세 등 기본생활에 관련된 비용을 고려해 차등 지원하고 있을 뿐만 아니라 지역특성을 고려해 지원기준과 방식 등을 다양화하고 있다.

특히 건강한 식생활을 위한 영양교육을 제공해 연계시키면서도 신선식품 구매 시 인센티브를 제공하는 시범사업을 벌이고 있다. 더구나 식품지원 프로그램에 신청할 때 타 복지서비스도 신청이 가능해 의료서비스와 사회복지서비스를 연계하고 있다.

미국의 SNAP의 경우 근로훈련 프로그램을 운영해 취업의 기회를 높여 저소득층의 빈곤탈출에 도움을 주고 있었다.

향후 바우처 사업의 확대가 우리나라의 경우 자영업자들의 매출에 도움을 줘 지역경제 활성화에 기여할 수 있을 것으로 생각된다.

영국의 HS 프로그램의 경우에는 사업 인지도가 낮아 사업대상자의 참여율이 다소 낮으므로 지원 대상 및 지원내용에 대한 홍보가 뒷받침돼야 한다는 현장의 의견이 있다고 한다.

이에 따라 새로운 농식품 지원제도의 도입을 위해서는 이의 필요성에 대한 타당성 확보와 홍보가 꼭 필요하다는 전문가들의 의견이 있다.

우리나라의 경우에는 농식품 바우처 제도와 초등학생 돌봄 과일급식, 임산부 친환경농산물 꾸러미사업이 시범사업으로 운영되고 있고, 정부양곡 할인지원, 학교우유급식, 기초생활 보호자를 대상으로 한 최저생활지원과 긴급복지 지원제도가 운영되고 있다. 이밖에도 아동, 노인, 영유아-임산부 대상의 결식 및 영양보충사업이 시행되고 있고, 실버건강식생활, 푸드 뱅크, 저소득층 기저귀-조제분유 지원 사업 등도 있다.

그러나 이와 같은 농식품 지원 사업은 농림축산식품부, 보건복지부, 식약처, 교육부, 여성가족부 등 다양한 부처에 2개 기본법, 20여 개 관련 개별법으로 지원하고 있어 제도 간의 연계가 어렵고 효율적 운영에 한계가 있다. 따라서 코로나 시대에는 이런 법과 제도를 통합하고 전체의 운영을 미국과 같이 한 부서로 이관하는 것도 검토해야 할 필요가 있다.

제 **5** 장

**포스트 코로나 시대 농업,
우리의 대응방안**

포스트 코로나 시대, 농정의 방향은?

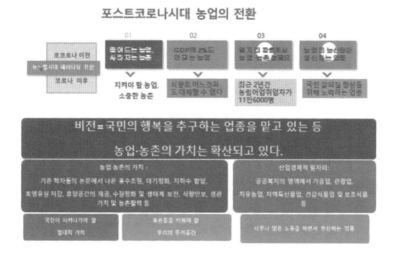

농업 다이어트란?

농업 다이어트란 대량생산 시스템이 아니라 다품종 소량생산 시스템으로의 전환이다. 그러기 위해서는 먹거리 품질의 고급화와 함께 안전성과 건강성을 보장하는 유익한 상품으로서의 가치를 발현해야 한다.

농약, 비료 등 농자재의 대량 투입을 통해 단위면적당 생산량을 최대로 올리는 것이 목적이 아니라 가장 적합하고 적절한 규모의 농자재 투입을 목적으로 해야 한다. 이를 책임지기 위해서는 농산물을 생산하는 흙-토양의 건강성 회복을 전제로 해야 한다.

에너지도 적게 사용해 온실가스를 적게 발생하는 생산시스템을 구축해야 한다. 농업인구가 200만 명대로 전체 인구의 3% 규모밖에 안 되는 지금, 불가피한 농업기계화의 규모는 있지만 논 농업이 경지정리, 수로의 정비, 지하수개발 등으로 기반을 구축해 적은 인력의 노동투입에도 영농이 가능하듯이 밭 농업에도 밭 경지정리, 지하수 및 수로의 정비, 농(農)작업을 쉽게 하는 농로의 정비 등 밭 농업 생산기반시설을 빠르고 정밀하게 조성해야 한다.

이와 같은 농업 다이어트를 위해서는 이를 지원할 농업기술의 개발이 필요하다. 아울러 이를 제도적으로 뒷받침할 농업기술정책의 대대적 전환이 요구되고 있다.

현재의 농업기술은 UR과 FTA 협상이 마무리되고 전 세계가 단일시장으로 국제적인 교역이 활발해지면서 이를 극복할 경쟁력 강화와 이를 달성하기 위한 단위 면적당 생산량의 극대화를 목적으로 개발되어 왔다. 이를 위해서는 농자재의 대량투입을 전제로 한 다(多)투입농업의 연구가 중심이 되어 왔다.

이젠 농업도 식량을 중심으로 한 농업기술에서 환경과 먹거리의 안전과 건강을 고려한 신(新)안보 개념의 농업으로 전환돼야 한다. 이래서 농업기술정책도 모든 영역에서 살을 빼는 농업으로의 전환을 생각해야 한다.

그래서 제기되는 것이 양의 농업에서 질의 농업으로 전환을 요구한다. 질의 농업은 식량안보의 측면에서 세계적인 교역 단절의 시대에 식량부족을 양산할 수 있는 우려가 없지는 않다. 그래서 농업 생산에서 점차적으로 드러나고 있는 온실가스 다발형 농업 등에 의한 환경오염의 측면에서는 반드시 다이어트를 해야 한다.

그 사례를 들면 다수확을 위해 추진한 밀식의 병해충 확산에 따른 도복이나 농약의 다량살포, 벼의 메탄가스 줄이기, 공장식 축산에 의한 분뇨의 냄새 발생과 발효 및 부패에 의한 메탄 및 탄산가스의 과잉 발생, 수출농업을 위한 포스트 하베스트 농약과 프리 하베스트 농약의 살포, 집약축산에 의한 수질의 오염, 밀집농업에 의한 질소의 다량배출과 아산화질소의 다발(多發)에 의한 온실가스 과잉 발생 등 환경오염을 가중시키는 다양한 분야와 요소가 있다.

이의 근본원인은 사실 인구 과잉이다. 200여 년 전 멜더스가 발표했던 인구론은 전쟁에 의한 인구감소와 인간의 종자개량에 따른 농업기술발전, 가족계획 등에 의한 인간 스스로의 인구통제 등으로 증가폭이 대폭 줄어들어 식량부족의 위기는 넘겼다. 그렇더라도 지금까지 인구는 기하급수적으로는 아니더라도 산술적으로도 계속 늘어나고 있다. 그런 가운데 산업혁명 이후 서서히 드러나다가 최근 들어서서 전 지구 차원에서 발생해 재앙 수준으로 나타난 기후위기는 지금까지의 농업생산과는 또 다른 차원의 대응이 필요한 시기로 다가오는 것이다.

그래서 농업은 포스트 코로나 시대의 먹거리 대응이라는 과제 속에서도 환경까지 고려해야 하는 농업적 대응을 필요로 한다.

다량투입을 통한 단위면적당 최고 생산력에서 저(低)투입으로 변화된 농업기술, 다품종 소량생산 시스템, 다(多)투입농업의 전환, 온실가스 저감 농업기술, 밭 농업 생산기반시설 조성과 농업기술, 양에서 질로 변화된 농업기술 등으로의 전환과 이를 반영한 농업기술 정책의 변화는 매우 필요하다.

농업 다이어트의 사례는 없는가?

농업 다이어트를 추진하려면 어떻게 해야 할까?

우선 환경을 살리는 방향으로 설정해야 하는데 그 처음이 바로 온실가스 저감(低減)이다. 농업의 온실가스는 통계상 3%를 발생하는 것으로 연구자들의 조사에서 드러나고 있다. 물론 농림업으로 보면 6%의 온실가스 흡수로 총체적으로는 3%를 감소시키는 것으로 알려졌다. 그러나 온실가스의 저감은 농업에서 상징적인 의미가 있다. 친환경적인 산업이라는 의미와 농업의 가치를 실현하기 위해서는 온실가스 저감이라는 기술개발과 이를 지원할 정책적인 전환이 요구된다. 물론 일반적으로 에너지와 산업적으로 발생하는 온실가스는 전체 4분의 3을 차지하기 때문에 매우 혁신을 이뤄야 할 영역이다.

두 번째는 저(低)투입으로의 전환이다. 농자재도 환경부하를 올리는 요인이므로 저투입이란 결국 농업에 종속된 산업의 환경부하를 줄이는 일이기 때문이다. 세 번째는 이동거리의 축소다. 이것은 로컬푸드 운동의 원칙이 푸드 마일리지를 줄이는 것이라면 이것은 바로 이동에 필요한 에너지를 줄이는 일이기 때문이다. 네 번째는 농업에서 에너지 저감은 매우 중요한 원칙이다. 에너지를 줄이는 일이 바로 온실가스를 절감하는 일이기 때문이다.

새로 개발된 농업기술 가운데 벼농사 농법의 혁신 사례 중 시사점이 많은 개발기술이어서 사례를 든다. 그것은 벼농사의 소식재배(疎植栽培)다. '소식(疎植)'은 벼를 성기게 심는 것을 말하는데 이를 순우리말로 '드문 모심기'로 표현하기도 한다.

일반적인 벼농사는 가장 먼저 하는 일이 모판에 볍씨를 뿌린 뒤 싹을 틔우는 일이다. 그렇게 해서 벼가 15㎝ 정도 자라면 모판(육묘상자)을 논으로 가져와 모내기를 한다. 모내기는 보통 가로 30㎝, 세로 15㎝ 간격으로 일정하게 심지만 소식재배는 모 심는 간격을 가로 30㎝, 세로 20㎝로 좀 더 띄운다.

일반 벼농사에서는 33㎡(약 10평)당 모판 1개가 필요하다. 4만㎡(약 1만 2,000평) 벼농사를 지으려면 모판이 1,200개 필요한 셈이다.

이에 비해 소식재배는 벼를 성기게 심기 때문에 132㎡(약 40평)당 모판 1개만 있으면 된다. 일반 벼농사의 4분의 1에 해당하는 300개 모판만 있으면 4만㎡에 모내기를 할 수 있다.

모판 수가 줄어든 만큼 비용이 절감된다. 볍씨도 적게 들고 공간도 덜 필요한 데다 모판을 실어 나르는 데도 장비와 인건비가 덜 들어간다. 그런데도 이런 소식재배는 병충해에도 강하지만 수확량도 함께 늘어나는 장점까지 있다.

소식재배가 보급되기 시작한 것은 2016년이었다. 농촌진흥청과 한국농수산대 등에서 농가에 보급하기 시작했는데, 확산에 가속도가 붙고 있다. 곡창지대 중 한 곳인 전북 익산은 작년에 전체 논 면적 중 10%, 올해 50%를 소식재배로 전환했고, 내년에 100% 적용한다는 계획이다.

이렇게 농업 다이어트를 하면 그만큼 온실가스 발생량도 줄고, 농약 등 농자재의 투입량도 줄며, 에너지를 사용량도 줄게 되지만 생산량은 오히려 늘어나는 긍정적 효과까지 나타난다.

모판에서 볍씨 싹을 틔운 뒤 모내기를 하는 게 아니라 논에 바로 볍씨를 뿌리는 방식도 새롭게 개발된 기술이다. 이른바 '직파(直播)재배'의 일종이다. 직파재배는 사실 새로운 개념은 아니다. 예로부터 벼 재배는 직파로 이뤄졌기 때문이다.

인류가 벼 재배를 시작한 기원전 3500년께에는 직파재배가 일반적이었다. 한반도에서도 기원전 3000년께 직파재배가 이뤄졌다. 모내기가 역사책에 처음 등장한 것은 고려시대였다. 물을 채운 논에서 벼를 재배하면 잡초를 억제할 수 있다는 장점이 발견된 뒤였다. 조선시대 중기 이후 모내기법이 전국적으로 장려되기 직전까지만 해도 벼농사는 직파재배 위주였다.

그런데 최근 신기술이 도입되면서 무논(물을 댄 논)에 볍씨를 점점이 뿌려 재배하는 무논점파가 새로운 벼농사 방식으로 주목받고 있다. 국내 농업계에 무논점파 기술이 처음 도입된 건 20년 전이었지만 당시에는 볍씨를 무논에 뿌리면 물 위에 뜬 볍씨를 조류가 먹어 치워 생산성이 떨어졌다. 그런데 한국농수산대 연구팀 주도로 볍씨에 철분을 코팅하는 기술이 개발되면서 걸림돌을 해결했다. 철분이 코팅된 볍씨는 무거워 물에 뜨지 않는 데다 표면이 딱딱해 새가 쪼아 먹기 어렵다.

현재 경남 함안 등 일부 지역에서 무논점파 방식으로 벼농사를 짓고 있다. 결과는 기대 이상이다. 이런 무논직파 기술의 개발은 모내기를 위한 못자리와 모판, 이앙기 등이 필요하지 않게 되는 것은 물론, 이에 따른 온실가스, 에너지, 농자재 등의 사용을 줄이면서도 농사단계를 줄여 여러모로 환경과 농업에 기여하는 시스템을 갖추게 되는 것이다.

탄소 흡수원으로서의 농림업

온실가스(이산화탄소)를 가장 많이 발생시키는 것은 에너지, 즉 화석연료의 사용이다. 그리고 나머지 38%는 발전, 토지사용과 산림-농업분야다. 더구나 온실가스는 이산화탄소만 있는 것이 아니다. 축산분뇨와 논에서 발생하는 메탄가스, 화학비료에서 발생하는 질소산화물(아질산 NO_2) 등은 농업과 산림 분야에서 나온다.

38%를 다시 나누면 25%가 발전(전력)부문, 농림과 토지 사용이 24%를 차지한다. 농림업과 토지사용도 큰 온실가스 발생원이지만 대부분 관심 밖에 있다. 농림업과 토지사용을 개선함으로써 온실가스 배출량을 줄이는 것도 기후위기를 해결하는 중요한 역할이다. 또한 자연은 이미 기후위기에 대응해 많은 일을 하고 있다. 육상 생태계와 해양은 매년 대기로 배출되는 이산화탄소 55%를 제거한다.

이것은 전체 온실가스의 41%에 해당하는 양이다.

농업과 임업은 탄소 배출량의 약 24%를 차지하고 있다. 그런데 농업과 임업은 탄소배출량을 줄일 뿐만 아니라 대기 중의 탄소를 오히려 흡수해서 토양에 저장하는 탄소 흡수원의 역할을 하는 유일한 분야다.

인류의 과학이 최첨단으로 발전한 오늘날에도 나뭇잎 한 장이 하는 광합성을 모방하지 못한다. 태양에너지를 이용하여 대기 중의 이산화탄소와 물을 흡수해 산소와 탄수화물을 만드는 위대한 생명 활동을 인간은 아직 흉내조차 내지 못한다.

탄수화물은 식물체를 형성하고 미생물의 먹이가 돼 흙으로 돌아간다. 더 많은 탄소를 포집할수록 유기물이 풍부한 흙이 되어 더욱 비옥한 땅이 된다.

토지 흡수원은 매년 대기로 분출되는 이산화탄소 배출량의 약 29%를 흡수한다. 메탄, 아산화질소 및 불소가스를 포함한 다른 온실가스를 고려할 때 토지는 총배출량의 약 26%를 흡수한다. 토양은 대기와 식물 전체의 탄소를 합친 것보다 더 많은 58%의 탄소를 토양 유기물로 저장하고 있다.

농림업은 과도한 화학비료와 농약 사용, 축산의 메탄가스 발생으로 기후위기의 주범일 수도 있고, 임농복합경영과 퇴비를 사용하는 경축순환농업, 윤작과 피복작물재배로 기후위기 대응의 가장 강력한 무기가 될 수도 있다.

탄소농림업은 인간이 토지로부터 필요한 만큼 수확물을 가져가면 부산물을 남기고, 추가로 퇴비를 넣어준다면 탄소를 토양에 붙잡아 둘 수 있다는 점에 착안한 순환식 농법이다.

미국 캘리포니아에서는 '마린 탄소 프로젝트'라는 탄소농법을 2008년부터 적용해 10개 농장에서 성공리에 진행하고 있다. 사고의 전환으로 탄소배출의 주범에서 탄소를 저장하는 곳으로 만든 사례다. 메릴랜드 주는 2030년까지 온실가스 4%를 감축하기 위해 탄소를 격리하는 건강한 토양법을 제정했다. 올해 마이크로소프트사는 아칸소 주, 캘리포니아 주, 미시시피 주에서 7개의 쌀 농장으로부터 탄소배출권을 구입하기로 했다.

목재 바이오매스는 탄소중립 에너지원이라고 불리는데 일생 동안 광합성을 통해 대기 중의 탄소를 흡수하고, 벌채된 뒤 연료로 연소되며, 다시 탄소를 배출하기 때문이다. 그러나 나무의 연령대가 높아지면 점점 이산화탄소 흡수력을 상실하게 된다. 이때 목재를 수확하고 다시 심어 산의 연령층을 낮추면 어린 나무의 성장이 빨라져 이산화탄소 흡수량을 11% 정도 높일 수 있다. 산림을 건강하게 유지하면서도 대기의 온실가스 수치를 높이지 않아 일거양득의 효과를 누릴 수 있다.

우리가 쓰는 목재는 태워 없애지 않는 한 짧게는 수십 년, 길게는 수백 년을 유지할 수 있기 때문에 목재는 우리 곁에 살아있는 탄소 통조림 같은 존재다. 나아가 목재는 목조건축, 가구 등으로 유지되는 동안 탄소를 고정하는 역할을 한다.

따라서 목재가 시멘트와 철근을 대체할 경우 탄소저감 효과가 발생한다. 목재는 또 해양오염의 원인이 되고 있는 플라스틱의 대체재로 활용이 가능하다. 건설업이나 해양업의 온실가스 저감정책도 이를 활용하면 매우 효과적일 것이다.

그러나 우리나라 목재 자급률은 2019년 기준 17%에 불과하다. 우리나라 산림면적의 5분의 1에 불과한 스위스의 목재생산과 비슷한 수준이다. 지속 가능한 산림경영을 통해 산림의 공익적 기능을 유지하면서도 현재의 4~5배에 달하는 목재생산 잠재력을 가지고 있는 목재자원을 적극적으로 활용하는 것은 지구환경을 살리는 동시에 지역경제를 키우는 일이다.

산림이용과 농업, 식량시스템을 개선하면 온실가스의 24%를 줄일 뿐만 아니라 그 이상의 이산화탄소를 흡수할 수 있는 잠재력을 가지고 있다. 농업과 임업 개혁을 통해 이산화탄소 배출량을 줄이고, 탄소 흡수원을 늘리며, 건강한 생태계를 복원하고, 일자리를 창출하며, 지역경제의 이익을 창출할 수 있는 기회가 농민과 임업인에게 주어졌다. 농산촌의 복지를 개선하고 지구온난화를 멈추게 하는 일, 농업과 임업은 이제 기후위기의 주범에서 기후위기의 해결사로 나서야 한다.

포스트 코로나 시대 농업, 어떻게 할 것인가?

21세기는 4차 산업혁명의 시대인가, 코로나19 시대인가?

2000년이 시작되는 시점에서 세계는 새천년의 시대가 찾아오면서 신문명의 시대를 예측했고, 미래학자들은 사회-제도-종교-문화-인권-경제-국가 등 여러 분야에서 신문명이 태동할 것임을 전망했다. 우리는 이런 내용을 그대로 받아들이고 1999년 12월 31일 23시 59분부터 새천년이 열린다는 제야(除夜)의 종소리를 들으며 그날 밤을 보냈다.

그러면서 세계경제포럼은 2016년 1월 열린 다보스포럼에서 4차 산업혁명을 화두로 제시하면서, 4차 산업혁명을 '디지털 혁명에 기반을 두고 물리적 공간, 디지털적 공간 및 생물학적 공간의 경계가 희석되는 기술융합의 시대'가 도래할 것임을 선언했다.

그러면서 다보스포럼 등을 통해 세계의 상당수 국가들은 4차 산업혁명에 대비해 3D프린터, 사물인터넷, 빅 데이터 등의 구축을 위한 투자와 제도 정비 등 산업적 준비에 박차를 가했다. 이를 통해 AI를 적용하려는 다양한 시도가 있었다. 미국의 서양장기 황제가 AI와 승부를 벌였고, 우리나라 바둑기사 이세돌과 대결을 벌인 알파고 등 다양한 인공지능과의 한판 승부가 시도됐다. 인공지능의 시대에는 사람의 일자리까지 빼앗길 수 있다는 우려까지 제기됐다.

우리나라도 IT기술을 활용한 각종 시스템을 갖춰나갔고, 산업도 신기술을 도입하는 데 자본과 인력을 아끼지 않았다. 그러는 사이 대한민국은 2002년 지구의 기상이변 현상인 엘니뇨로 인해 태풍 루사와 2003년 태풍 매미를 그대로 맞아야 했다. 수조 원에 이르는 피해를 입어 상당히 많은 지방자치단체들이 특별재난지역으로 선정돼 피해복구를 해야 했다. 이런 현상은 그때 갑자기 닥친 현상이 아니다. 1995년부터 1999년까지 5년간 경기북부지역이 연속적으로 폭풍과 수해 피해를 입었고, 하루 사이에 300㎜에 이르는 폭우가 쏟아지는 현상을 목격했다.

우리나라만 이런 것이 아니다. 2004년 12월에는 수마트라 섬 지진 해일로 인도네시아와 태국 등지에서 거주지가 파괴된 것은 물론, 23만 명이 사망했다. 2013년에는 인도양 동부의 건조한 날씨로 인도네시아 수마트라 섬 일대에 산불이 발생해 비상사태를 선포하는 지경에까지 이르렀다. 비상사태가 선포된 지역은 리아우 주 벵칼리스, 로칸 힐리르, 두마이 등 3개 시·군이다. 수마트라 섬에서는 리아우 주를 중심으로 수백 곳에서 산불이 동시 다발로 발생해 연기가 퍼지면서 수마트라 섬은 물론 말라카해협 건너 싱가포르와 말레이시아까지 대기가 오염되는 등 지구 전체에 영향을 미쳤다.

이런 기상위기 현상은 해가 갈수록 인간에게 커다란 재해를 입히면서 가축이나 동물에게 다양한 질병을 안겨줬다. 그러다가 결국에는 인간에게까지 각종 독감과 사스, 메르스 등의 바이러스 병까지 안겨주게 된다. 결국 2019년 12월 중국에서 발생한 코로나19는 엄청난 전염속도로 인간을 위기에 접어들게 한 것이다. 그러면서 이제서야 인간은 지난해까지 어린 소녀들이 결석 데모로 주장한 기상위기에 대해 각성하기 시작한 것이다.

이젠 집밖을 나가면 모두 마스크를 쓰는 것이 일상화됐다. 곳곳에 깔려 있는 손소독제를 보일 때마다 바르며, 집에 돌아오면 손 씻기가 습관처럼 됐다. 대면교육이 취소되면서 학생들의 등교까지 지연됐고, 농산물 유통시장이 드라이브스루의 형식으로 변모하고, 줄을 서도 두 팔 간격으로 떨어지고, 식사도 자기 접시에 덜어먹는 방식으로 변화하는 등 문화가 바뀌고 있다. 이런 가운데 회의문화가 인터넷을 이용한 비대면으로 전환되는 등 IT를 활용한 문명의 변화가 이뤄지고 있는 것이다.

미래학자나 다보스포럼에서 이야기하는 내용이나 후천개벽을 이야기하는 전통 철학자나 모두 이를 예상한 것은 아니다. 그러나 지금까지 우리가 발전시켜온 산업과 문명은 활용할 수는 있되 그런 4차 산업혁명에 당장 돌입하는 것은 아니고 지금까지 인간이 저질러 놓은 문명의 반성과 지구회복이 우선이라는 생각이 들었다.

스웨덴의 소녀 학생 환경운동가인 그레타 툰베리는 지구가 무너지고 있는데 기성세대들은 산업이니 주장하고 있다고 목소리를 높인다. 4차 산업이라는 주장도 기후위기와 환경파괴 앞에서는 아무런 명분도 없다는 것이다.

우리의 문명은 지구온도 2℃ 상승에는 맞춰져 있지 못하다. 그래서 인간이 살고 문명을 지키려면 지금까지 살아오던 대량생산 대량소비의 형태로는 아무 것도 살릴 수 없다. 오로지 온실가스를 줄이고, 에너지를 적게 쓰고, 인간이 쓸 만큼만 생산하고, 없고 가난한 자에게는 신(新)공동체 정신으로 돕는 문화의 변신을 꾀하는 것만이 살 길이다.

그렇게 하지 않는다면 가난한 사람이 걸린 질병이 옮겨간다. 교역은 줄이되 지원은 늘려야 한다. 각자도생을 위해서는 남도 잘 살아야 자기도 잘 산다. 줄이는 문명, 다이어트만이 살 길이다. 이를 추진하기 위해서는 인간이 역사 속에 그동안 쌓아온 가장 발달된 기계문명인 4차 산업혁명의 각종 수단을 이용해야만 한다. 그것도 온실가스를 과소비하지 않는 측면에서만 도입해야 한다.

4차 산업혁명으로 활용할 것은 인공지능이 아니라 기후위기와 환경파괴를 개선하는 일과 에너지 사용 줄이기, 온실가스 저감, 대량생산-대량소비의 틀을 적정생산과 나눔 소비를 위한 4차 산업 기술이 필요하다. 결국 21세기는 포스트 코로나 시대이면서 이를 4차 산업으로 극복해야 하는 시기인 것이다.

4차 산업혁명이란?

결론을 앞두고 새삼 4차 산업혁명을 알아야 포스트 코로나 시대에 대비할 수 있다는 이야기를 하려고 한다.

세계경제포럼은 2016년 1월 열린 다보스포럼에서 4차 산업혁명을 화두로 제시하면서, 4차 산업혁명을 '디지털 혁명에 기반을 두고 물리적 공간, 디지털적 공간 및 생물학적 공간의 경계가 희석되는 기술융합의 시대'가 도래할 것임을 선언했다.

4차 산업혁명의 주창자이자 WEF 회장인 클라우스 슈밥은 자신의 책 『4차 산업혁명』에서 4차 산업혁명을 '3차 산업혁명을 기반으로 한 디지털과 바이오산업, 물리학 등 3개 분야의 융합된 기술들이 경제체제와 사회구조를 급격히 변화시키는 기술혁명'으로 정의했다. 그는 "우리는 지금까지 우리가 살아왔고 일하고 있던 삶의 방식을 근본적으로 바꿀 기술혁명의 직전에 와 있다. 이 변화의 규모와 범위, 복잡성 등은 이전에 인류가 경험했던 것과는 전혀 다를 것이다."라고 말했다.

이전의 1, 2, 3차 산업혁명은 △제1차 산업혁명(1760~1840년) : 철도·증기기관의 발명 이후의 기계에 의한 생산 △제2차 산업혁명(19세기 말~20세기 초) : 전기와 생산 조립라인 등 대량 생산체계 구축 △제3차 산업혁명 : 반도체와 메인프레임 컴퓨팅(1960년대), PC(1970~1980년대), 인터넷(1990년대)의 발달을 통한 정보기술시대로 정리된다.

3차 산업혁명을 기반으로 도래할 4차 산업혁명은 '초연결성(Hyper-Connected)', '초지능화(Hyper-Intelligent)'의 특성을 가지고 있으며, 사물인터넷(IoT), 클라우드 등 정보통신기술(ICT)을 통해 인간과 인간, 사물과 사물, 인간과 사물이 상호 연결되고 빅 데이터와 인공지능 등으로 보다 지능화된 사회로 변화될 것으로 예측했다.

이어서 슈밥은 4차 산업혁명을 이끄는 10개의 선도 기술을 제시했는데, 물리학 기술로는 무인운송수단·3D프린팅·첨단 로봇공학·신소재 등 4개, 디지털 기술로는 사물인터넷·블록체인·공유경제 등 3개, 생물학 기술로는 유전공학·합성생물학·바이오프린팅 등 3개다. 이러한 기술을 기반으로 클라우드 컴퓨팅, 스마트 단말, 빅 데이터, 딥 러닝, 드론, 자율주행차 등의 산업이 발전하고 있다고 봤다.

사물인터넷(IoT)은 다양한 플랫폼을 기반으로 사물(제품, 서비스, 장소)과 인간을 연결하는 새로운 패러다임을 창출하고 있고, 이러한 환경에서 생성되는 다양한 데이터를 처리하기 위한 클라우드 컴퓨팅 및 빅 데이터 산업이 발달한다는 것이다. 또 이에 인공지능(AI)이 더해지며 다양한 서비스 제공이 가능해진다는 것이다.

이러한 기술이 제조업 현장에 적용되면 사이버물리시스템(CPS·-Cyber-Physical System)*으로 운영되며 생산성이 극대화된 '스마트 공장'이 만들어진다. CPS는 컴퓨터와 네트워크상의 가상세계와 현실의 다양한 물리, 화학 및 기계공학적 시스템을 치밀하게 결합시킨 시스템이다. 이러한 체계가 적용된 공장인 '스마트 팩토리'는 자체적으로 정보를 교환하고, 독립적으로 작동할 수 있다.

*사이버물리시스템이란?
컴퓨터와 네트워크에 연결해 공장이 자율적, 지능적으로 조절해 주는 시스템

독일 남동부 바이에른 주에 있는 지멘스 암베르크 공장은 독일의 인더스트리 4.0을 대표하는 스마트 팩토리로, 부품 제조업체·조

립공장·물류·판매회사 등이 인터넷으로 연결되어 있고 공장 내 생산 장비와 부품, 제품도 센서와 바코드 정보 등을 통해 실시간으로 관리, 제어된다.

4차 산업혁명은 생산성 향상 이면에 일자리 감소가 우려된다. 로봇이 저급 및 중급 기술자들의 업무를 대체하고, 언어와 이미지로 구성된 빅 데이터 분석 등 인간만이 가능하다고 여겼던 업무들도 인공지능이 대체할 것으로 예상되면서, 빈곤이나 노동시장 붕괴 등의 파장이 예상된다.

또 노동시장 내에 '고기술/고임금'과 '낮은 기술/낮은 임금' 간의 격차가 커져 사회적 불평등이 확산되리라는 예상도 있다.

세계경제포럼은 2016년 1월 '4차 산업혁명'을 화두로 던지면서 이로 인한 일자리 영향을 분석한 '일자리의 미래 보고서'를 발표했다. 향후 5년간 세계고용의 65%를 차지하는 선진국 및 신흥시장 15개국에서 일자리 710만 개가 사라지고, 4차 산업혁명으로 210만 개의 일자리가 창출되어 500만 개의 일자리가 감소할 것으로 전망했다.

가장 큰 타격을 받을 직군은 사무관리직으로, 빅 데이터 분석과 인공지능 기술을 갖춘 자동화 프로그램과 기계가 일자리를 대체해 앞으로 5년간 475만 9,000개의 일자리가 줄어들 것으로 전망됐다. 로봇과 3D프린팅의 위협을 받는 제조·광물업 분야 일자리도 160만 9,000개 감소할 것으로 예상됐다. 반면 전문지식이 필요한 경영·금융 서비스(49만 2,000개), 컴퓨터·수학(40만 5,000개), 건축·공학(33만 9,000개) 등의 직군에선 일자리가 늘어날 것으로 전망됐다.

한국고용정보원은 2016년 3월 국내 주요 직업군 400여 개 가운데 인공지능과 로봇기술 등에 따른 직무 대체 확률을 분석해 발표했다. 화가와 조각가, 사진작가, 작가 등 감성에 기초한 예술 관련 직업은 자동화 대체 확률이 낮을 것으로 분석됐다. 음식서비스 종사원, 대학교수, 출판물기획전문가, 초등학교 교사, 귀금속 및 보석 세공원 등 직업들도 확률이 낮은 쪽이었다.

반면 콘크리트공, 정육원 및 도축원, 고무 및 플라스틱 제품 조립원, 청원경찰, 조세행정사무원 등은 인공지능과 로봇 등 자동화로 대체될 가능성이 가장 높은 직업군으로 분석됐다. 사람들과 소통하는 일이 상대적으로 적고 정교하지 않은 동작을 반복적으로 수행하는 직업군으로 평가됐다.

또 스마트 팩토리의 등장은 제조업에서 노동력의 필요성을 낮추어 기존에 인건비가 싼 개발도상국의 공장을 폐쇄하고 선진국으로 생산기지를 이동하는 리쇼어링(Reshoring) 현상이 나타날 것으로 예상된다. 이미 제너럴일렉트릭(GE, General Electric Corp.)은 세탁기와 냉장고, 난방기 제조공장을 중국에서 켄터키 주(州)로 이전했다.

이런 변화 속에 세계 각국은 4차 산업혁명 전략을 수립하고 자기나라 실정에 맞게 선제적으로 대응하기 위한 전략을 수립해 추진하고 있다. 독일, 미국, 일본 등의 주요 국가들은 4차 산업혁명에 입각하여 독일의 인더스트리 4.0, 미국의 산업 인터넷, 일본의 로봇 신전략, 중국의 제조 2025 등 자국의 산업 강점에 4차 산업혁명의 선두기술을 접목해 제조업 혁신을 도모하는 정책을 내놓고 있다.

제조업 비중이 높은 독일은 중국이나 인도의 저비용 대량생산에 점차 우위를 점하기 어렵고, 노동자들의 평균 연령이 높아지는 등의 문제에 봉착하자 2010년 10대 프로젝트로 이뤄진 '하이테크 전략 2020'을 발표했다. 이 중 '제조업과 정보통신의 융합'을 뜻하는 '인더스트리 4.0(Industry 4.0)'이 많은 주목을 받았다.

독일은 특유의 잘 갖춰진 물류·생산설비에 사물인터넷(IoT), 사이버물리시스템, 센서 등을 접목한 완전한 자동화 생산체계를 도입해 '스마트 팩토리'를 만들었다.

독일은 오는 2025년까지 자국 내 제조업 전체를 거대 단일 가상

공장으로 연결하고 전 세계 시장 환경을 실시간으로 파악하는 유비쿼터스 맞춤형 생산을 실현하겠다는 방침이다.

미국은 인터넷을 활용하는 클라우드 서비스를 중심으로 내세우고 있다. 제조업과 인터넷 기업에서 축적된 빅 데이터를 바탕으로 플랫폼을 만들고 부가가치를 창출한다는 계획이다. 2012년 '산업인터넷'을 제시한 제너럴일렉트릭(GE)은 항공기, 철도, 발전기 등 산업기기와 공공인프라 등에 설치한 센서 데이터를 수집, 해석해 기업 운영에 활용한다는 구상이다.

일본은 경쟁 우위에 있는 로봇 기술을 중점으로 두고 있다. 2015년 1월 일본은 로봇 신(新)전략(Robot Strategy)을 발표하고 제조업 현장에서 로봇을 활용하는 한편 간병, 인프라 등 다양한 분야에서 로봇을 이용해 데이터를 축적하고 인공지능 기술까지 강화하겠다는 전략을 내세웠다.

중국은 향후 10년 전략인 '중국 제조 2025'를 발표하고 현재의 노동 집약적인 제조방식에 IT를 더해 지능형 생산시스템을 실현하고 제조 강국 대열에 진입하겠다는 목표를 밝혔다. 이를 위해 중국은 연구개발에 2014년 1조 3,312억 위안(약 240조 원) 등 막대한 연구개발 투자를 쏟아 붓고 있다.

한편 스위스 글로벌금융그룹은 2016년 4차 산업혁명에 잘 대응할 것으로 생각되는 국가들의 순위를 분석한 보고서를 내놓았다. 이 보고서에서 순위의 상위권을 차지한 국가들은 선진국이거나 기술 기반의 신흥국이고, 저(低)숙련 및 저비용 노동을 강점으로 삼던 후발국들의 경우 경쟁력을 상실하고 선진국과의 격차가 더욱 벌어지는 결과가 예상됐다. 한국은 총 139개국 중 25위를 기록한 것으로 나타났다.

비대면 시대의 온라인 유통

포스트 코로나 시대에는 생산자와 유통업자와의 거래(B to B)에서 생산자와 소비자 간 직거래(B to C)가 더욱 늘어날 전망이다. 그래서 온라인을 통한 정보제공이 확산될 것이며, 소비자는 상품을 선택하고 결재하면 생산자는 직접 고객이 희망하는 장소로 이를 배송할 것이다.

이와 같은 B to C 거래의 증가에 따라 △G마켓, 쿠팡 등 온라인 종합쇼핑몰 △더반찬, 마켓컬리 등 온라인 식품쇼핑몰 △하나로마트, 이마트 등 대형할인점 온라인매장 △초록마을, 아이쿱생협 등 친환경전문점 온라인매장 △농협몰, 우체국쇼핑 등 공공식품쇼핑몰 △카페, 블로그, 눈 등 공동구매 및 독립 몰 등의 기반이 더욱 늘어날 전망이다.

특히 소비자들의 구매 패턴 변화와 관련, 한국농촌경제연구원이 2020년 3월 11일과 8월 20일 조사를 분석한 결과에 따르면 90.7%에 달하던 음식점 방문에 비해 81.8%가 가정 조리로 변화한 것으로 나타났다. 식재료를 구입하기 위한 매장 방문이 3월에는 69.7%였지만 8월에는 30%나 온라인 구매로 전환한 것으로 나타났다.

2020년 통계청의 온라인쇼핑 동향조사 결과 2019년 1/4분기 8,830억 원, 2/4분기 7,980억 원이던 농축수산물 온라인쇼핑 금액이 2020년 1/4분기에는 1조 435억 원, 2/4분기에는 1조 3,000억 원 등으로 2배 가깝게 늘어난 것으로 집계되고 있다.

이런 변화를 종합해 보면 공영도매시장은 정체를 보인 반면, 온라인, 전문소매점, 지역슈퍼 등의 소비가 늘어났고, 백화점과 대형마트 등은 감소한 것으로 나타났다.

이에 따라 농민들은 재고처리 부담을 안게 되고, 포장 및 물류의 전문성 부족과 마케팅의 한계를 갖고 있지만 온라인 직접 거래를 하지 않을 수 없는 여건으로 몰리게 된다. 이를 보완해줄 수 있는 농산물 공급업체(벤더)의 역할이 더욱 강화돼 일부 구색상품을 갖추기 위해 20%의 공영도매시장 구입이 가능하지만 나머지 80%가량은 생산자와의 계약재배와 부분가공 등을 통한 상품개발로 판매시장을 개척할 것으로 예측하고 있다.

이에 대비하기 위해 정부는 온라인거래 활성화를 위한 거버넌스 방향의 제시가 필요하다. 이를 위해 농산물 온라인 거래소(가칭) 등을 설립해 운영하는 방안을 제시하고자 한다.

특히 오프라인 거래보다는 규격, 가격, 유통비용부담, 리콜제도 거래보증 정산 등 분쟁의 소지가 큰 1차 농산물의 온라인거래를 위한 공적 관리기구가 필요하다.

이 기구는 정부의 농산물유통조정 기능을 대행하는 기관이기에 거래를 운영하는 주체를 심사하고 허가하기, 거래기본 규칙 및 조정을 위한 기준제정, 분쟁기능의 수행, 물류시스템 지원, 연구개발 등의 지원 등을 해야 한다.

또한 공영도매시장의 유통혁신 방안도 마련돼야 한다. 공영도매시장은 앞으로 온-오프라인 물류기지로 기능을 전환하고 소비지 물류거점시설을 새롭게 육성해야 한다고 본다. 전국 도매시장 시설 현대화사업이 이제는 물류 중심의 현대화로 추진하는 한편, 소비자 분산 물류기능 중심의 시설 현대화를 추진해 소비지에서 농산물 물류기지 역할을 해야 한다고 생각한다.

이를 위해 공영도매시장은 데이터 기반으로 한 비(非)현물-비대면 이미지경매로 도매시장 거래방식을 전환하고, 유통의 참여주체별로 과제를 선결해야 한다고 본다. 이에 대한 선결조건은 상품선별과 품질을 신뢰할 수 있는 표준규격 출하 농산물, 공동선별 농산물, 브랜드명과 출하자명과 생산이력이 확실한 품목 중심으로 거래할 수 있는 시스템을 구축해야 한다.

이를 위한 기반으로 모든 농산물의 정보 흐름이 소매유통단계는 물론, 최종 소비자에게까지 연결하는 등 농산물 정보체인을 확대하고, 비(非)현물 거래시장이 확대되면 발전된 경매방식을 개발해 적용해야 할 것이다. 이를 통해 도매법인의 통합거래 시스템을 개발하는 동시에 표준 도매거래 플랫폼을 구축함으로써 이미지경매 시스템을 고도화해야 한다. 이런 추세에 대응하기 위해서는 수탁판매를 원칙으로 하는 농안법 제31조를 포스트 코로나 시대에 맞게 거래방식을 완화할 필요가 있다.

아울러 산지유통도 변화를 모색해야 하는데 정부의 규모화 중심의 육성정책을 유통조직 중심으로 전환해 다양화해야 한다. 온라인 유통확대 대응을 위한 농민을 대상으로 한 온라인 거래 시설, 장비, 인력정책의 전환이 필요하고, B to B, B to C 거래 확대를 위한 산지유통시설의 현대화도 모색해야 한다.

특히 농민들을 대상으로 온라인 비대면 거래 시스템을 구축하고, 온라인 거래에 대해 인센티브를 부여할 수 있는 장치를 마련해 이를 활성화할 필요가 있다. 콜드체인 유통과 정온박스 차량 등 운송 물류시설 및 장비의 고도화와 센서, 전자테크, 빅 데이터 마케팅 등 데이터 기반 전자화는 이를 위한 시스템 구축의 하나다.

비대면 온라인 유통이란 이렇게 쉬운 것이 아니다. 앞서가는 학자들이 주장하는 이런 농산물 온라인거래소, 이미지경매, 농안법 개정 등의 문제는 보다 섬세하게 준비해서 정책전환의 과정에서 발생할 수 있는 주체간의 갈등을 줄이고, 비대면의 시대에 조속히 적응할 수 있도록 정책당국자들의 마인드 전환이 선결돼야 할 것이다.

지역먹거리선순환시스템의 구축

포스트 코로나 시대에는 국가와 공공부문의 역할이 증대되는 상황에서 비대면의 생활방식 정착과 건강 먹거리의 접근성의 확대라는 요구가 강화될 것이다. 이와 관련해 기후, 생태, 안전, 비대면, 디지털, 로컬, 전환 등을 뉴노멀의 핵심키워드로 꼽히고 있는 것은 이런 이유 때문이다.

지금까지 코로나19 극복을 위한 정책은 2020년 상반기까지의 경우, '어떻게 전환할 것인가?'보다 '무엇을 보상할 것인가?'에 중점을 뒀다. 자본주의적 시장경제 틀 속에서 기업과 상인에 대한 비상 지원이나 학교급식 중단에 따른 학생가정꾸러미 제공 등의 긴급처방이 진행된 것이 그것이다.

코로나19 확산은 기후위기와 밀접한 관련이 있고, 급격하게 변화되는 기후환경은 예측 불가능한 재난, 질병 등을 초래할 수밖에 없으며, 이는 필연적으로 식량생산의 어려움으로 나타나 대규모 다국적 곡물기업에 의한 농업생산체계가 정착될 가능성이 높아 결국 중소농의 몰락과 식량위기로 나타날 것이므로 식량안보 문제는 현실적인 국민의 생존권적인 과제로 인식되어야 한다. 또한 우리의 먹거리 현실은 많은 문제점을 내포하고 있다. 가공식품의 범람으로 인한 출처 불명의 원료사용, 세계 1위 GMO 수입국가, 유기가공식품 사용의 저조, 가정과 학교, 지역사회가 연계된 식생활교육 한계 등 우리 지역사회의 먹거리환경은 별로 나아진 점이 없다.

안전·품질이 보장되지 않는 값싼 식재료와 식품의 시장유통이 늘어나고, 대기업·대형마트는 지역 소비시장 장악이 점점 확대되고 있다. 식품시장의 대량판매를 위한 단작화의 증산이 증가하면서 농작물의 비료·농약 등 환경 부담이 높아지는 한편, 대도시 중심의 유통·물류로 탄소배출량은 더 증가하고 있다. 먹거리 취약계층

(독거노인·결식아동 등)에 대한 고려가 부족하여 먹거리 양극화현상은 더욱 확대되고 있다.

이런 원인은 대규모 자본에 의한 이윤 중심의 먹거리 시스템에 있다. 지속 가능성이 사라진 먹거리시스템은 우리 사회 최소한의 먹거리기본권도 고려하지 않고 있다. 따라서 포스트 코로나 시대 우리의 먹거리를 바라보는 기본적인 관점은 시장경쟁력 우위의 산업적 관점에서 벗어나 호혜와 연대의 사회적 가치를 확대하는 근본적인 인식체계 전환이 필요하며, 재난시기 개인을 넘어 지역사회 공동체적 촘촘한 관계망 형성이 요구되고 있다. 이를 바탕으로 한 먹거리체계의 불평등한 구조를 개선하는 일과 지역순환의 지속 가능한 농식품 체계 구축은 세계적인 흐름으로 자리 잡고 있다.

2019년 현재 전국 226개 지자체 중에서 학교(공공, 푸드 통합)급식 지원센터 운영은 90개(39%)뿐이지만 최근 푸드플랜 확산 등으로 증가하는 추세다. 공적조달체계로서 센터 운영이 확대되고 있지만 생산자·소비자·행정 간의 갈등이 상존하며 친환경·로컬푸드에 대한 학교급식 소비선호에 대한 차이로 친환경 농산물 생산·소비·유통의 특성을 반영한 푸드시스템 정착에 어려움을 겪고 있다.

학교급식지원센터를 중심으로 한 공공급식 확대는 학교와 다른 공공급식(복지 형 급식)의 특성을 반영한 로컬푸드시스템이 구축돼야 함에도 아직은 거리가 먼 상황이다.

지역사회 공동체 먹거리체계는 공급자 위주 접근을 넘어 먹거리 시민의 적극적 참여와 연대에 기반을 둔 공동체 먹거리 운동으로 공공급식 접근이 요구되고 있다.

'먹거리 보장'과 '지속 가능 먹거리체계' 영역의 과제에 대해서는 국가사무 비중을 확대·강화하고 지역(광역·기초) 현실과 특성을 고려한 연계추진 필요하므로 먹거리종합전략과 연계된 공공급식체계는 지역 먹거리 거버넌스 위상을 강화하고 내실화해야 한다.

결국 이를 위해 지속 가능한 먹거리체계 구축은 주민의식, 생활 공간, 사회적 관계 등을 재구조화한다는 지역혁신의 접근이 요구되며 자치단체장의 의지가 중요하기에 민간역량 및 여론의 힘으로 먹거리 거버넌스의 위상을 강화하고 먹거리정치의 혁신이 요구된다. 이와 같이 지역먹거리의 시스템은 자본주의 시장영역의 경쟁부문을 제외하고 공공의 영역에 있어서는 먹거리를 공공재로 취급하고 이를 공영화할 필요가 있다.

포스트 코로나 시대 지역먹거리의 선순환시스템을 구축하기 위해서는 목표가 명확해야 한다. 건강 먹거리선순환시스템 구축은 『국가-광역-기초 공공급식 통합플랫폼 운영』이라는 목표를 설정해 추진하는 것이 가장 빠른 지름길이라고 생각하고, 이를 주장한다. 이를 통해 지속 가능한 먹거리를 기획생산·가공하고 확대해야 한다.

또한 건강 먹거리의 접근 확대를 위한 친환경·로컬푸드의 차액지원을 확대해 누구나 손쉽게 먹을 수 있도록 기회를 줘야 한다. 아울러 수요자 맞춤형 건강 먹거리통합서비스(먹거리+교육+돌봄) 전달체계 구축하는 한편, 푸드플랜 연계 먹거리위원회 내 공공조달 실행위원회를 설치, 이를 실행할 수 있게 해야 한다고 본다.

이는 국가 및 지자체 푸드플랜과 연계된 공공조달체계 구축으로써 가능하며, 행정 부서 간 협업 및 민관 협치 기반을 통해 추진할 수 있다. 이와 같은 기반 속에 지역 공동체 단위 「먹거리+교육+돌봄」이 융합된 수요자 맞춤 통합서비스가 가능해질 수 있다. 먹거리 기본권을 복지제도와 연계한 것이다.

이를 위해서는 건강한 먹거리 보장을 위한 공공조달의 국가사무화가 확대돼야 한다. 코로나시대에는 건강한 먹거리의 공공조달체계의 중요성이 확대되고 있으며, 특히 무상급식 식품비의 국가부담(50%), 어린이집 친환경차액지원 확대, 아동·노인급식 식품비 지원 확대, 군대 및 의료원 급식의 로컬푸드 확대 지원 등으로 먹거리의 선순환 영역이 확대되고 있다. 이를 위한 국가먹거리보장기본법 제정, 학교급식법 개정 등 관련법과 제도적 장치의 마련이 필요하다.

또한 먹거리통합지원센터 설치·운영의 전국 확대와 기초·광역의 대표적 모델을 선정해 정립할 필요가 있다. 지역 먹거리종합전략의 실행체계로서 먹거리플랫폼 역할을 담당할 먹거리통합지원센터를 전국적으로 확대하고(국가-광역-기초), 운영을 위한 도시형·도농복합형· 농어촌형 등 유형별 모델 정립과 지역사회 적합한 센터 운영을 위한 과감한 지원이 이뤄져야 할 것이다. 이를 위해 생산·가공·유통·인증관리·교육 등 통합적 지원, 광역·기초 간 연계강화 등의 체계를 마련하는 한편, 이를 위해 관련 조례 제정 및 관련 재단 설립 등 민간 전담 운영조직이 필요하다.

공공급식의 공동물류인프라 구축도 이뤄져야 한다. 공공급식의 다양한 현물지원의 확대 및 효율적 전달체계를 구축하기 위해서는 지역의 농축수산 및 가공품의 수급체계 및 공동물류인프라를 구축해야 할 것이다. 이를 통해 농식품 현물지원 공동유통·물류체계를 갖춰 임산부 친환경식품보따리, 바우처, 학생가정꾸러미 등을 추진하는 동시에 공동 유통·물류체계 기반인 전산 수발주 수급체계를 마련해야 할 것으로 본다.

아울러 학교 및 취약계층에 대한 공공급식 친환경먹거리의 공급을 확대해야 한다. 학교급식의 친환경농산물 공급은 급식센터를 통한 공공조달로 대폭 확대(50~60%대)되고 있으나 어린이집 등 아동·노인급식, 병·의료원, 군대급식의 경우 여전히 친환경급식이 어려운 상황이다. 주요 소비품목의 생산 작부체계(계약생산)를 구축해 수급안정을 통한 중소농가 소득향상과 공공급식 품질향상을 동시에 도모해야 할 것이다.

이와 함께 지역 공공급식의 건강 먹거리 전달체계를 통합한 공적관리가 필요하다. 수혜층에 적합한 친환경 로컬푸드 공급, 맞춤형 식생활교육 및 건강·영양관리, 돌봄 등을 통합적으로 운영하는 지원서비스 체계가 요구된다. 이를 위해 지역단위 '먹거리복지향상 통합서비스지원'의 체계를 마련해야 할 것이다.

지자체 담당자와 학교급식 관계자는 학교급식지원센터가 식재료 조달의 총괄 컨트롤타워 기능을 수행해야 하는 행정관리 업무에 대한 인식이 부족하고 유통 중심의 물류•집하•배송만을 위한 유통시설로 인식하는 경향이 강하다. 따라서 지역 친환경 등 우수식재료의 공급확대와 식재료 조달기준의 지역사회 공감대 형성과 협력강화를 위해선 민관 거버넌스 운영체계가 강화돼야 한다.

지속 가능한 식생활 교육지원도 강화돼야 한다. 학교급식지원센터의 장점을 살려 학교의 식생활교육 강화를 위해 부가서비스 제공 차원의 관련 시설, 장비마련과 사업을 추진하는 한편, 지원센터 내 영양체험학습실 조성이나 차량을 이용하여 이동식 농어촌체험 연계 식생활교육 체험관을 운영하는 등 지역사회와 연계된 농어촌 수확체험, 전통음식체험 등을 추진하는 것이 효과를 극대화하는 방안일 것이다.

특히 코로나 팬데믹에 의한 학교급식 중단이 일회적 수순을 넘어 자주 발생할 것이라는 예측 속에서 공공급식 체계는 건강한 먹거리(친환경 및 로컬푸드 등)의 공공급식 공급확대만을 위한 정책체계를 넘어 지역사회 공동체 급식으로 전환이 요구되고 있다. 먹거리기본권의 확장은 건강먹거리에 대한 안정적인 접근 보장과 더불어 자신에게 적합한 먹거리 교육과 공동체적 돌봄과 사회적 관계망 형성이 필수적이기 때문이다. 지역사회 지속 가능한 먹거리체계는 이러한 호혜적이고 촘촘한 관계망 형성에 기반을 두고 신뢰를 통한 생산-가공-유통-소비-폐기의 순환적 체계가 안착이 돼야 할 것이다.

축산환경의 전환

코로나 시대 축산환경의 개선을 매우 중요하다. 비대면 활동이 강화되고 있는 여건이라서 축산에서 주변에 주는 악취, 수질오염 등의 환경은 물론, 축산이 환경에 미치는 온실가스의 방출도 만만치 않기 때문이다.

특히 축산업은 양적으로 굉장히 성장했음에도 환경개선이 이뤄지지 않아 국민의 환경개선요구가 늘어나고 있기 때문이다.

축산업의 생산액은 2018년 기준으로 농림업 생산액의 38%나 되는 19조 7천억 원에 달하고 있다.

1인당 연간 쌀 소비량이 1990년 120kg이었으나 2018년에는 61kg으로 절반이나 줄어든 반면, 축산물 소비량은 1990년 90kg에서 2018년 147kg으로 두 배가 넘게 늘어났다.

더구나 도시의 팽창과 귀농-귀촌이 늘어남으로써 축산과 도시의 거리가 좁아져 환경과 삶의 질 향상에 대한 국민들의 관심이 높아졌다. 이와 더불어 개방화시대에 적응하면서 교역확대와 경쟁력제고를 위한 규모화 축산이 늘어나면서 2019년 돈분(豚糞)이 2,072만 톤(40%), 우분(牛糞) 1,598만 톤(30.8%) 등에 대해 91.4%를 자원화하고 있지만 가축분뇨 발생량이 5,184만 톤으로 늘어났다.

이와 함께 축산악취로 인한 지역갈등이 심화되고 있다. 2014년 2,838건이던 축산냄새 민원이 2015년 4,323건, 2016년 6,398건, 2017년 6,112건, 2018년 6,718건 등으로 점차 늘어나고 있는 것이다. 전체 악취 민원에서도 2018년 기준으로 총 2만 161건에서 축산악취가 33.3%를 차지해 가장 큰 비중을 점하고 있다. 이에 따라 농림축산식품부가 축산악취 원인인 과잉사육장을 76농가나 적발한 것으로 알려졌다.

축산환경은 양분과잉으로 인한 수질오염에 영향을 미치고 있어 매우 중요하다. 우리나라 질소의 수질수치는 OECD 국가 중 1위이고, 인(燐) 수치는 2위에 달할 정도로 심각하다. 퇴비와 액비로 축분(畜糞)의 자원화가 91%에 이른다고 해도 농경지에 필요한 질과 인의 필요량이 30만 톤이지만 가축분뇨 32.6만 톤, 보통비료 35.5만 톤 등 총 68만 톤이나 투입하고 있는 것으로 알려지고 있다.

더구나 논밭에 살포되는 축산분뇨 퇴비-액비에서 대기로 배출되는 2차 생성 미세먼지 암모니아의 온실가스 배출은 농업부문 암모니아 배출량의 약 79%(2018년 7월 국가통계자료)을 차지하고 있어서 이에 대한 저감(低減)대책도 필요하다.

분뇨관리 부문에서 21만 1,362톤의 상당히 높은 암모니아 배출량을 보이고 있는 것으로 집계된다.

이런 측면에서 축산환경은 사양관리, 동물복지, 자연 순환농업 등의 생태적 환경과 함께 축산냄새 및 수질오염의 억제와 경관 개선 등의 사회적 환경, 원료의 국산화, 안정적 소득 창출, 재난성 질병방역, 수량관리 등 경제적 환경까지 개선해야 할 필요성이 높아지고 있다.

이에 따라 축산은 이제 지속 가능성과 아울러 환경 회복성을 고려한 축산환경정책의 마련이 필요하다. 이를 위한 목표로 가축분뇨의 친환경적 처리, 축산냄새의 해결, 적정 육류의 생산 지속성을 위한 청년농의 육성, 동물복지 등을 세워야 할 것이다.

가축분뇨의 문제를 해결하기 위해서는 우선 경축순환농업의 틀을 잡아 환경 리사이클링이 원활해야 하며, 이를 위해서는 에너지화, 고형연료, 정화처리, 수각, 인 회수, 퇴액비 수출 및 원조 등 다양한 처리방법 중에서 가장 현실적 대책을 추진하는 노력이 필요하다. 특히 우리나라는 규모화에 따른 사육두수의 과다와 함께 건초 및 사료용 곡물, 버섯배지용 볏짚 및 폐면, 과도한 화학비료 등으로 유기질 양의 절대과잉 상태이다. 그래서 축분의 처리면적에도 한계가 있고, 농지에서의 단위면적당 최고 생산성을 보이고 있는 반면 나타나는 농약과 비료의 과(過)투입 농법(축분 포함)은 지구환경 개선을 위해서도 전환이 필요한 상황이다.

네덜란드에서는 정부 주도하에 철저히 축분을 관리하고 있다. 우분의 경우 축산농가는 평균 50ha 이상의 자가 농경지에 살포하고 있고, 돈분은 3분의 2를 경종농가에게 판매하고 5분의 1 이상은 해외로 수출하고 있다. 돈분의 처리비용은 1993년부터 톤당 9유로를 지원한 것을 시작으로 2016년에는 톤당 24유로를 지원했다. 계분은 대부분 발효시킨 후에 자원화해서 수출하고 있다.

네덜란드 정부가 적용하는 정책은 돼지-가금류 사육권을 부여하고, 농가마다 인산염할당제를 적용하는 한편, 가축분뇨 농경지 살포를 제한해 가축분뇨의 총량을 줄이도록 하는 정책을 폄으로써 가축사육두수를 조절하고 있다. 또한 1991년부터는 가축분뇨살포 계절제한을 둬서 토양이 발효에 의한 유기질 완충력을 가질 수 있도록 하고 있다.

특히 네덜란드 정부는 매년 축분 퇴비의 영양소 순환평가를 실시(ANCA)해 축분의 질을 점검하고 있으며, 2013년부터는 가축분뇨 처리율을 정해 의무시행토록 하고 있다. 2016년부터는 낙농가를 대상으로 축분 처리를 위한 농경지를 확보할 수 있도록 연결하고 있을 뿐만 아니라 1987년부터는 정부정책에 호응하는 모범농가의 사례를 도출, 인센티브를 적용하고 이를 통해 확산할 수 있도록 지원하고 있다.

뿐만 아니라 네덜란드 정부는 정책 전문그룹을 양성해서 다양한 제도를 동시에 적용하는데 시장의 변화에 다른 유연한 대응을 유도하고 있다. 적용사례는 사육두수 관리, 가축분뇨 등 양분살포기준 설정, 신기술도입, 경축연계, 양분관리, 농가 지원대책 등이다. 한국에도 적용이 가능한 방안이다.

축산냄새에 대한 전략도 필요하다. 축산냄새는 근본적으로는 시설의 개보수가 필요하다. 그래서 장기과제로 설정하고 있지만 가축분뇨의 효과적 처리와 축산냄새관리는 농업생산성 향상과 연계되어 있어서 사육환경과 함께 작업환경의 개선이 가능하다. 축산냄새와 관련해 단계별 관리전략이 필요한데 발생 전에는 미생물과 사육단계별 사료 관리로 가능하지만 발생한 이후의 관리는 사육환경, 시설관리, 안개분무시설의 총체적 관리가 필요하다.

이를 위해 올인-올아웃을 준수해야 한다. 부수적으로는 슬러리 피트 내 분뇨배출, 깔짚 관리 등을 점검해야 한다. 냄새 확산의 관리를 위해서는 바이오커튼, 바이오필터, 방풍시설 등의 관리가 요구된다. 특히 악취모니터링을 위한 장비를 개발해서 ICT, 사물인터넷(IoT) 기반의 실시간 모니터링 및 관리체계가 필요하다. 민감한 시기에 냄새저감장치를 집중 가동함으로써 운영비를 절감하고 민원에도 대응해야 한다.

아울러 축산업의 지속성과 환경적응력 제고를 위해 급변하는 국내외 정세에 유연하게 대응할 수 있는 스마트한 인재를 육성해야 한다. 기술 중심의 ICT, 빅 데이터 등 첨단기술을 농업에 접목해 생산성 향상만이 아니라 작업 및 생산 환경의 개선을 포함한 지구환경에 대응한 축산의 전환을 위한 인력의 배출을 요구하고 있는 것이다.

이를 위해서는 축산인뿐만 아니라 정부는 물론 축산 관련 연구자, 이해당사자들의 참여의견과 수렴을 통해 참여율을 높이고 지역주민의 농업환경에 대한 인식과 개선 노력도 기울여야 한다.

특히 축산인들의 지구환경 및 기후위기에 대응한 자체적인 노력과 연구기관의 온실가스 저감을 위한 노력도 병행해야 할 것이다. 이를 위한 축산인의 상호준수의무에 대한 구체적 전략이 마련돼야 할 것이다.

기후위기-코로나에 대응하는 농정-공익형직불제의 정착

이제는 농정도 탄소중립의 과제를 담아야 한다. 농림업에 차지하는 영역을 감안하면 농림업은 네트제로(Net Zero, 온실가스 배출량-흡수량=0)만으로 만족해선 안 된다.

지구상의 국가들이 아마존의 산림을 다른 나라들이 지원을 해서라도 보호해야 한다고 말하는 이유는 그만큼 온실가스를 흡수하는 지역이나 수단이 없기 때문이다.

말하자면 그동안 우리가 산림을 훼손하면서 온실가스를 많이 배출했으나 지구의 허파마저 개발한다면 더 이상 지구를 지킬 산림이 부족하기 때문에 자기 나라 산림은 개발하면서도 너희 나라 산림이라도 지키자는 이기심(?)이다.

전체 온실가스 발생비율로 볼 때 농업에서 3%의 비율로 발생하는 반면, 임업에서 6%를 흡수하기 때문에 대한민국의 농림업은 온실가스 발생비율이 전체의 3%에 달할 정도로 비율은 낮다. 그러나 어느 국가든 농림업은 온실가스 흡수 기능을 높여야 전체적으로 네트제로를 달성할 수 있는 길이 열린다. 국가의 환경보전의 기반이 되는 농림업은 그렇기 때문에 기본적으로 예산과 정책의 지원을 국가가 1순위로 배정해야만 한다.

대한민국도 이제는 농정의 틀 전환을 받아들인 마당에 기후위기와 코로나19에 대응한 정책도 함께 대비해야 할 것이다. 2020년 정부 예산 편성에서 중요한 대목이 있었다. 문재인 정부는 출범 이후 새로운 농업정책의 비전은 제시했으나 이를 위해 한 발도 내딛지 못하고 있다는 비판을 받았다.

정권이 출범한 후 2년이 지난 2019년 4월에야 농어촌농어업특별위원회(농특위)가 설치됐고, 2020년 공익형 직접지불제 예산으로 2조 4,000억 원이 편성돼 공익형직불제가 본격적으로 진행되는 듯

싶었다. 그동안 쌀농사에 편중됐던 직접지불제를 모든 농사를 대상으로 해서 이제는 공익적 기능에 비중을 두자는 것이었다.

그런데 2020년 9월 정부는 국회에 '2020~2024년 국가운용재정계획'을 제출하면서 공익형직불금 예산을 그대로 5년간 유지한다는 안을 제시했다. 이에 대해 농업계는 예산증액 안이 없다는 점에서 농정개혁의 후퇴라고 비판했다. 농어업·농어촌특별위원회가 출범하기 이전 청와대 정책기획위원회 농정개혁 TF팀은 직불제 예산 규모를 2022년까지 5조 2,000억 원으로 확대해야 한다고 밝힌 바 있지만 물거품이 된 것이다.

지금 단계에선 예산액 규모만 문제가 되는 것은 아니다. 공익형직불제로의 농정 방향 전환은 의미 있는 진전이다. 하지만 중요한 문제는 공익적 기능의 개념과 실현 수단이다. 한국 실정에 맞는 공익 개념이 무엇인가에 대한 논의는 이제 시작 단계다. 농업이 행하고 있는 다원적 기능 중 어떤 것이 공익적 기능인지, 농업이 환경 및 기후변화에 미치는 긍정적·부정적 영향을 어떻게 파악할 것인지도 구체적으로 밝혀야 한다. 그러나 학계든, 농특위든, 농림축산식품부든, 정치권이든 모두 아이디어가 없다.

이를 위해 선진국들은 환경기여지불금(현재 한국이 추진하는 공익형직불제와 유사) 등의 지불을 위해 환경보호 관련 법규를 농민들도 준수하도록 요구하는 제도를 발전시켜 왔다. 농업은 환경 친화적 기능이 많이 있지만 규모화 농업과 공장식 축산에 있어서는 환경 파괴적 기능도 상당부분 있기 때문이다. 이를 도입하기 위해 선진국들은 '교차준수'라는 제도를 도입해 적용했다. 그렇지만 우리나라는 농업과 환경의 관계에 대한 연구도 부족하고 교차준수의 구체적 방안도 마련돼 있지 않다.

이런 상황에서 전농 등 농민단체들은 광역·기초자치단체들을 대상으로 농민수당을 신설해 줄 것을 요구하면서 지역운동을 펼치고 있고, 일부 농민단체와 소비자단체, 생협조직, 종교조직 등과 연계한 기본소득추진범국민운동본부는 농민에게 기본소득을 줘야 한다고 운동을 펼치고 있다. 그런 가운데 농특위는 공익형직불제 도입을 건의하고, 2019년 연말 이의 도입을 위한 '농업소득의 보전에 관한 법률 개정안' 통과와 함께 모든 직불제 통합을 위한 '농업·농촌 공익기능 증진 직접지불제도 운영에 관한 법률 개정안'의 통과로 2020년 공익형직불제 지급을 위한 절차에 들어갔다.

그러나 공익형직불제는 기본형이 중심이 되어 추진되고 있지만 선택형의 추진은 준비가 미진하다. 그런데 기획재정부가 국회에 제출한 '2020~2024년 국가운용재정계획'을 보면 공익형직불제의 선택형을 도입할 의지가 전혀 없다고 생각된다.

정부가 발표한 내용에 따르면 선택형직불제는 친환경직불, 경관보전직불, 논활용직불 등 기존에 추진하던 직불제를 그대로 이어서 추진하겠다는 계획이다. 제도 운영과 직불금 액수도 기존과 마찬가지다. 제도개선의 의지가 안 보이는 것이다.

공익형직불제는 농업활동을 통해 식품안전, 환경보존, 농촌유지 등의 공익을 창출하는 것이기에 농사를 짓는 것만이라도 기여하는 부문에서 약간의 의무사항을 지켜도 기본직불금을 지불하는 반면 선택형직불제는 강력한 부가의무를 수행해야 지불하는 것이다. 특히 선택형직불제는 농사를 짓는 것만으로도 손해를 입는 부분을 찾아 부가의무를 수행하면 손해 분을 보전해주는 제도를 확대해야 하나 오히려 조건이 불리한 직불이 없어졌다.

선택형직불제의 보완이 절대적으로 필요하다. 그 이유는 농지(농업진흥지역)을 소유하는 것만으로도 농지를 유지하고 보전하는 기능을 하는데, 다른 사람에 비해 제대로 농지 값을 못 받는 경우에는 선택형직불제의 하나로 농지소유직불제를 도입할 수 있다고 본다. 다만, 이를 추진하기 위해서는 헌법의 규정대로 농민만이 농지를 소유하도록 제2의 농지개혁을 달성한 후에 필요한 일이다.

또한 수해와 같은 자연재해를 받으면 농업이라는 행위가 재해방지기능을 가져서 농지가 물에 잠겨 벼 등 농산물의 커다란 피해를 입지만 인근의 주택과 공장 등 주거시설은 피해를 덜 입는다. 이런 경우 농민만이 피해를 입어서는 안 되는 일이며, 재해방지라는 공익적 기능을 했던 농업 종사자가 피해보상을 받을 수 있는 조건이 된다고 본다. 지금까지 이런 상황에서 정부는 피해농민들에게 구호식량과 대파대를 지원해 주는 수준으로 그쳤다. 선택형직불제의 하나로 도입이 가능하다고 생각한다.

이와 같이 선택형직불제를 도입할 수 있는 영역은 지속적으로 발굴해 도입해야 한다. 그래야만 힘들고 어려워도 환경을 지키고, 국민의 공공재인 먹거리를 생산한다는 농민들의 의무감을 고조시켜 농업에 종사하는 젊은이들이 늘어날 수 있는 것이다. 그러면서도 포스트 코로나 시대를 맞아서 지구환경을 지키는 지킴이로써 보람을 느낄 것이다.

이렇게 해줘야 젊은이도 농사를 지으러 농촌에 온다. 이런 것이 기후위기와 코로나에 대비하는 정책의 하나가 될 수는 없을까?

기후위기-코로나에 대응하는 농정-농정 틀의 전환은?

2019년 4월말 농어업·농어촌특별위원회가 출범하고 1년이 채 안 돼 농특위원장이 내부적인 알력으로 물러나고, 새로 정현찬 농특위원장이 취임해서 6개월을 넘겼으나 2019년 12월 12일 농특위의 타운홀 미팅 대통령보고대회에서 밝힌 농정 틀의 전환은 물론, 공익형직불제의 완벽한 추진은 아직 요원하다. 2019년 연중 전국을 누비면서 농민여론을 수렴했던 타운홀 미팅을 끝내고 대통령이 농정개혁을 선언했으나 2020년 들어서서 그린 뉴딜에 농업분야가 빠졌다며 또 전국을 누비며 농민대상으로 새로운 여론수렴을 하고 있다. 여론수렴만 하고 정권을 끝낼 것인지 언제나 본격적으로 개혁농정을 추진할 것인지 안타깝다.

2000년이 시작될 때 세계는 새천년의 시대가 찾아오면서 신문명의 시대를 예측했고, 미래학자들은 사회-제도-종교-문화-인권-경제-국가 등 여러 분야에서 신문명이 태동할 것이라고 전망했다. 그러면서 세계경제포럼은 2016년 1월 열린 다보스포럼에서 4차 산업혁명을 화두로 제시하면서, 4차 산업혁명을 '디지털 혁명에 기반을 두고 물리적 공간, 디지털적 공간 및 생물학적 공간의 경계가 희석되는 기술융합의 시대'가 도래할 것임을 선언했다.

그러나 2020년의 현실은 코로나19의 창궐로 경제위기가 찾아오고, 2020년 11월 9일 현재 4,955만 1,195명이 코로나19에 걸렸으며, 124만 5,239명이 사망에 이른 것으로 집계됐다. 그런 가운데 전염병의 확산으로 교역이 중단되고, 사람이 모이는 행사가 중단되는 것은 물론, 이에 따른 비대면 사회가 일상화됐다.

이와 같은 전염병 창궐의 시대(팬데믹)를 맞아 그 원인이 무엇인지는 생태학자, 기상학자는 물론, 경제학자들조차 기후위기와 같은 측면에서 보고 있으며, 인간의 지구환경 파괴를 그 원인으로 지목하고 있다.

산업혁명 이후 인간이 영위한 대량생산-과소비의 형태가 에너지 과소비와 환경오염을 유발했고, 그것이 바로 기상위기를 도래하게 했으며, 이는 생태계의 변화마저 초래해 작은 생명체들의 반란이 일어나고 있는 현상이라는 것이 코로나 팬데믹의 원인이라는 진단이다. 이젠 지구상의 인류문명이 새로운 전환을 모색해야 할 때다. 대량생산-과소비의 문명의 틀을 바꿔야 할 때가 된 것이다.

그러면 우리의 농정은 어떻게 바꿔야 하나?

2019년 12월초에 한국농수산대학교에서 열린 농특위의 타운홀 미팅 보고대회에서 문재인 대통령은 신자유주의적 발전국가를 지향하던 국가비전을 혁신적 포용국가로 전환하고, 생산주의 농정이었던 농정 모델을 지속 가능 농정으로 전환함으로써 산업, 상품 중심의 성장, 경쟁, 효율이었던 농정 이념을 사람과 공익적 가치 중심의 지속 가능성과 포용, 혁신을 이념으로 하는 농정으로 전환하겠다고 선언했다.

이에 따라 경쟁력 있는 농어업 육성이었던 농정 목표를 국민과 농어민의 삶의 질과 행복증진으로 방향을 바꾸는 동시에 농어업·농어민 중심이었던 농정 대상을 농어업·농어촌·식품을 통해 모든 국민과 미래세대로 전환함은 물론, 중앙주도의 하향식이던 농정 방식도 자치분권을 중심으로 한 주체 간 협력과 협치로 바꾸어내겠다고 표명했다.

여기서 제시된 것이 5대 농정개혁과제다. 그 내용을 보면 △사람과 환경 중심 농정구현 △살고 싶은 농어촌 △수급관리와 가격시스템 선진화 △신명나고 스마트한 농어업 △푸드플랜으로 안전한 먹거리 제공 등이다.

그러나 코로나 팬데믹 시대에 현재 시점의 저출산 및 고령화, 저고용, 저성장, 양극화 등의 사회적 과제와 농정의 측면에서 도농소득격차의 심화, 농민 간 소득의 양극화, 만성적 농산물값 하락 등의 문제를 해결해야 하는 점은 물론, 코로나 팬데믹 시대에 해결해야 할 비대면 사회로의 적응, 지역소멸 위기의 대응, 인터넷유통의 강화, 에너지의 전환, 기상위기를 잠재워야 하는 과제, 생태계 복원을 위한 과제 등 3중의 과제를 함께 해결해야 할 시점에 있다.

이를 극복하기 위한 개혁적 농정의제는 식량안보와 먹거리 보장, 농촌 신(新)주체의 형성, 공정한 소득, 농가경영안정, 환경보전, 기후위기 대응, 농촌 활력 등을 들 수 있다. 이를 바탕으로 시급히 해결해야 할 중점영역은 △기후위기 대응과 에너지 전환 △전 국민 일터-쉼터-삶터로의 농어촌지역 재탄생 △신량안보, 사회취약계층의 먹거리위기 대응 △비대면 4차 산업혁명 시대에 부응하는 생산-유통-소비 시스템 그린화 등으로 꼽을 수 있다.

이는 국민과 함께 하는 농어업·농어촌이어야 접근이 가능해진다. 특히 3중의 과제(3저 사회 돌파, 농정 틀 전환, 코로나 극복 등)를 동시에 극복해야 하는 시점이기에 이를 추진하기 위한 동력을 확보하기 위한 법과 제도의 정비가 필수적이다.

법과 제도는 우선 재정과 투융자, 세재 등의 기반을 농업재정법, 농안법 등 관련법으로 확보하게 해야 기획재정부 등 농업 외 세력의 예산 압력을 돌파할 수 있기 때문에 반드시 정비해야 하고, 공익형직불제와 다기능 지불을 실시하기 위해서는 농지문제를 제대로 정비하지 않으면 실패로 돌아갈 가능성이 커서 전국적인 농지 전수조사를 통한 제2의 농지개혁이 이뤄져야 한다.

또한 경영안정과 혁신을 도모하기 위해 농산물 유통의 제값받기를 위한 제도적 장치와 지방정부 주도의 지역 뉴딜 추진을 위한 혁신방안도 마련해야 할 것이다. 아울러 탄소 흡수원으로의 변신을 위한 농업 R&D정책의 대대적 전환이 요구되고 있다. 특히 에너지 효율성을 높이기 위한 에너지 과다 이용시설의 전환과 농수산물 푸드체인시설의 시스템화와 아울러, 농어촌 노후 생활 인프라의 개편, 노후 농공단지에 대한 그린 모델링의 도입 등 실감나는 현장의 개선이 이뤄져야 한다.

스마트유통의 활성화를 위해서는 온라인농산물거래소(가칭)를 설립하고, 산지유통시설과 지방도매시장 등의 화상경매시스템 기반 구축과 물류센터 기능 중심으로 전환하는 한편, 공공급식센터와 신선편의시설 등을 확충해야 할 것이다.

또 농어촌 거주 지원 통합플랫폼을 구축해 귀농귀어귀촌을 지원해야 한다. 이와 함께 농어촌의 생활서비스 공백을 메우는 사회적 경제조직을 지원해서 다양한 인적 자원의 지역사회 활동 통로와 일자리로 활용할 수 있도록 지원해야 한다.

농정 틀의 전환이든, 그린뉴딜이든, 포스트 코로나 농정이든 제대로 하자

한국판 뉴딜은 기존 3대 경제정책에 코로나 팬데믹을 맞아 경제 위기가 닥치면서 '포스트 코로나' 대비라는 전략이 더해진 것이다.

농업계는 문제점의 원인을 찾아 한국사회의 체질을 개선하려는 노력보다는 역대 정부가 말한 미래산업 육성과 근본적인 차이가 보이지 않고 미래산업 육성 방안에 재정투자를 늘리는 정도로 뉴딜을 이해하고 있다고 비판하고 있다. 그래서 이명박 정부의 녹색성장과 다를 바 없다는 극단적 표현으로 비판하는 이들도 있다.

한국판 뉴딜의 3대 축의 하나인 그린 뉴딜은 처음엔 계획에 없던 것이라고 한다. 문재인 대통령이 그린 뉴딜을 한국판 뉴딜에 포함시키라는 지시를 내려 갑작스럽게 들어가게 된 것이라는 것이다. 하지만 그 논의과정에 농림축산식품부는 포함되지도 못했다. 농업계가 얼마나 힘이 없었는지, 농업계 사람들도 그린뉴딜에 대해 얼마나 관심이 없었는지 알 수 있다.

농업이 빠진 문재인 정부의 그린 뉴딜 내용을 보면 이명박 정부의 '녹색성장'과 상당히 유사하다. 기존에 해오던 정책이면서 산업정책에 재정투입만 늘리는 것 중심이기 때문이다.

그렇다면 '한국판 뉴딜'에서 농업·먹거리가 빠진 것은 무엇이 문제인가? 그린 뉴딜에서 농업·먹거리가 중요한 것은 세 가지 이유 때문이다.

첫째, 산업적인 농식품체계는 탄소배출의 주요 부문이다. 실제 농업생산은 농식품체계의 탄소배출에서 11~15% 정도의 비중이고 나머지는 토지 이용 변화(농지 전용 등), 산림 파괴, 가공·포장·운송 등으로 인한 배출이다. 농식품체계를 자연과 공생하는 생태적인 방식으로 전환하는 것은 지구온도 1.5도 이상 못 오르게 하는 데 크게 기여할 수 있다.

둘째, 현재의 낮은 농산물 가격-과잉생산-많은 먹거리 손실(유통/가공)과 음식물 쓰레기의 악순환을 끊을 수 있다면 농민의 생계보장, 농업노동자의 적정임금 보장, 먹거리선순환체계 구축과의 연계 등을 통해 농업의 지속 가능성을 높일 수 있다. 그린뉴딜을 통해 환경 훼손에 대한 비용이 사회에 전가되는 것이 아니라 이를 발생시킨 기업에 부과되면 농민에게는 적정 가격과 소득이 보장될 수 있고 농민은 자연에 부담을 주는 고(高)투입, 과잉생산을 지양하고 생태적인 생산에 집중할 수 있다.

셋째, 그린 뉴딜의 중요한 방향성 중 하나인 불평등의 해소와 사회적 정의의 실현은 평등한 밥상, 먹거리 정의를 통해 기여할 수 있다. 사회적 양극화가 야기한 또 하나의 큰 문제는 경제·사회적 차이가 밥상의 차이로 이어지고 이는 건강 불평등과 이로 인한 의료비용의 사회전가로 문제가 커지고 있다. 그래서 국민, 농민은 변방이 되어 버렸다. 일반 국민과 특히 사회 취약계층의 목소리가 중심이 돼야 한다는 문제의식은 해외 그린 뉴딜뿐만 아니라 파리기후협약에서도 중요한 원칙으로 삼고 있다.

신속한 탈 탄소로의 에너지 전환은 사회 전체의 참여를 필요로 한다. 이를 위해서는 모두가 그린 뉴딜의 수혜자가 될 수 있어야 가능하지 재정투입으로 발생할 이윤을 벌써부터 따지는 자본만이 수혜자가 되어서는 갈등만 초래할 것이다.

또한 그린 뉴딜은 저소득층, 노동자, 농민, 여성, 청년들의 고민을 담아내는 틀이 되어야 한다. 일자리를 걱정하는 비정규직 노동자, 주택가까지 밀고 들어온 태양광 패널을 보며 분통을 터뜨려야 하는 농민, 쪽방 청년, 여성, 비정규직 등의 목소리가 담기는 진정한 사회변화가 필요하다.

<표> 지속 가능한 농업·농촌으로의 전환을 위한 그린뉴딜 정책수단

정책 영역	그린뉴딜의 목표 달성을 위한 정책 수단
공정한 가격 보장	• 중소가족농을 위한 공정한 가격체계 구축 • 농민(농가)이 삶과 영농을 유지할 수 있는 실제 생산비 보장 • 토지와 물 등 자연의 재생산(훼손 없는 혹은 훼손을 최소화하는)을 보장하는 농사 실천 지원 <미국사례> • 이를 위해 1933년 농업조정법(Agricultural Adjustment Act; AAA)을 통해 보장되었던 패리티 가격을 현재의 여건에 맞게 재설계 • 기초농산물(밀, 면화, 옥수수, 돼지, 쌀, 담배, 우유 등)에 대한 패리티 가격 보장과 공급 관리
계약재배 개혁/확대	• 생산자 조직화를 통해 농민의 가격교섭력 강화, 유통 과정에서의 불공정한 계약 방지 • 유통업자의 몫에 상한을 둬서 폭리 제한 • 기업에 의한 과도한 시장 지배, 낮은 가격 담합 규제
농지 접근권 보장	• 농지 소유와 관계없이 농사 여부를 통해 그린뉴딜에 의한 지원 정책 수혜 • 농지에 대한 부동산 투기 규제
농업노동권 보장	• 농업노동자에 대한 정당한 임금 지급
생태적(친환경적) 영농 지원	• 농지를 비롯해 농업의 탄소 흡수 역량을 강화할 수 있는 생태적 영농 지원 • 덮개 작물, 부산물의 재활용, 무경운 등 생태적 실천을 하는 유기농업, 농생태 확대 지원 • 합성비료 및 농약 사용 저감
농업·농촌 에너지 전환	• 화석연료 의존적인 대형 농기계 사용 지양, 에너지 효율적인 생산 지원, 기술개발 • 태양광 등 재생에너지 확대를 통한 마을, 지역 단위 에너지 자립
축산 전환	• 집중가축사육시설 등 공장형 축산 규제 • 농가, 공동체, 지역 단위의 경축순환 농업 지원
금융 지원	• 부채를 늘리지 않는 공적 투자 방식의 금융 지원
일자리 지원	• 그린뉴딜 투자를 통해 귀농·귀촌하는 도시→농촌 이주자들을 위한 다양한 그린뉴딜형 일자리

먹거리 무역	• 빈발하는 위기, 재난 상황에 대응하는 자급력 확보 • 기업의 이윤이 아닌 필요에 의한 상호보완/협력적 먹거리 무역 (불필요한 먹거리 이동 푸드마일 감축)

2017년 문재인 대통령의 '탈(脫)석탄' 방향이 천명되고 미세먼지 대책의 일환으로 노후 석탄화력발전소의 일시 가동중단이 발표됐을 때, 석탄화력 노동자들은 자신들도 대한민국 국민이며 또 "후손에게 물려주어야 할 나라가 어떠해야 하는가를 잘 알기에" 정부의 방침을 "애틋하게 환영한다."는 논평을 낸 적이 있다.

더 이상 국민을 정책의 대상으로만 바라보지 말라. 정책을 만들어갈 주체다.

그린 뉴딜을 통한 먹거리체계의 전환은 다시 한 번 강조해도 과하지 않다. 어떻게 실효성 있는 실행과 이행 방안을 만들 것인가가 중요하다. 실효성 있는 실행·이행의 구체적 방안의 실천성이 문제다. 한국의 여건에 기반을 둔 농업·먹거리 부문의 그린 뉴딜 전략을 수립하고 추진하기 위해서는 두 가지 측면에서 추진체계의 구축이 필요하다.

우선 민-관의 공동 논의를 위한 거버넌스의 구성이다. 새롭게 거버넌스 체계를 만들기보다는 기존의 틀을 활용해서 신속하게 논의가 가능하도록 해야 한다.

제안으로는 대통령직속 농특위와 농식품부가 거버넌스의 틀을 만들고 행정의 관련 핵심부서, 주요 농민단체, 시민사회 진영이 참여하는 논의의 장을 만들면 어떨까? 유럽의 사례에서 보는 것처럼 농업·먹거리 부문의 그린 뉴딜은 국가 먹거리전략/계획(푸드플랜)과의 연계성이 크기 때문에 그린뉴딜과 푸드플랜 거버넌스를 하나의 틀로 구성하는 것도 고려해 볼 수 있다.

그 다음은 민관 거버넌스를 통해 논의되는 내용들이 대표성을 가지고 실행으로 이어지기 위해서는 부처 간의 협의가 병행돼야 한다.

마지막으로 결국 농업의 지속성이 유지돼야 한다. 코로나19 이후 한국 농정은 식량주권이 실현되는 방향으로 전환돼야 한다. 그리고 그러한 방향으로 가기 위해 '농업·농촌 및 식품산업 기본법' 전면 개정을 통해 근본 틀의 전환이 진행돼야 한다.

포스트 코로나 시대 농림업, 온실가스 저감은?

코로나 시대 옵션과 농림업 경영의 환경대응1

모든 사회가 마찬가지지만 농업분야도 코로나 시대 대응 옵션이 필요하다. 코로나 대응이란 결국 기후위기-온실가스 저감을 위한 대안이다.

우선 에너지 시스템을 바꿔야 한다. 풍력, 태양광, 바이오에너지, 전기자장 등으로의 에너지 비중을 높여야 한다.

두 번째는 토지와 자연생태계의 전환을 요구하고 있다. 이를 위해서는 식량생산을 효율화하면서도 음식물폐기물을 줄이고 생태를 회복할 수 있는 시스템을 구축해야 한다.

세 번째는 친환경적 도농 인프라 시스템으로의 전환을 모색해야한다. 이를 위해 도시계획을 과감히 친환경적으로 전환하고 전기차, 공유경제, 스마트그리드* 등을 적극 도입해야 한다.

*스마트그리드란?
기존의 전력망에 정보통신기술(ICT)을 접목해 전력 공급자와 소비자가 양방향으로 실시간 전력 정보를 교환함으로써 에너지 효율을 최적화하는 차세대 지능형 전력망을 뜻한다. 전력을 효율적으로 사용하기 위해 고안된 에너지저장장치(ESS), 에너지관리시스템(EMS), 스마트 가전 등을 모두 아우르고 있는 기술이다. 미국의 FERC(미국에너지연방규제위원회)는 스마트그리드를 통하면 전력 사용이 가장 많은 피크 타임 시 20퍼센트의 절전효과를 가져올 수 있다고 말한다.

네 번째는 산업시스템을 전환하는 것도 중요한 하나의 옵션이다.

산업별로 에너지를 효율화하고, 산업 탄소의 순환을 고려한 연계 고리를 만들어야 한다. 아울러 이산화탄소를 제거하는 문제는 지구 환경 회복을 위한 가장 큰 옵션이다.

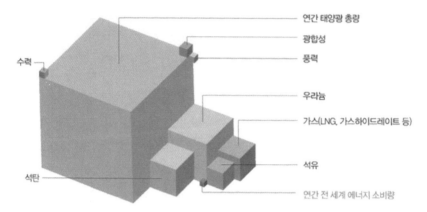

◆지구상에 존재하는 에너지 총량 비교도= 미 국립석유위원회가 2007년 발표한 자료에 따르면 지구상에 존재하는 에너지 가운데 태양광이 가장 풍부한 것으로 나타났다. 전 세계 에너지 소비량과 석유, 석탄, 가스, 우라늄 잔존량의 크기를 비교해 볼 수 있다.

이를 위해 세계의 국가들은 기후위기에 대응하기 위해 기후변화협약을 추진해왔다. 일부 책임 있는 국가들의 이기심으로 회원을 탈퇴하는 일도 있었지만 29년간 지속적으로 지구환경 개선을 위해 제도를 정착시켜 왔다.

기후변화협약은 인위적인 활동에 의한 온실가스 증가로 발생한 지구온난화 문제를 해결하고자 1992년 UNCED에서 채택된 다자간 환경협약으로, 대기 중 온실가스 농도의 안정화를 목적으로 하고 있다. 1992년 기후변화협약이 체결될 당시 지구온난화의 역사적 책임이 있는 선진국과 상대적으로 책임이 덜한 개발도상국을 부속서/당사국(Annex / Parties)과 비부속서/당사국(Non-Annex / Parties)으로 분리하고, 이후 온실가스 감축 시 공통되지만 차별적인 책임(common but differentiated responsibility)을 지도록 했다.

우리나라는 기후변화협약 체결 당시 비부속서/당사국으로 인정받아, 제1차 공약기간(2008- 2012) 동안 온실가스 감축의무를 지지 않았다. 기후변화협약이 1994년 발효된 이후 1995년 독일에서 제1차 당사국총회(Conference of Party, 이하 COP이라 줄여 표기)를 개최하고 베를린 위임사항(Berlin Mandate)을 채택했는데, 주요 골자는 부속서/당사국의 2000년 이후의 구체적인 온실가스 감축목표에 관한 의정서를 제3차 COP에서 채택할 것을 규정한 것이었다.

1997년 일본에서 개최된 기후변화협약 제3차 COP에서는 부속서/당사국의 2000년 이후 법적 구속력이 있는 온실가스 감축 목표를 담고 있는 교토의정서(Kyoto Protocol)를 채택했다. 이때 인위적인 활동인 신규조림, 재조림, 산림전용(3.3조) 및 농업용 토양, 토지 이용변화 및 임업 활동(3.4조)으로 발생한 온실가스 흡수량 또는 배출량을 부속서/당사국의 의무 이행에 사용할 수 있도록 했다.

이러한 제도적 장치로 인해 제1차 공약기간에 의무적으로 온실가스를 감축해야 하는 부속서/당사국은 에너지, 수송, 건물 등 배출원(sources)에서 발생하는 온실가스의 감축 활동뿐만 아니라 대기 중으로부터 온실가스를 흡수(removal)해 장기간 고정하는 신규조림, 재조림 및 임업 활동을 온실가스 감축노력으로 인정받을 수 있게 된 것이다.

또한 부속서/당사국이 자국 내 온실가스 감축 활동 이외의 보조 장치로 6조에 공동이행제도(JI)*, 12조에 청정개발체제(CDM)** 및 17조에 배출권거래제도(ET)***와 같은 시장원리에 입각한 교토메커니즘을 도입, 의무이행의 유연성을 부여했다.

*공동이행제도(JI, Joint Implementation)란?
공동이행제도(JI)는 부속서 I 당사국이 다른 부속서 I 당사국에 투자해 발생한 온실가스 감축실적을 자국의 감축실적으로 인정하는 제도다.

CDM은 부속서 Ⅰ 당사국이 비부속서 Ⅰ 당사국에 투자해 발생한 온실가스 감축 실적을 자국의 감축 실적으로 인정하는 제도이다.
*** 배출권거래제도(ET, Emission Trading)란?
ET는 부속서 Ⅰ 당사국 간에 남거나 모자란 온실가스 배출권을 시장 메커니즘에 따라 사고팔 수 있도록 한 제도다. ---> 위의 정의에서 알 수 있듯이 제1차 공약기간 동안 온실가스 의무감축가 없는 비부속서/당사국이 교토의정서 체제에서 유일하게 참여할 수 있는 제도적 장치는 CDM이라 할 수 있다.

2001년 모로코에서 개최된 기후변화협약 제7차 COP에서는 마라케쉬합의문(Marrakesh Accords)을 채택하고 토지이용, 토지이용 변화 및 임업활동(Land use, land-use change and forestry : 이하 LU-LUCF라 줄여 표기) 및 교토의정서에서 채택한 교토메커니즘의 이행을 위한 구체적인 세부규칙 및 절차를 완성했다.

이 세부규칙에 따라 1차 공약기간 동안 CDM 사업으로 인정받을 수 있는 활동은 신규조림 및 재조림으로 제한됐다. 그러나 신규조림/재조림 CDM 사업의 결과로 발생한 배출권의 비영속성(non-permanence) 문제를 해결하지 못해 조림 CDM에 대해서는 추후 구체적인 세부규칙 및 절차를 마련토록 했다. 또한 제1차 공약기간 동안에 한해 부속서/당사국의 국내 산림 흡수원 사업 및 A/R CDM 사업 활동에 대한 탄소배출권의 인정 규칙이 결정됐다.

이탈리아 밀라노에서 개최된 기후변화협약 제9차 COP에서는 제7차 COP에서 결정하지 못한 조림 CDM의 세부규칙 및 절차(이하 'A/R CDM M&P'라 줄여 표기)가 최종 확정됐다.

아르헨티나에서 개최된 제10차 COP에서는 마지막으로 남은 과제였던 소규모 A/R CDM 사업의 추진과 이를 촉진하기 위한 간소화된 적정 방식과 절차를 채택할 것을 결정했으며, 2005년 8월에는 소규모 A/R CDM 사업 활동을 위한 간략한 베이스라인과 모니터링 방법론이 마련됐다.

지금까지 살펴본 바와 같이 1997년 교토의정서 12조에 CDM이

도입된 이후 약 8년 동안 조림 CDM 사업의 국제적인 법적 틀이 만들어졌다.

코로나시대 옵션과 농림업 경영의 환경대응2

이산화탄소 제거-CDR(Negative Emissions=역배출)에는 AR(신규 조림, 재조림), BECCS(바이오매스와 바이오에너지에 의한 탄소저장 및 격리), DACCS(화학용매 및 흡수제를 이용한 격리), Biochar(바이오차-숯에 의한 탄소 격리), SCS(토양 탄소격리), EW(Enhanced Weathering, 가속 광물화), CCUS(고농도 이산화탄소 포집 처리), OA(해양 염기성화) 등 여러 가지 방법이 있다.

이중 AR, 바이오차 등은 산림을 이용해 가능한 것이고 BECCS, SCS 등은 농업부문에서 활용 가능한 방식이고, OA 등은 해양수산과 관련된 부문에서 활용할 수 있는 반면, DACCS, EW 등은 환경부가 직접 개선을 취할 수 있는 방법으로 알려져 있다.

구체적으로 풀어보면 신규조림/재조림(A/R, Afforestation/Reforestation)은 지난 50년간 산림이 아니었던 토지에 조림을 실시하는 것과 1989년 12월 31일 현재 산림이 아니었던 곳으로서 지금까지 산림 이외의 용도로 이용되던 토지에 조림을 실시하는 두 가지 사업으로 나누어진다. 특히 인도네시아 등 산림부문의 탄소배출권 잠재력이 높은 해외에서도 산림탄소배출권을 확보하기 위해 활발히 관련 사업을 추진하고 있다.

BECCS(Bioenergy and Carbon Capture-Storage)는 기술을 통해 바이오에너지를 생산해서 사용하고, 발생하는 탄소를 포집·저장하는 것이다. 1990년대부터 논의되기 시작한 BECCS는 말 그대로 바이오에너지와 CCS를 결합한 온난화 방지 기술, 온실가스 감축 기술이다. 우선 탄소 포집·저장(CCS, Carbon Capture and Storage)부터 살펴보면, 석탄·석유 등 화석에너지를 태우면 온실가스인 이산화탄소가 나오는데, 굴뚝 등에서 이산화탄소만 모아서, 바다 밑이나 땅속에 저장하는 기술을 CCS라고 한다.

기름을 퍼 올린 후 남는 땅 속 유전(油田)의 빈 곳 등에 파이프로 보내거나 배로 싣고 가서 주입하는 방식이다.

여기에 팜유 등 바이오에너지를 생산하는 식물을 생산하게 되면 이산화탄소를 흡수하고 에너지를 소비하는 과정에 발생하는 이산화탄소를 흡수해 처리하게 되면 BECCS 기술이 된다.

도시 폐기물 또는 지속 가능한 원료물질인 산림과 농업 부산물 등의 바이오매스로부터 전기를 생산하는 것은 지구온난화가스 배출을 줄일 수 있는 효과적인 전략 중 하나다. 바이오매스는 대기 중 탄소를 몸속에 고정하기 때문에, 이러한 바이오매스를 에너지화하는 과정은 일종의 탄소 중립(carbon-neutral) 효과를 유발한다.

미국 버클리대학교 연구진은 바이오매스 전력 생산이 미국 서부의 탄소 고정 및 포집과 결합할 경우, 전력 발전시설이 실질적으로 배출량보다 더 많은 탄소를 저장하는 셈이라고 설명하고 있다.

또한 전체적인 제로 탄소 미래에 중요한 기여를 할 수 있을 것으로 보았다.

탄소 고정 및 포집 기능의 바이오에너지(BECCS, bioenergy with carbon capture and sequestration) 측면에서, 바이오매스 연소를 통한 탄소 고정을 통해, 가스 또는 석탄 발전 시설을 유지시키더라도, 전력 발전시설을 탄소음성(carbon-negative)으로 바꿀 수 있다는 것. 이를 통해 탄소 저감은 수송에서 사용되는 화석연료의 탄소 배출을 상쇄할 수 있다.

버클리대학교 다니엘 산체스(Daniel Sanchez) 박사는 "탄소 고정 및 포집기술에 대한 상업화 불확실성은 매우 다양하게 존재한다.

우리 연구진은 현재의 BECCS 기술력을 바탕으로 시뮬레이션을 한 결과, 캘리포니아 주의 2050년 탄소 배출 저감 목표치의 80% 수준 정도로만 도달할 것으로 확인됐다. 하지만 전력 시스템은 음성적 탄소 배출에 성공할 것으로 보인다."고 설명했다.

BECCS는 인공적인 기후변화 영향을 저감시킬 수 있는 몇 안 되는 비용 효과적인 탄소 음성적 기회이다. Daniel Kammen 교수는 "탄소 저장 매체로서 지속 가능하게 관리할 수 있고, 저탄소 발생 기술의 적용이 가능해진다면, 바이오매스는 대기 중 탄소를 감축할 수 있는 수단"이라고 덧붙였다.

DACCS는 이온성 액체를 이용해 탄소를 포집하는 기술을 말한다. 이산화탄소와 이온성 액체 간에는 상호작용이 있는데 미국 과학자가 이온성 액체가 이산화탄소를 흡수하는 과정에서 일어나는 상호작용에 대해 계산화학적인 기법을 이용한 연구결과 이산화탄소 포집기술에 큰 영향을 미쳤다. 에너지 생산단계의 효율을 향상시키면서 이산화탄소 배출량을 줄이는 방안과 대기 중의 이산화탄소를 합성연료 등 유용한 물질로 전환하는 방안이 해결책으로 제시되고 있다. Biochar(바이오 숯)에 의한 온실가스 완화도 큰 효과가 있는 것으로 나타난다. 바이오 숯은 나무와 풀, 옥수숫대 등 유기물질을 산소가 없이 밀폐된 공간에서 태워 얻는 숯이다. 그 과정에서 가열돼 발산되는 가스는 채취해 연료로 사용할 수 있고 마지막엔 숯이 남게 된다.

이런 내용은 수백 년 전 아마존 인디언들이 땅을 비옥하게 만들기 위해 사용했던 바이오 숯이 기후변화를 완화시키는 첨단무기로 사용될 수 있는 것으로 밝혀졌다고 사이언스 데일리가 2010년 1월 연구를 인용 보도하면서 알려졌다.

미국 코넬대 연구진은 고대 인디언들이 지력을 북돋우기 위해 숯과 유기물을 흙에 섞어 넣었던 방식에 주목, 바이오 숯 생산과 사용의 전 과정을 연구한 결과 바이오 숯을 대량생산하는 과정에서 공기 중에 이산화탄소로 흩어지게 될 탄소를 흡수한다는 사실을 발견했다고 2010년 '환경과학과 기술지'에도 발표한 바 있다.

연구진은 바이오 숯의 기후변화 완화 효과와 그 밖의 모든 가능한 결과를 처음부터 끝까지 추적하는 '생애 분석'을 통해 이런 결론을 얻었다.

이들은 바이오 숯을 생산하는 몇 종류의 방식은 경제적 타당성이 있는 '탄소 격리', 즉 탄소를 영구적으로 저장하는 방식이 될 것이며 이와 함께 재생가능 에너지를 생산하는 효과와 함께 온실가스 환경개선이 크게 영향을 미치는 방법이다.

SCS(토양 탄소격리)는 땅 속에 탄소를 격리하는 방법을 말하는데 토양개량을 위해 바이오차를 활용하는 방식이 바로 SCS이다.

바이오차는 탄소격리, 재생 에너지, 폐기물 관리, 농업 생산성 개선, 환경복원 관점에서의 중요한 기능으로 인해 최근에 크게 주목을 받고 있다.

또한 바이오차는 토양에서 수천 년간 안정적으로 보존될 수 있기 때문에, 결국에는 분해될 수밖에 없어 탄소 중립이라 불리는 바이오매스 에너지와는 달리 탄소 네거티브의 특징을 가지고 있다.

게다가 바이오차를 토양에 적용하면 바이오차의 높은 pH와 물 및 영양분의 우수한 보유 기능으로 인해 농업 생산성이 크게 개선될 수 있다.

CCUS는 화력발전, 철강, 정유, 시멘트와 같은 대규모 배출원에서 발생하는 다량의 이산화탄소 흡수법 등 다양한 이산화탄소 분리기술을 이용해 고농도로 이산화탄소를 포집하고, 포집된 이산화탄소를 산업적 목적으로 직접 또는 전환 활용하거나 대기로부터 장기간 안정적으로 격리하는 일련의 기술적인 방식을 말한다. 여기서 특히 칼슘과 마그네슘 광물화, 중소다 또는 베이킹소다, 콘크리트

양생 등의 광물화를 모색하는 것을 EW(Enhanced Weathering)라고 한다. 이 방식을 바다에서 처리하는 것을 OA라고 한다.

OA(해양염기성화)는 이산화탄소를 탄산이온 등으로 이온화한 후 금속이온과 결합시켜 광물과 같은 형태로 변환시키는 방식으로 이산화탄소를 줄이자는 것이다. 탄소광물화로 온실가스를 잡자는 이야기인데 이 방법은 해외에서도 큰 기대를 받고 있다. 연구에 의하면, 해수 속에 들어 있는 금속 양이온을 쓰면 해수 1t당 100kg의 이산화탄소를 저감할 수 있다고 한다.

온실가스를 줄이는 이러한 방식에서 농림업의 입장에서는 AR, BECCS, Biochar(바이오차-숯에 의한 탄소 격리), SCS(토양탄소격리) 등의 방식을 활용한 농림업기술정책의 구체적 실천방안이 나와야 할 것이다. 이런 기후위기에서 산림업의 중요성이 크게 대두되는데 AR을 통한 산림정책의 전환과 아울러, 농산촌이 함께하는 연구기술사업을 필요로 할 것이다. 또한 바이오매스와 바이오에너지를 통한 탄소 저장과 격리를 도입한 재배기술의 전환과 바이오 숯을 활용한 토양개량과 탄소저장이 혼합된 기술의 개발은 농산어촌이 기후위기 극복의 기반으로서 크게 활용돼야 할 것이다.

〈참고문헌 및 자료〉

- 지역재단. 2017. <2017 순환과 공생의 지역 만들기: 전환의 시대, 지역의 힘으로>. (사)지역연구원
- 황영모. 2017. "먹거리정책의 대전환과 지역푸드플랜". 2017대안농정토론회 '식-농-촌의 통합과 혁신'(국회 주제발표2)
- 윤병선. 2017. "푸드플랜과 서울시 먹거리 기본조례 및 먹거리 마스터플랜", 국민농업포럼 등 9개 단체 주최 '건강한 먹거리, 지속 가능한 농업농촌 실현토론회'주제발표1
- 정명채. 2015. "농어촌 복지정책", 한국농촌경제연구원
- 허남혁. 2017. "미국, 유럽 등 해외사례와 정책도입에 따른 시사점", 국민농업포럼 등 9개 단체 주최 '건강한 먹거리, 지속 가능한 농업농촌 실현토론회'주제발표2
- 송원규. 2016. "유럽의 지역푸드플랜의 역사적 맥락과 현황", 농업·농민정책연구소 녀름 제233호 이슈보고서
- 사동천. 2018. "농업농촌의 공익적 기능의 헌법반영", 가톨릭농민회 안동지회 강연 자료
- 사동천. 2019. "농지법의 개정방향", 지역재단 민위방본 제47호
- 김영하. 2018. "먹거리 팩트체크", ㈜새로운사람들
- 김영하. 2017. "농민이 사는 길, 농촌을 살리는 길", ㈜새로운사람들
- 한국농촌경제연구원. 2019. 농업전망 2019, 한국농촌경제연구원
- 한국농촌경제연구원. 2020. 농업전망 2020, 한국농촌경제연구원
- 서일환. 2020. "포스트 코로나 지속 가능 축산환경 개선과제", 지속 가능 개선과제 정책포럼
- 손학기. 2020. "농산촌 산림자원을 활용한 그린 뉴딜 추진방안", 농산촌 100년 그린뉴딜 정책포럼 제1차 토론회 자료집
- 우승한. 2020. "임목자원을 활용한 토양개량사업의 기대와 효과", 농산촌 100년 그린 뉴딜 정책포럼 제1차 토론회 자료집
- 김신제. 2020. "한국 100년 대계 저탄소 순환농업과 방향성", 농산촌 100년 그린뉴딜 정책포럼 제1차 토론회 자료집
- 김정선. 2020. "해외 주요국의 농식품 지원제도 사례와 우리나라 적용 시사점", 농식품 지원제도 정책토론회 자료집
- 김상효. 2020. "효율적인 농식품 지원제도 구축을 위한 과제", 농식품 지원제도 정책토론회 자료집
- 농림축산식품부. 2015. <제2차 식생활교육기본계획>, 농림축산식품부 유통소비정책관실
- 위키백과, 다음백과, 나무위키, 한국민족문화대백과사전
- 경향신문 2020. 9. 27 "기후변화 앞에서 한국의 책임도⋯⋯."

· 국회입법조사처. 2020.4.7. . "코로나19(COVID-19) 대응 종합보고서", 국회
· IPCC. 2018. "지구온난화 1.5℃ 특별보고서", 제48차 IPCC 총회 보고서
· 황의식 외 15인. 2020. "코로나19 대응 농업·농촌부문 영향과 대응과제", 한국
농촌경제연구원
· 황수철. 2020. 7. 30. "농산어촌 뉴딜", 대통령직속 농어업·농어촌특별위원회 등
3개 위원회주관 행사자료집
· 김영하. 2019. "제2의 농지개혁", ㈜새로운사람들
· 한국농촌경제연구원. 2020. 9. 14. "농업농촌의 혁신과 미래 토론회1". 한국농
촌경제연구원
· 한국농촌경제연구원. 2020. 9. 14. "농업농촌의 혁신과 미래 토론회2". 한국농
촌경제연구원
· 한국농어촌공사. 2011. 11. "녹색농업기술 탄소상쇄 등록 시범사업 최종보고
서", 농업기술실용화재단